BEAR GRYLLS

LES ANGES DE FEU

D1296500

LA TRILOGIE WILL JAEGER

Déjà paru :
LE TOMBEAU D'ACIER (Hugo Thriller, 2016)

Titre original : BURNING ANGELS

Publication originale au Royaume-Uni, 2016, par Orion Books,
une division de The Orion Publishing Group Ltd
Carmelite House, 50 Victoria Embankment
London EC4Y 0DZ
© Bear Grylls Ventures 2016

Pour la traduction française :
© 2016, Hugo et Compagnie
34-36, rue La Pérouse
75116 Paris

Collection Hugo Thriller dirigée par Bertrand Pirel
Conception graphique Hugo Thriller : Emmanuel Pinchon

ISBN : 9782755628036
Dépôt légal : octobre 2016
Imprimé en France
N° d'imprimeur : 184349

BEAR GRYLLS

LES ANGES DE FEU

Traduit de l'anglais (Royaume-Uni)
par Christian SÉRUZIER

Hugo ✛ Thriller

À la mémoire de Roger Gower, assassiné par des braconniers au cours d'un vol de surveillance et de protection de la faune au-dessus de l'Afrique orientale, et pour deux associations actives dans le domaine de la protection de la nature, le Roger Gower Memorial Fund et le Tusk Trust.

NOTE DE L'AUTEUR

Mon grand-père, William Edward Harvey Grylls, officier de l'Ordre de l'Empire Britannique et général de brigade au 15/19e régiment des Royal Hussars de Sa Majesté, fut nommé commandant en chef de l'unité spéciale Target, un commando secret constitué à la demande de Winston Churchill vers la fin de la Seconde Guerre mondiale. Ce petit groupe d'officiers est resté la plus clandestine des unités jamais assemblées par le Bureau de la guerre ; sa mission principale consistait à traquer puis à récupérer les technologies secrètes, les armes, les savants et les haut gradés nazis, afin qu'ils servent la cause des Alliés face à la nouvelle superpuissance mondiale désormais ennemie, l'Union soviétique.

Dans notre famille, personne n'a jamais soupçonné son rôle clandestin en tant que commandant en chef de cette unité T. Il fallut attendre de longues années après son décès, et la publication de documents soixante-dix ans plus tard, suite à la loi relative aux secrets d'État, pour que ces découvertes inspirent le projet de ce livre.

Mon grand-père se livrait peu, mais j'en garde des souvenirs attendris qui jalonnent mon enfance. Son éternelle pipe à la bouche, il incarne à tout jamais cet être énigmatique, ce pince-sans-rire adoré par tous ceux qui l'approchaient.

Pour moi, il restera à tout jamais Grand-Père Ted.

Daily Mail, août 2015

DÉCOUVERTE D'UN CONVOI D'OR NAZI :
la confession d'un homme sur son lit de mort conduit des chasseurs de trésors jusqu'au lieu secret où est immobilisé le convoi ferroviaire. Des responsables polonais affirment avoir confirmé sa présence après un examen radar.

Un convoi d'or nazi vient d'être découvert en Pologne après qu'un homme ayant aidé à le dissimuler à la fin de la Seconde Guerre mondiale a révélé son existence sur son lit de mort. Deux personnes, un Allemand et un Polonais, ont affirmé la semaine dernière qu'ils avaient découvert le train, qui recélerait un trésor, près de la petite ville de Walbrzych, au sud-est de la Pologne.

Piotr Zuchowski, un responsable de la Sauvegarde du patrimoine national polonais, a déclaré : « Nous ignorons ce que contiennent ces wagons. Sans doute de l'équipement militaire, mais également des bijoux, des œuvres d'art et des documents d'archives. À l'époque, les convois ferroviaires blindés étaient réservés à des objets de grande valeur, et il s'agit bien ici d'un train blindé. »

Selon les rumeurs locales, l'Allemagne nazie avait ordonné le creusement d'un vaste réseau ferroviaire souterrain serpentant autour de l'imposant château de Ksiaz, afin d'y dissimuler les trésors du Troisième Reich. Ces immenses tunnels, baptisés *Riese* (Géants), ont été creusés par des prisonniers des camps de concentration et aménagés de manière à permettre la production d'armes stratégiques, le site étant à l'abri des raids aériens alliés.

The Sun, octobre 2015

L'histoire nous apprend que le régiment des Forces aériennes spéciales, les fameuses SAS, créé en 1942, a été dissous en 1945…

Mais le nouvel ouvrage du célèbre historien Damien Lewis révèle qu'une unité top secrète de trente hommes des SAS a continué son combat. Ce petit groupe a plongé dans la clandestinité à la fin de la guerre, chargé d'une mission secrète : traquer les criminels de guerre nazis.

Leur objectif était clair : dénicher les monstres des SS et de la Gestapo qui avaient exterminé leurs camarades faits prisonniers, ainsi que des centaines de civils français qui avaient tenté de les aider. En 1948, le petit groupe avait capturé plus d'une centaine des pires assassins de guerre, dont la plupart avaient échappé aux juges du Tribunal de Nuremberg en 1945 et 1946, et qui furent traduits en justice.

Cette unité SAS, baptisée les «Chasseurs clandestins», était commandée depuis une base établie à l'hôtel Hyde Park de Londres. Elle avait été créée clandestinement par un aristocrate russe en exil travaillant au service du ministère britannique de la Guerre, le Prince Yuri Galitzine.

Ce sont des membres de cette unité qui découvrirent les premiers l'horrible réalité des camps d'extermination nazis… Le camp de concentration de Natzweiler, près de Strasbourg, avait été le théâtre d'expériences atroces pratiquées par les Nazis. C'est là que le commandant Joseph Kramer avait mis au point la technique du gazage pour exterminer les prisonniers juifs.

BBC, janvier 2016

DES SCIENTIFIQUES AFFIRMENT QU'OETZI, L'HOMME DE GLACE, HÉBERGEAIT UNE BACTÉRIE DANS SON ESTOMAC

D'après les prélèvements microbiens effectués par une équipe de scientifiques, Oetzi avait un problème à l'estomac au moment de sa mort. La momie de l'Homme de glace, âgée de 5 300 ans et découverte dans un glacier des Alpes en 1991, souffrait d'une infection bactérienne très répandue de nos jours.

Une analyse génétique de cette bactérie, *Helicoblacter pylori*, a été pratiquée afin de retracer l'histoire de ce microbe, qui a beaucoup à nous apprendre sur l'histoire des migrations humaines.

Le professeur Albert Zink, responsable de l'Institut consacré aux momies et à l'Homme de glace à l'Académie européenne de Bolzano, s'explique : « Notre premier défi a été d'effectuer des prélèvements dans l'estomac sans endommager la momie. Pour ce faire, nous avons entièrement décongelé Oetzi, et nous avons pu nous introduire par un orifice… »

16 octobre 1942, glacier de Helheim, Groenland

Le lieutenant SS Herman Wirth balaya les flocons de neige qui obscurcissaient sa vue. Au prix d'un nouvel effort, il réussit à approcher son visage de celui de la femme ; une trentaine de centimètres les séparaient désormais. Son regard fouilla l'épaisseur de glace et il ne put réprimer un haut-le-cœur.

Les yeux de la femme étaient grands ouverts, tels que la mort les avait saisis. Assurément, et comme il s'y attendait, ils étaient d'un bleu limpide. Mais ses espoirs s'évanouirent rapidement.

Le regard de la femme plongeait dans le sien. Un regard de folle. Vitreux. Celui d'un zombie. Deux canons rougis de pistolet dardant vers lui sous la chape de glace translucide qui l'emprisonnait.

De manière incompréhensible, lorsque cette femme avait fait une chute au fond de la crevasse du glacier, elle devait pleurer des larmes de sang. Wirth contempla un instant les ruisselets de sang congelé qui avaient coulé de ses yeux, figés pour l'éternité.

Son regard descendit vers la bouche de la femme morte. Il avait passé des nuits sans fin à fantasmer sur cette bouche, pendant son périple dans l'Arctique glacial, où le froid parvenait même à transpercer son épais sac de couchage en duvet.

Il avait imaginé ses lèvres ; il en avait rêvé nuit après nuit. Elles seraient épanouies, pulpeuses, d'un rose sensuel et attirant. Ce serait la bouche d'une jeune fille allemande parfaite, qui attendait depuis cinq mille ans le baiser qui l'éveillerait à la vie.

Son baiser.

Mais plus il la contemplait, plus il sentait une vague de révulsion lui tordre l'estomac. Il se détourna, éprouva une violente nausée dans les tourbillons de vent glacé qui mugissaient au fond de la crevasse.

Le baiser de cette femme ressemblerait au baiser de la mort, son étreinte à celle d'une créature démoniaque.

Autour de la bouche de la femme s'étalait une masse épaisse de sang congelé, comme projetée devant elle. La glace en avait fait un suaire rouge de fantôme qui l'enveloppait en partie. Au-dessus de sa bouche, le nez avait également vomi un flot de sang écarlate en une spectaculaire hémorragie.

Le regard de Wirth descendit de chaque côté du corps congelé et nu de la femme. Inexplicablement, cette femme du fond des âges avait arraché ses vêtements avant de ramper sur la banquise et d'effectuer une chute fatale dans cette crevasse du glacier. Son corps avait dégringolé jusqu'à cette corniche de glace, où il avait gelé en quelques heures.

Parfaitement conservé… mais épouvantablement meurtri.

Wirth n'en croyait pas ses yeux ; même les aisselles de la femme de glace étaient couvertes d'épais filets de sang vermeil. Avant de mourir, avant la chute, cette déesse nordique ancestrale avait transpiré jusqu'au sang.

Son regard descendit encore, craignant le pire. Il ne se trompait pas. Une épaisse couche de sang congelé recouvrait le bas du ventre. Dans les derniers soubresauts de l'agonie, des écoulements épais de son sang putride s'étaient échappés de ses entrailles.

Wirth détourna la tête pour vomir.

Agenouillé, il déversa le contenu de son estomac à travers le grillage de la nacelle, et la bouillie liquide se désagrégea en chutant dans l'ombre du fond de la crevasse. Il vomit jusqu'à ce que les contractions de son estomac vide se transforment en courts spasmes de douleur.

Les mains accrochées au grillage, il se redressa péniblement et leva les yeux vers les projecteurs aveuglants, tout en haut de la crevasse, qui inondaient les profondeurs glacées, créant sur les parois un kaléidoscope dément.

Celle que Kammler appelait Var, sa belle princesse nordique ancestrale, le général pouvait se la garder !

Mais bon sang, comment Wirth allait-il expliquer cela au général SS Hans Kammler ? Allait-il seulement lui montrer sa découverte ? Le célèbre commandant SS avait fait le long voyage en avion expressément pour assister à sa glorieuse libération de son tombeau de glace, convaincu de sa résurrection, afin d'en annoncer personnellement la nouvelle au Führer.

Le rêve d'Hitler enfin exaucé.

Et puis la terrible réalité.

Wirth fit un effort pour reporter son attention sur le cadavre. Plus il l'observait, plus il était saisi par l'horreur du spectacle. C'était comme si le corps de la jeune femme de glace avait été le théâtre d'une guerre intestine, comme s'il avait rejeté ses propres tripes et les avait évacuées par tous ses orifices. Si la mort l'avait saisie ainsi, son sang et ses intestins congelés dans la chape de glace, cela signifiait que l'hémorragie et son agonie avaient duré longtemps.

Wirth comprenait maintenant qu'elle n'avait pas péri des suites de sa chute. Elle n'était pas non plus morte de froid. C'était une maladie du fond des âges, diabolique, qui s'était saisie de son corps tandis qu'elle titubait et rampait à la surface du glacier.

Mais comment expliquer les larmes de sang ?

Comment expliquer que l'on vomisse du sang ?

Que l'on transpire du sang ?

Que l'on urine du sang, même ?

Qu'est-ce qui pouvait bien causer de tels symptômes ?

Qu'est-ce qui avait tué cette femme ?

Elle ne ressemblait plus à cette figure de mère aryenne ancestrale qu'ils avaient espéré trouver. Ce n'était pas la déesse guerrière nordique dont il avait rêvé tant de nuits, la preuve d'un glorieux héritage aryen remontant à cinq mille ans. Elle ne pouvait être l'antique mère des *Übermensch* nazis, la superbe femme blonde aux yeux bleus de Scandinave, ressuscitée des limbes précédant les balbutiements de l'histoire.

Hitler espérait une telle preuve depuis si longtemps.

Mais la terrible vérité venait d'être révélée : cette femme était une diablesse.

Wirth était comme hypnotisé par le visage déformé de la femme de glace. Devant ces yeux injectés de sang, qui affichaient le vide terrifiant du regard des morts-vivants, il fut frappé par une intuition fulgurante.

Il comprit qu'il venait d'entrouvrir les portes de l'enfer.

Il recula maladroitement pour s'éloigner du cadavre pris dans la glace, lança le bras en l'air pour se saisir de la corde et la secoua violemment. «Remontez! Remontez-moi! Dépêchez-vous! Mettez le treuil en marche!»

Au-dessus de lui, un moteur démarra. Wirth sentit que la nacelle se mettait en mouvement. Dès les premiers mètres de l'ascension, l'horrible chape de glace entachée de sang disparut de sa vue.

L'aube commençait de colorer légèrement la surface de neige et de congères du glacier lorsque la silhouette prostrée de Wirth émergea de la crevasse. Épuisé, il s'arracha péniblement de la nacelle et avança d'un pas mal assuré sur la croûte neigeuse, salué à son passage par les claquements de talons maladroits des sentinelles disposées de chaque côté. Leurs bottes fourrées ne produisaient que de vagues bruits sourds, leurs semelles en caoutchouc recouvertes d'une épaisse couche de glace.

L'esprit bouillonnant de pensées tourmentées, Wirth répondait par un salut mal assuré. Il rentra la tête dans les épaules sous la morsure du vent violent, rajusta son épaisse parka autour de sa silhouette transie de froid et se dirigea tête basse vers la tente toute proche.

Une rafale plus forte entraînait vers le ciel l'épais panache de fumée noire qui s'échappait du tuyau de cheminée émergeant du toit de la tente. Le poêle avait été chargé au maximum, sûrement en prévision d'un petit-déjeuner reconstituant.

Les trois collègues SS de Wirth devaient déjà l'attendre. Ils se levaient toujours tôt, et comme c'était aujourd'hui que l'on avait prévu d'extraire la femme de glace de son tombeau, ils devaient être doublement anxieux de voir le soleil se lever.

Au départ, Wirth n'était accompagné que de deux autres officiers SS : le premier lieutenant Otto Rahn et le général Richard Darre. Puis subitement, sans prévenir, le général SS Hans Kammler avait fait le déplacement et son avion équipé de patins s'était posé près du camp ; il désirait assister aux derniers stades de cet événement historique.

En sa qualité de commandant en chef de l'expédition, le général Darre détenait les pleins pouvoirs, mais personne n'ignorait que le général Kammler chapeautait toutes les opérations. Kammler était l'homme d'Hitler. Il représentait le pouvoir du Führer. À vrai dire, Wirth s'était réjoui du fait que le général s'était déplacé en personne pour son moment de triomphe absolu.

À cet instant, à peine quarante-huit heures plus tôt, la situation n'aurait pas pu s'annoncer plus prometteuse ; la parfaite conclusion de ce projet follement audacieux. Et puis, la réalité avait sauté au visage de Wirth ce matin... Il avait perdu d'un coup tout appétit, pour le soleil qui se levait, pour le petit-déjeuner, et pour la perspective d'affronter ses collègues SS.

Il ne se sentait même plus à sa place ici. Pourquoi était-il venu, après tout ? Wirth aimait à se considérer comme un universitaire, spécialiste des cultures et des religions anciennes et préhistoriques, des qualités qui avaient suscité d'abord l'intérêt d'Himmler, puis d'Hitler lui-même. C'est le Führer qui lui avait remis personnellement sa carte du parti nazi, un honneur des plus rares.

En 1936, il avait fondé le Deutsche Ahnenerbe, littéralement Héritage ancestral. La mission de cet institut était de fournir des preuves qu'une population nordique mythique avait dirigé le monde dans un passé lointain, la race aryenne d'origine. Selon la légende, ce peuple aux cheveux blonds et aux yeux bleus habitait en Hyperborie, une région glacée du Nord, aux confins de ce que l'on appellera plus tard le cercle Arctique.

Une série d'expéditions avaient ensuite été lancées en Finlande, en Suède et dans l'Arctique, mais aucune n'avait entraîné de grandes révélations susceptibles d'étayer les thèses de départ. Une unité de l'armée avait finalement été dépêchée au Groenland pour établir une station météorologique, et c'est là qu'ils avaient entendu parler de la découverte d'une femme préhistorique enchâssée dans une crevasse d'un glacier groenlandais.

C'est ainsi que la présente mission était née, et qu'elle venait de se conclure par un nouvel échec.

Pour faire court, Wirth se considérait comme un passionné d'archéologie doublé d'un opportuniste. Il était loin d'être un Nazi convaincu, pour commencer. Mais en tant que président de l'institut Deutsche Ahnenerbe, il était contraint de côtoyer les fanatiques les plus endurcis du régime d'Hitler, dont deux des plus fameux représentants l'attendaient maintenant dans la tente.

Il savait par avance que cela n'augurait rien de bon pour lui. Trop de promesses avaient été faites, certaines directement devant le Führer. Trop de perspectives déraisonnables, d'espoirs fumeux et d'ambitions irréalisables s'effondreraient instantanément.

Pourtant, Wirth avait eu le privilège de contempler son visage ; lui seul savait que la femme de glace possédait les traits d'un monstre.

2

Wirth inclina la tête avant de la glisser par l'ouverture de l'épaisse paroi de la tente, constituée de deux couches de tissu : l'une pour protéger du froid mordant et des bourrasques de neige, la seconde pour conserver la chaleur des organismes et du poêle poussé au maximum.

Il fut accueilli par l'arôme du café fraîchement préparé. Trois paires d'yeux anxieux se tournèrent instantanément vers lui.

«Mon cher Wirth, pourquoi cette tête d'enterrement?» Le général Kammler avait le cœur à plaisanter. «C'est aujourd'hui le grand jour!»

«Tu n'as quand même pas fait basculer notre belle *Frau* au fond de la crevasse, j'espère?» Otto Rahn affichait un sourire ironique. «Ou bien as-tu tenté de l'embrasser pour éveiller notre princesse, et as-tu pris une bonne gifle en retour?»

Rahn et Kammler s'esclaffèrent.

L'intransigeant général semblait partager une singulière camaraderie avec le paléontologue aux manières plutôt efféminées. Comme de nombreuses étrangetés propres au Reich, celle-ci dépassait l'entendement de Wirth. Quant au troisième homme, le général SS Richard Walter Darre, il était assis en train de humer son café, les yeux sombres enfoncés sous d'épais sourcils, les lèvres fines hermétiquement scellées comme à son habitude.

«Alors, comment se porte notre jeune princesse de glace?», intervint Kammler. «Je suppose qu'elle s'est faite belle pour nous rencontrer?» Son bras se tendit vers la table qui avait été dressée pour le petit-déjeuner. «Ou bien est-ce qu'on célèbre l'événement tout de suite?»

Wirth frissonna. Il avait toujours envie de vomir. Il pensa qu'il valait mieux que les trois hommes aillent voir la femme de glace avant de déjeuner.

«Mon général, peut-être vaudrait-il mieux nous rendre sur le site tout de suite.»

«Vous n'avez pas l'air très enthousiaste, lieutenant», lança Kammler. «N'est-elle pas telle que nous l'espérions tous? Notre ange du nord aux yeux bleus et aux cheveux blonds?»

«Vous l'avez certainement extraite de sa gangue de glace?», intervint le général Darre. «Est-ce qu'on distingue ses traits? Que nous disent-ils sur notre Freyja?» Darre avait emprunté le nom d'une déesse nordique antique, signifiant «la femme», pour évoquer la femme de glace.

«C'est certainement notre Hariasa», répliqua Rahn. «Notre Hariasa du Nord ancestral.» Hariasa, «la déesse aux longs cheveux», était une autre divinité nordique. Il y avait trois jours encore, cela semblait approprié.

Durant des semaines, l'équipe avait pioché dans la glace afin de se rapprocher du cadavre. Lorsqu'ils étaient parvenus à mieux distinguer la femme sous la glace, ils s'étaient aperçus que son corps était tourné vers le mur de la crevasse; on ne voyait que son dos. Mais c'était suffisant. On remarquait immédiatement les longs cheveux blonds tressés en nattes épaisses.

Devant cette découverte, une vague d'allégresse et d'excitation s'était emparée de Wirth, de Rahn et de Darre. Si les traits de son visage étaient aussi en adéquation avec le modèle racial aryen, ils avaient gagné. Hitler les bénirait, les couvrirait de bienfaits. Il ne restait plus qu'à dégager le bloc de glace du mur de la crevasse, puis de le retourner pour la regarder bien en face.

C'est la tâche dont Wirth s'était chargé… et qui lui valait encore des tressaillements.

«Elle n'est pas exactement telle que nous l'espérions, si je puis me permettre, messieurs.» Sa voix hésitait; il en bégayait. «Il vaut mieux que vous constatiez par vous-même.»

Kammler fut le premier à se lever, le front légèrement soucieux. Le général SS avait attribué au corps prisonnier de la glace le nom d'une troisième déesse nordique. «Elle sera révérée par tous ceux qui poseront les yeux sur elle», avait-il affirmé. «C'est pourquoi j'ai fait savoir au Führer que nous l'avons nommée Var, "la bien-aimée".»

Wirth songea qu'il faudrait être un vrai saint pour s'incliner devant ce cadavre sanguinolent et putride. Or, indiscutablement, on ne comptait pas beaucoup de saints à l'intérieur de cette tente.

Il conduisit les trois hommes vers le bord de la crevasse, comme il aurait mené la procession de son propre enterrement. Ils se glissèrent dans la nacelle qui entama immédiatement sa descente; les projecteurs inondèrent les parois de lumière crue tandis qu'ils s'enfonçaient lentement. Wirth avait donné l'ordre de les éteindre à moins que l'un d'entre eux soit en train de creuser ou d'inspecter le corps. Il voulait s'assurer que la chaleur des rayons lumineux ne provoque pas la fonte de la gangue de glace qui emprisonnait la femme. Elle devait rester dans un parfait état de congélation durant son transport jusqu'au siège du Deutsche Ahnenerbe à Berlin.

Il tourna les yeux vers Rahn, dans un coin de la nacelle. Le visage de l'homme était dans l'ombre. Où qu'il aille, Rahn arborait un feutre noir à larges bords. Aventurier de l'archéologie, il préférait se qualifier de collectionneur d'ossements, et il avait fait de ce couvre-chef son emblème.

Wirth ne pouvait s'empêcher de ressentir une certaine camara-derie pour l'extravagant Rahn. Ils partageaient les mêmes espoirs, la même passion et les mêmes convictions. En même temps, bien sûr, ils partageaient les mêmes craintes.

La nacelle s'immobilisa brusquement. Elle oscilla un moment comme un pendule devenu fou avant que la chaîne se tende suffisamment pour assurer la stabilité.

Les regards se figèrent en découvrant le visage du cadavre emprisonné dans la glace et les horribles traînées de sang d'un rouge sombre qui le défiguraient. Wirth ressentit l'impact que cette vision provoquait sur ses collègues SS. Un silence glacé, fait de stupéfaction mêlée d'incrédulité, s'abattit sur le groupe.

Le général Kammler fut le premier à rompre le silence. Il se tourna vers Wirth, le visage impénétrable comme toujours, affichant un regard froid de reptile.

«Le Führer compte sur nous», articula-t-il d'une voix blanche. «Nous ne devons pas décevoir le Führer.» Un silence. «Faites en sorte que son apparence soit à la hauteur de son nom: à la hauteur de Var.»

Incrédule, Wirth hocha la tête. «Nous poursuivons donc la mission comme prévu? Mais mon général, les risques...»

«De quels risques parlez-vous, lieutenant?»

«Nous ignorons de quoi elle est morte...» Il tendit la main vers le cadavre. «Ce qui a provoqué un tel...»

«Il n'y a aucun risque», coupa Kammler. «Elle a succombé au fond d'une crevasse de glace il y a cinq mille ans. Cinq mille ans! Vous allez nettoyer son corps, restaurer sa beauté. La rendre parfaite, nordique, aryenne. Belle pour sa rencontre avec le Führer.»

«Mais comment faire, mon général? Vous avez constaté par vous-même...»

«Il faut la décongeler, bon sang», intervint Kammler, fixant le bloc de glace. «Dans votre institut Deutsche Ahnenerbe, vous avez fait des expériences sur des êtres humains vivants, vous les congelez, puis décongelez, depuis des années, vous l'admettez, non?»

«En effet, mon général», concéda Wirth. «Je ne m'y suis pas livré personnellement, mais il y a eu des expériences de congélation sur des humains, ainsi qu'avec de l'eau salée...»

«Épargnez-moi les détails.» Kammler tendit le doigt en direction du cadavre ensanglanté. «Elle doit revivre. Faites comme vous voulez, mais effacez-moi ce sourire de tête de mort de son visage. Débarrassez-moi de ce … ce regard dans ses yeux. Faites-la ressembler aux plus beaux rêves du Führer. »

«Bien, mon général», approuva Wirth en prenant sur lui.

Kammler affronta Rahn du regard. «Si vous refusez, si vous échouez dans cette tâche, vous en répondrez. »

Il lança l'ordre de hisser la nacelle. Le groupe était de nouveau muré dans le silence. Dès qu'ils atteignirent la surface, Kammler se tourna vers les deux hommes du Deutsche Ahnenerbe.

«Tout cela m'a coupé l'appétit. Pas de petit-déjeuner pour moi. » Il claqua des talons et fit le salut nazi. «*Heil Hitler!*»

«*Heil Hitler!*» répétèrent ses collègues SS.

Sur ce, le général Hans Kammler hâta le pas en direction de son avion, et de l'Allemagne.

De nos jours

Le pilote de l'avion-cargo C-130 Hercules se tourna vers Will Jaeger. «Tu ne trouves pas que c'est un peu exagéré, mon vieux : affréter tout un C-130 rien que pour vous ?» Il avait un accent traînant du sud des États-Unis, probablement du Texas. «Après tout, vous n'êtes que trois, hein ?»

À travers la porte de la soute, Jaeger jeta un coup d'œil à ses deux compagnons de mission, assis dans les sièges repliables. «Tu as raison, on n'est que trois.»

«Peut-être un peu excessif, non ?»

Jaeger était monté à bord de l'appareil comme s'il s'apprêtait à effectuer un saut en parachute à haute altitude, harnaché de pied en cap avec casque intégral, masque à oxygène et combinaison épaisse. Le pilote n'avait aucune chance de le reconnaître.

Du moins pas pour l'instant.

Jaeger haussa les épaules. «C'est vrai, on attendait plus de monde. Mais tu sais comment ça se passe, ils se sont décommandés à la dernière minute.» Un silence. «Ils sont coincés en Amazonie…»

Il laissa sa phrase en suspens pendant quelques longues secondes.

«En Amazonie, hein ?», renchérit le pilote. «Dans la jungle, c'est ça ? Qu'est-ce qui s'est passé ? Un accroc pendant le saut ?»

«Pire que ça.» Jaeger desserra les sangles qui maintenaient en place son casque de parachutiste, comme s'il manquait d'air. «Ils n'ont pas réussi… parce qu'ils sont morts.»

23

Le pilote sursauta. «Morts? Mais comment ça s'est passé? Un accident de parachute?»

Jaeger martelait chaque mot maintenant. «Non. Il n'y a pas eu d'accident. Pas de mon point de vue. Je penche plutôt pour un complot bien organisé, un assassinat délibéré.»

«Un meurtre! Merde alors!» Le pilote se pencha sur ses cadrans et lâcha les commandes. «On va bientôt atteindre notre altitude de croisière… Cent-vingt minutes avant le largage.» Un silence. «Un meurtre? Mais qui a été tué? Et, putain, pourquoi?»

Au lieu de répondre, Jaeger retira entièrement son casque. Il portait encore son passe-montagne en soie sur le visage, une protection contre le froid. Il en portait toujours un lorsqu'il se lançait dans le vide à dix mille mètres. Il pouvait faire encore plus froid qu'au sommet de l'Everest à cette altitude.

Le pilote n'avait encore aucun moyen de le reconnaître, mais il ne pouvait ignorer le regard que lui lançait Jaeger. À cet instant, ce regard aurait pu le tuer.

«Je suis certain qu'il s'agissait d'un assassinat», répéta Jaeger. «Un meurtre de sang-froid. Le plus marrant, c'est que ça s'est passé après un largage d'un C-130.» Il jeta les yeux autour du cockpit. «En fait, un avion très semblable à celui-ci…»

Le pilote secoua la tête, de plus en plus nerveux. «Mon pote, je suis largué… Mais dis donc, j'ai l'impression de connaître ta voix. C'est le problème avec vous, les British, vous parlez tous de la même façon, si tu me permets.»

«Je te permets.» Jaeger sourit, les yeux fixes. Son regard glaçait le sang. «Alors j'imagine que tu as servi dans le SOAR. Avant de te reconvertir dans le privé.»

«Le SOAR?» Le pilote avait sursauté. «Oui, en fait, j'ai servi dans une unité… Mais comment diable… Est-ce qu'on s'est déjà rencontrés quelque part?»

Jaeger le fixa durement. «Night Stalker un jour, Night Stalker toujours, c'est leur devise, n'est-ce pas?»

«Oui, c'est vrai.» Le pilote commençait à s'agiter. «Mais je te demandais seulement si on s'était déjà rencontrés?»

« En fait, tu as raison, on s'est déjà croisés. Mais à mon avis tu vas bientôt souhaiter ne m'avoir jamais vu. Parce que, *mon pote*, je suis ton pire cauchemar. Un jour, tu nous as convoyés, mon équipe et moi, au-dessus de l'Amazonie, et malheureusement, les choses se sont gâtées rapidement… »

Trois mois auparavant, Jaeger avait pris la tête d'une équipe de dix hommes et femmes dans le cadre d'une expédition en Amazonie, à la recherche d'un avion perdu de la Seconde Guerre mondiale. Ils avaient fait appel à la même compagnie privée de charters qu'aujourd'hui. Durant le vol, le pilote avait évoqué la période où il avait servi dans le régiment aéroporté américain chargé des opérations spéciales, le *célèbre* régiment des Night Stalkers.

Jaeger connaissait bien le SOAR. Lorsqu'il servait lui-même au sein des forces spéciales britanniques, ce sont les pilotes du SOAR qui l'avaient tiré d'affaire à plusieurs reprises. La devise des SOAR était *La Mort attend dans le noir* ; jamais Jaeger n'aurait imaginé que son équipe et lui-même finiraient par devenir leurs cibles vivantes.

« *La Mort attend dans le noir…* » Jaeger venait de retirer son passe-montagne. « Elle nous a certainement attendus, surtout que tu l'avais bien aidée à guider les missiles ! Tu as bien failli nous tuer tous ! »

Les yeux écarquillés, le pilote fixait Jaeger, stupéfait. Puis il se tourna vers la silhouette assise dans le siège proche du sien.

« À toi de jouer, Dan. » D'une voix assurée, il confia les manettes à son copilote. « Il faut que j'aie une petite conversation avec notre… ami anglais ici présent. S'il te plaît, Dan, envoie un message à Dallas/Fort Worth. On rentre à la maison. Il faut qu'ils nous trouvent un itinéraire… »

« J'éviterais de faire ça si j'étais à votre place », intervint Jaeger.

Il avait agi avec une telle rapidité que le pilote ne s'était aperçu de rien, et ne pouvait que constater son impuissance. Jaeger avait extrait de sa combinaison un pistolet compact SIG Sauer P228.

L'arme de choix pour les commandos d'élite. Son canon court s'enfonçait dans le cou du pilote.

Le visage de celui-ci était devenu blême. «Mais, nom de dieu? Tu es en train de détourner mon zinc?»

Jaeger sourit en retour. «Tu as deviné, mon vieux.» Il se tourna vers le copilote. «Toi aussi tu es un ancien des Night Stalkers? Ou seulement un autre salopard de traître, comme ton copain ici?»

«Qu'est-ce que je réponds, Jim?», grommela le copilote. «Je dis quoi à ce fils de…»

«Je vais te dire ce que tu dois répondre», coupa Jaeger, déverrouillant son siège et le faisant pivoter violemment jusqu'à ce que l'homme se retrouve face à lui. Il pointa le 9mm sur la tempe du pilote. «Parle, rapidement, dis-moi la vérité, pas d'embrouilles ou bien la première balle lui explose la cervelle.»

Les yeux du pilote lui sortaient de la tête. «Dis-lui la putain de vérité, Dan. Ce type est assez cinglé pour le faire.»

«C'est vrai, on est tous les deux des anciens du SOAR», grinça le copilote. «Même unité.»

«D'accord, alors montrez-moi de quoi les anciens SOAR sont capables. À l'époque, vous étiez les meilleurs. On vous estimait au sein des forces spéciales britanniques. Prouvez-le. Mettez le cap sur Cuba. Dès qu'on aura quitté la côte américaine et qu'on sera sortis de l'espace aérien des États-Unis, descendez au ras de l'océan. Personne ne doit connaître notre destination.»

Le copilote jeta un regard interrogateur vers le pilote, qui hocha la tête. «Allez, au boulot.»

«On va mettre le cap sur Cuba», confirma-t-il, les dents serrées. «Tu as une destination spécifique en vue? Parce qu'on a le choix: les côtes cubaines couvrent des milliers de kilomètres, si tu vois ce que je veux dire.»

«Tu vas nous larguer sur une petite île. Je te donnerai les coordonnées exactes dès qu'on s'en approchera. On doit être parachutés sur cette île immédiatement après le coucher du soleil, pour bénéficier de l'obscurité. Adapte ta vitesse à cet objectif.»

«Tu as encore d'autres revendications?», marmonna le copilote.

«Maintiens le cap au sud-est, sans dévier. Maintenant, j'ai quelques questions à poser à ton copain ici présent.»

Jaeger rabattit le siège du navigateur, à l'arrière du cockpit, et s'assit, abaissant le canon du SIG vers le bas-ventre du pilote.

«Alors, je pose les questions. Et tu me réponds.»

Le pilote haussa les épaules. «OK. Balance la sauce…»

Jaeger contempla le canon du pistolet l'espace d'une seconde avant d'afficher un sourire mauvais.

«Tu veux vraiment?»

Le pilote se renfrogna. «C'était une façon de parler.»

«Première question. Pourquoi nous as-tu envoyés, mon équipe et moi, à la mort en Amazonie?»

«Eh, mon vieux, je ne savais rien. Personne ne m'avait parlé de tuer quelqu'un!»

La main de Jaeger se crispa autour du pistolet. «Réponds à la question.»

«Le fric», marmonna le pilote. «C'est toujours comme ça, non? Mais bon dieu, j'ignorais qu'ils allaient tenter de vous tuer tous.»

Jaeger ignora les protestations d'innocence. «Combien?»

«Suffisamment.»

«Combien?»

«Cent quarante mille dollars.»

«OK, on fait un rapide calcul. On a perdu sept coéquipiers. Vingt mille dollars pour une vie. Je dirais que tu nous as vendus pour une bouchée de pain.»

Le pilote leva les bras. «Eh là! Je n'en savais rien! Ils ont essayé de vous éliminer? Comment j'aurais pu le savoir?»

«Qui t'a payé?»

Le pilote hésita. «Un type, un Brésilien. Du cru. Je l'ai rencontré dans un bar.»

Jaeger grogna. Il n'en croyait pas un mot, mais il fallait continuer. Il voulait les détails. Une info correcte. Qui puisse lui permettre de traquer ses vrais ennemis. «Il t'a donné son nom?»

«Ouais. Andrei.»

«Andrei. Un Brésilien qui s'appelle Andrei, que tu as rencontré dans un bar?»

«Ouais, bon; il n'avait pas l'air vraiment brésilien… Russe plutôt.»

«Bien. C'est toujours bon de se souvenir. Surtout quand on a un 9mm pointé sur ses parties vitales.»

«Je n'ai pas oublié.»

«Bon. Cet Andrei, le Russe, que tu as rencontré dans ce bar… tu as une idée de pour qui il pourrait travailler?»

«Le seul truc dont je me souvienne, c'est que son boss était un type du nom de Vladimir.» Un silence. «Quiconque a tué les tiens, c'est ce type qui a donné les ordres.»

Vladimir. Jaeger avait déjà entendu ce nom. Il avait dans l'idée que c'était le chef de la bande, quoiqu'il faille en imaginer d'autres, plus puissants, au-dessus de lui.

«Tu as déjà rencontré ce Vladimir? Tu as eu l'occasion de le voir?»

Le pilote secoua la tête. «Jamais.»

«Mais tu as pris son fric, tout de même.»

«C'est vrai. J'ai empoché le fric.»

«Vingt mille dollars pour chacun de mes gars. Et qu'est-ce que tu en as fait? Tu as organisé une teuf monstre autour de la piscine? Tu as emmené tes gosses à Disneyland?»

Le pilote ne répondit pas. Il pointa le menton d'un geste de défiance. Jaeger était tenté de lui asséner un coup de canon de pistolet sur la tempe, mais il avait besoin de lui pleinement conscient et sain d'esprit.

Il avait besoin qu'il pilote son C-130 mieux qu'il ne l'avait jamais fait, et qu'il les largue sans dommages au-dessus de la cible qui se rapprochait rapidement.

4

«Bon, eh bien maintenant que nous avons établi que tu nous avais vendus pour trois fois rien, on va se mettre d'accord sur le chemin de ta rédemption. Ou du moins sur une partie de ce chemin.»

Le pilote grogna. «À quoi tu penses au juste?»

«Je vais t'expliquer ça. Vladimir et sa bande ont kidnappé une des membres de mon expédition. Leticia Santos. Brésilienne. Ancienne des forces spéciales. Une jeune femme divorcée avec une fille à charge. Je l'appréciais beaucoup.» Un silence. «Ils la retiennent prisonnière sur un îlot isolé au large de Cuba. Inutile que tu apprennes comment nous l'avons retrouvée. Il suffit que tu saches que nous avons entrepris ce vol dans l'objectif de la délivrer.»

Le pilote s'esclaffa. «Mais pour qui tu te prends, bon sang? Pour James Bond? Vous n'êtes que trois. Un commando de trois mecs. Vous rêvez! Vous croyez vraiment que des types comme Vladimir ne savent pas s'entourer?»

Jaeger plongea ses yeux gris-bleu dans ceux du pilote. Ils reflétaient un calme étrange qui ne parvenait pas à masquer une intensité sauvage. «Vladimir dispose de trente hommes bien armés. Dix fois plus que notre effectif. Pourtant, on est décidés à y aller. Et on a besoin de toi pour nous amener au-dessus de cette île avec un maximum de discrétion et d'effet de surprise.»

Cheveux bruns mi-longs, traits émaciés et affûtés, Jaeger paraissait plus jeune que ses trente-huit ans. Mais il avait la stature d'un homme qui a vécu assez d'événements dans sa vie pour qu'on n'ait pas envie de le provoquer, surtout lorsque sa main serrait la crosse d'une arme, comme c'était le cas en ce moment.

Le pilote du C-130 ne s'y trompa pas. «Un commando donnant l'assaut contre une cible bien défendue : dans le cercle des opérations spéciales, on considère que ça a une chance sur quatre de réussir, grand maximum.»

Jaeger fouilla dans son sac à dos et en extirpa un objet d'aspect étrange : on aurait dit une grande boîte de haricots blancs à la tomate dont on aurait retiré l'étiquette, munie d'un levier sur une des faces. Il le montra au pilote.

«Mais nous, nous possédons ce truc.» Du doigt, il parcourut l'inscription sur la paroi de la boîte : *Kolokol-1*.

Le pilote haussa les épaules. «Jamais entendu parler.»

«Ça ne m'étonne pas. C'est russe. Époque soviétique. Mais pour faire court, si je retire cette goupille et l'active, cet avion s'emplit instantanément de gaz toxique et tombe comme une pierre.»

Le pilote fixa Jaeger, les épaules raidies par la tension. «Si tu t'amuses à faire ça, on est tous morts.»

Jaeger avait l'intention de faire pression sur ce type, mais pas trop. «Aucune intention de retirer la goupille.» Il remisa la boîte au fond de son sac. «Mais fais-moi confiance : on ne rigole pas avec le Kolokol-1.»

«D'accord, j'ai compris.»

Trois ans auparavant, Jaeger avait fait une expérience cauchemardesque avec ce gaz. Alors qu'il campait avec sa femme et son fils dans les montagnes galloises, une bande de barbares, la même que celle qui détenait aujourd'hui Leticia Santos, s'était approchée au milieu de la nuit, utilisant du Kolokol-1 et laissant Jaeger inconscient, luttant pour sa vie.

Depuis, il n'avait revu ni sa femme, Ruth, ni Luke, son fils de huit ans.

Cette force mystérieuse qui les avait enlevés n'avait cessé de tourmenter Jaeger depuis ce jour. En fait, il en était venu à penser qu'ils l'avaient laissé en vie dans le seul objectif de le torturer psychologiquement.

Il y a en tout homme un point où sa patience est poussée à bout. Après avoir sillonné le monde à la recherche de sa famille, Jaeger avait été bien obligé d'accepter la terrible vérité : Ruth et Luke avaient disparu sans laisser de trace et il n'avait pas su les protéger.

Au bord de la dépression, il s'était réfugié dans l'alcool et l'oubli. Il avait fallu l'intervention d'un ami très proche, et l'émergence de nouvelles preuves que sa femme et son fils étaient encore vivants pour le ramener à la vie. Pour qu'il reprenne le combat.

Mais c'était un autre homme désormais.

Plus sombre. Plus sage. Plus cynique. Moins enclin à accorder sa confiance.

Appréciant les tête-à-tête avec lui-même : un solitaire la plupart du temps.

Sans parler du fait que Will Jaeger était maintenant prêt à violer quelques règles pour traquer ceux qui avaient meurtri sa vie. D'où la mission qu'il avait mise sur pied récemment. Il n'était pas non plus opposé à l'idée d'apprendre quelques coups bas chez l'ennemi s'il le fallait.

Sun Tzu, le maître de guerre chinois de l'Antiquité, avait l'habitude de dire : *Connais ton ennemi*. Un message d'une simplicité absolue, et que Jaeger, durant ses années dans l'armée, avait rapidement adopté comme un mantra. *Connais ton ennemi* : la première règle de toute mission.

Il ne dédaignait pas souscrire aujourd'hui à une seconde règle : *Apprends de ton ennemi*.

Au sein des Royal Marines et des SAS, les deux unités dans lesquelles Jaeger avait servi, on insistait sur la nécessité de penser latéralement. De garder l'esprit ouvert en toutes circonstances. De recourir à l'inattendu. Apprendre de l'ennemi semblait le summum de cette forme de pensée.

Jaeger était persuadé que la dernière chose à laquelle la force dans cet îlot cubain s'attendait, c'était d'être attaquée en pleine nuit par le gaz qu'eux-mêmes avaient utilisé.

L'ennemi lui avait fait subir cette épreuve.

Il avait retenu la leçon.

L'heure de la revanche avait sonné.

La fabrication du Kolokol-1 était un secret que les Russes avaient toujours bien gardé. Personne ne connaissait sa véritable composition, mais en 2002, le gaz avait connu une notoriété sans précédent lorsqu'un gang de terroristes avait pris le contrôle d'un théâtre de Moscou et détenu des centaines de personnes en otages.

Les Russes n'avaient pas fait dans la dentelle. Leurs forces spéciales, les Spetsnaz, avaient inondé le théâtre de Kolokol-1. Ils avaient ensuite envahi l'endroit en un éclair, libérant les otages et tuant tous les terroristes. Malheureusement, un grand nombre d'otages avaient eu le temps d'être affectés par le gaz.

Les Russes n'avaient jamais divulgué la nature exacte du gaz employé au cours du raid, mais selon des amis de Jaeger au sein des laboratoires de la défense secrète britannique, les échantillons recueillis par leurs soins avaient confirmé qu'il s'agissait de Kolokol-1. Ce gaz était apparemment un agent incapacitant, mais une exposition prolongée avait provoqué la mort d'un certain nombre de personnes retenues dans l'enceinte du théâtre de Moscou.

En un mot, il servait parfaitement les objectifs de Jaeger.

Il ferait en sorte que certains des hommes à la solde de Vladimir en réchappent. Tous, même, si possible. S'il les exterminait jusqu'au dernier, il se retrouverait sans aucun doute avec l'ensemble de la police, de l'armée et de l'armée de l'air cubaines à ses trousses. Pour l'instant, sa petite équipe préférait éviter les ennuis ; il fallait frapper rapidement et s'échapper sans être repérés.

Même pour les survivants, le Kolokol-1 restait une arme terriblement efficace. Il leur faudrait des semaines pour se remettre de ses effets. D'ici là, Jaeger, son équipe et Leticia Santos auraient eu le temps de disparaître dans la nature.

Une autre raison poussait Jaeger à vouloir épargner Vladimir, du moins en partie. Il avait un certain nombre de questions à lui poser. Vladimir devrait fournir les réponses qu'il attendait.

«Alors, voilà comment on va s'y prendre», reprit Jaeger à l'attention du pilote. «Il faut que nous nous trouvions au-dessus d'une zone quadrillée à six chiffres à 0200 heures. Cette zone couvre un périmètre d'océan situé à l'ouest de l'îlot ciblé, à deux cents mètres du rivage. Il faudra la survoler à hauteur de la cime des arbres puis effectuer une petite déviation pour atteindre une centaine de mètres afin de nous larguer pour un parachutage à très basse altitude.»

Le pilote sursauta. «Un largage à très basse altitude? Vous êtes foutus d'avance.»

Ce type de parachutage à très basse altitude est une technique ultra-furtive réservée aux commandos d'élite, rarement utilisée dans les zones de combat en raison des risques encourus.

«Une fois que nous aurons sauté, tu redescends aussi bas que possible», poursuivit Jaeger. «Évite de survoler l'îlot. Il faut que personne ne puisse repérer l'avion, ni l'entendre…»

«Merde, je suis un Night Stalker», coupa le pilote. «Je sais ce que j'ai à faire. Pas besoin de conseils!»

«Content de te voir aussi bien disposé. Tu t'éloignes de l'île et mets le cap sur ta base. À ce stade, tu seras débarrassé de nous. Oublie-nous.» Un silence. «Est-ce que c'est clair?»

Le pilote haussa les épaules. «À peu près. Le truc, c'est que ton plan est sacrément merdique.»

«Prouve-le.»

«Très simple. Je peux vous baiser de plusieurs façons. Je peux vous larguer sur de mauvaises coordonnées, par exemple en plein milieu de ce sacré océan. À vous de sortir les rames! Ou bien je peux tout arrêter et appeler l'îlot. Eh, Vladimir! Réveille-toi! Voilà la cavalerie! Trois types débarquent! Putain, ton plan a plus de trous qu'une foutue passoire.»

Jaeger acquiesça. «Je suis bien d'accord. Mais le truc, c'est que tu ne feras rien de tout ça. Je vais t'expliquer pourquoi. Tu es responsable de la mort de mes sept camarades. Tu dois te racheter, sinon ça te torturera jusqu'à ton dernier jour.»

« Si tu t'imagines que j'ai une conscience », grogna le pilote, « eh bien tu te trompes. »

« Tu en as une », riposta Jaeger. « Mais pour être très clair, il y a une seconde raison. Si tu nous baises, tu n'as pas fini d'en baver. »

« Pour qui tu te prends, toi ? En baver comment ? »

« Le truc, c'est que tu viens de boucler un vol clandestin vers Cuba hors de tout contrôle radar. Tu vas rejoindre la base de Fort Worth, à Dallas, puisque tu ne peux atterrir nulle part ailleurs. On a des amis formidables à Cuba. Ils n'attendent qu'un mot de ma part : RÉUSSITE. S'ils ne reçoivent pas ce signal d'ici 0500 heures, ils ont pour ordre de contacter les douanes américaines avec l'information que ton appareil effectue des allers et retours clandestins avec des cargaisons de cocaïne. »

Le pilote contracta les mâchoires. Il fixait le pistolet dans la main de Jaeger, prêt à bondir sur lui, mais il savait qu'il risquait d'y laisser sa peau.

Tout homme a ses limites.

Chacun peut un jour aller trop loin.

« La carotte et le bâton, Jim. La carotte, c'est ta rédemption, et nous serons quittes – plus ou moins. Le bâton, c'est la prison à perpétuité dans un pénitencier américain pour trafic de drogue. Si tu accomplis cette mission, on efface l'ardoise. Retour à la normale pour toi, mais avec un poids en moins sur la conscience. Si tu considères bien la situation, tu as tout intérêt à nous suivre. »

Le pilote fixa Jaeger bien en face. « Je vais vous amener à votre point de chute. »

Jaeger sourit. « Je vais prévenir mes gars de se tenir prêts à sauter. »

5

Les moteurs du C-130 vrombissaient au ras des vagues, au cœur de la nuit.

Jaeger et ses coéquipiers s'étaient rapprochés de l'extrémité de la rampe abaissée, tandis que les turbulences du sillage de l'appareil hurlaient à leurs oreilles. Tout autour d'eux, l'océan obscur écumait de rage.

Çà et là, Jaeger apercevait un éclair blanc lorsque l'appareil survolait un récif sur lequel les grandes vagues se brisaient sauvagement. L'îlot qu'ils avaient pour cible était également entouré de coraux irréguliers, qu'il leur fallait éviter à tout prix. L'eau était un terrain propice à un atterrissage en douceur, tandis que les coraux leur déchireraient les jambes. Si tout se passait comme prévu, le point de chute qu'avait choisi Jaeger se trouvait dans le lagon, à peu de distance du rivage.

Une fois que le pilote du C-130 s'était laissé convaincre d'accepter la mission, il s'était mis à la tâche avec une certaine bonne volonté. Jaeger était forcé de constater que ces types étaient fidèles à leur réputation d'anciens Night Stalkers.

L'air frais de la nuit tourbillonnait dans la soute ; les quatre propulseurs aux hélices recourbées crachaient des filets de fumée de chaque côté. Le pilote avait réduit son altitude jusqu'à frôler la crête des vagues, provoquant dans toute la carlingue des soubresauts évoquant les cahots d'une Formule 1.

Les effets sur les organismes plongés dans le noir auraient pu susciter nausées et malaises si Jaeger et ses équipiers n'avaient pas eu une longue expérience de ces situations.

Jaeger se tourna vers ses camarades. Takavesi «Raff» Raffara était un colosse, un Maori immense et endurci, un des plus proches amis de Jaeger depuis les années qu'ils avaient partagées au sein des SAS. C'était cet homme indestructible que Jaeger choisirait toujours pour se battre à ses côtés s'il se retrouvait acculé à une situation inextricable. Il remettrait sa vie entre les mains de Raff, qui portait les cheveux tressés en dreadlocks dans le plus pur style maori. Il l'avait fait de nombreuses fois au fil des années et plus récemment lorsque Raff était venu sauver Jaeger de l'alcool et de la dépression à l'autre bout du monde.

Quant au second équipier, il s'agissait d'une équipière. Silhouette élancée, visage lisse, chevelure blonde volant au gré des bourrasques entraînées par le sillage de l'appareil. Ancienne membre à part entière des forces spéciales russes, Irina Narov jouissait d'une beauté étonnante et d'un caractère imperturbable, dont elle avait fait preuve à plusieurs reprises au cours de leur expédition en Amazonie. Mais cela n'avait pas suffi pour que Jaeger réussisse à cerner sa personnalité, ni pour l'empêcher de ressentir un certain embarras en sa présence.

Néanmoins, curieusement, il en était presque venu à lui faire confiance et même à se reposer sur elle. En dépit de son attitude étrange, parfois incompréhensible, elle était devenue un pilier aussi indispensable pour l'équipe que l'était Raff. En certaines circonstances, elle s'était révélée aussi mortelle pour ses ennemis, tuant sans état d'âme et froidement ceux qui s'attaquaient à elle.

Narov habitait désormais à New York, après avoir adopté la nationalité américaine. Elle avait expliqué à Jaeger qu'elle opérait dorénavant en freelance, au sein d'une organisation internationale dont Jaeger n'avait qu'une vague idée. Certes, il s'agissait d'une force obscure, mais c'est cette dernière qui avait décidé de financer la présente mission : la libération de Leticia Santos. Pour l'instant, c'est tout ce qui importait à Jaeger.

Il existait également de mystérieux liens entre Irina Narov et la famille de Jaeger ; en particulier avec son regretté grand-père, William Edward «Ted» Jaeger. Grand-Père Ted avait servi dans les forces spéciales britanniques au cours de la Seconde Guerre mondiale, et Jaeger s'était inspiré de lui en rejoignant les rangs de l'armée. Irina Narov affirmait qu'elle considérait Ted comme son propre grand-père, et qu'elle continuait d'œuvrer aujourd'hui en son nom et en sa mémoire.

C'était particulièrement difficile à comprendre, du point de vue de Jaeger. Jamais au sein de sa famille il n'avait entendu parler de Narov, pas même de la bouche de Grand-Père Ted. À l'issue de leur expédition en Amazonie, il s'était juré d'exiger des éclaircissements de la part de la jeune Russe, dans l'espoir de résoudre l'énigme qu'elle présentait à ses yeux. Mais entretemps, leur nouvelle mission s'était imposée comme une priorité.

Par l'intermédiaire de ses associés et de leurs contacts dans le milieu cubain, l'équipe de Jaeger avait réussi à localiser le lieu où Leticia Santos était détenue. Ils avaient reçu des informations très utiles, et on leur avait fourni en guise de bonus une description précise de Vladimir lui-même.

Mais, obstacle de dernière minute, Leticia Santos avait été transférée au cours des derniers jours d'une villa relativement mal protégée vers un îlot isolé loin des côtes. La garde avait été doublée, et Jaeger n'avait qu'une crainte : s'ils décidaient de la transférer de nouveau, il courait le risque de perdre définitivement sa trace.

Il y avait encore une quatrième personne dans la soute du C-130 : l'arrimeur de service. Il était solidement retenu par des sangles à une des parois de l'appareil, ce qui lui permettait de se tenir sur l'extrémité de la rampe sans être balayé par les fortes turbulences du sillage. Il porta les mains à ses écouteurs pour mieux entendre le message du pilote. Hochant la tête, il se redressa et montra cinq doigts devant le visage des trois équipiers qui allaient se lancer dans le vide : cinq minutes avant le largage.

Jaeger, Raff et Irina Narov se redressèrent à leur tour. Le succès de leur mission actuelle dépendait de trois facteurs : vitesse, agressivité et effet de surprise. La signature officieuse des commandos des forces spéciales. Avec cet objectif en tête, il était vital de ne pas trop se charger, afin de pouvoir se déplacer rapidement et silencieusement à travers l'îlot. C'est pour cela qu'ils avaient réduit leur équipement au minimum.

En plus de leur parachute de très basse altitude, chacun des membres portait un sac à dos contenant des grenades au Kolokol-1, des explosifs, de l'eau et des rations de réserve, une trousse médicale et une petite hache très affûtée. Leurs combinaisons et respirateurs de protection CBRN complétaient leur équipement.

Lorsque Jaeger avait fait ses premières armes dans l'armée, l'accent était toujours mis sur les dangers NBC : nucléaire, biologique et chimique. Dorénavant, on parlait de CBRN : chimique, biologique, radiologique et nucléaire. Cette nomenclature reflétait le nouvel ordre mondial. Durant la période où l'ennemi de l'Ouest était l'Union soviétique, la principale menace était nucléaire. Mais dans un monde fracturé, aux prises avec des États-voyous et des organisations terroristes, la nouvelle menace s'appelait le terrorisme, capable de mener rapidement des guerres chimiques et biologiques.

Jaeger, Raff et Irina Narov portaient chacun un SIG P228, avec un chargeur supplémentaire de vingt cartouches, et six chargeurs de réserve. Ils étaient enfin équipés de leur poignard. Narov possédait un poignard Fairbairn-Sykes affûté comme un rasoir, parfait pour les corps-à-corps meurtriers. C'était une arme très particulière fabriquée spécialement pour les commandos britanniques pendant la guerre. Son attachement fanatique à ce poignard demeurait un mystère que Jaeger désirait éclaircir à tout prix.

Mais ce soir, personne n'avait l'intention de recourir à des balles ou des poignards pour affronter l'ennemi. Moins ils se feraient remarquer, moins ils laisseraient de victimes, plus ils auraient de chances de s'en tirer. C'est le Kolokol-1 qui devait faire le travail silencieusement.

Jaeger consulta sa montre : trois minutes avant largage. « Vous êtes prêts ? », hurla-t-il. « Rappelez-vous : laissez du temps au gaz pour faire son effet. »

Hochements de têtes, pouces levés. Raff et Irina Narov étaient de vrais pros, les meilleurs, et ne montraient pas le moindre signe de nervosité. Certes, ils étaient conscients que la partie était périlleuse, mais le Kolokol-1 jouerait certainement en leur faveur. Ils n'étaient pas enthousiastes à l'idée d'utiliser des gaz, mais comme avait insisté Narov, il est des circonstances où il est nécessaire de recourir à un moindre mal pour éviter le pire.

Jaeger se concentra sur le saut qu'il s'apprêtait à effectuer, mais il ne pouvait s'empêcher d'éprouver une certaine crainte : un saut en très basse altitude présentait toujours des risques.

Durant ses années au sein des SAS, il avait passé beaucoup de temps à tester les équipements les plus modernes et les plus performants. Travaillant de concert avec le JATE, une organisation conjointe développant dans le plus grand secret des techniques innovantes que n'aurait pas reniées James Bond, il s'était élancé dans le vide depuis les altitudes les plus élevées possibles.

Récemment, cependant, l'armée britannique s'était lancée dans le développement de concepts totalement nouveaux. Au lieu de sauter depuis les confins de l'atmosphère, il fallait garantir au parachutiste les meilleures chances de succès et de survie lorsqu'il s'élançait à partir d'une altitude très basse, parfois proche de zéro.

En théorie, il est possible de s'élancer de moins de soixante-quinze mètres, permettant ainsi à l'avion de ne pas être détecté par les radars. Ce qui garantit à une force de survoler un territoire hostile avec un minimum de risques d'être repérée. D'où le recours à cette technique dans le cadre de cette mission nocturne.

Le parachute spécial utilisé lors d'un saut en très basse altitude doit se déployer en quelques fractions de seconde ; il est large et plat afin de bénéficier d'une portance accrue. Il bénéficie également d'un mécanisme de fusée lui permettant de se déployer avant l'amerrissage du parachutiste. Cependant, malgré ce mécanisme qui projette le parachute vers le haut, on ne dispose que de quelques secondes pour freiner la descente avant d'atteindre le point de chute.

Ce qui ne laisse aucune place à l'erreur.

D'un autre côté, l'ennemi a d'autant moins de chances de repérer le parachutiste et de l'éliminer avant son amerrissage ou son atterrissage.

6

La petite lampe verte se mit à clignoter. *Go! Go! Go!*

En un millième de seconde, presque simultanément, Jaeger, Raff et Narov s'élancèrent dans le vide depuis la rampe du C-130. Raides comme des piquets, ils furent aspirés immédiatement par le sillage hurlant. Jaeger avait l'impression d'être balloté comme une poupée de chiffon dans un tunnel aérodynamique. Il distinguait à peine en dessous de lui l'océan bouillonnant qui se rapprochait rapidement : l'impact n'était plus qu'à quelques secondes.

Sans perdre un instant, il déclencha son parachute assisté par la fusée, et presque instantanément il se sentit projeté vers le ciel comme s'il avait été assis sur un missile. Quelques fractions de seconde plus tard, la fusée s'arrêta et la voilure du parachute se déploya sur fond de ciel nocturne.

Elle s'emplit d'air avec un claquement sec, une ou deux secondes après que la fusée avait atteint son apogée. Jaeger sentit son estomac lui remonter dans la gorge... avant qu'il n'entame enfin une lente dérive qui le rapprochait des vagues déchaînées.

Dès que ses pieds frappèrent la surface de l'océan, Jaeger actionna le déclenchement de la boucle libérant son encombrant parachute. Le courant dominant entraînerait les parachutes vers le sud-est, c'est-à-dire vers le large, si bien qu'ils disparaîtraient à tout jamais sans être repérés.

Cela faisait partie du calcul initial de Jaeger : il leur fallait à tout prix accoster et repartir sans la moindre trace qui puisse trahir leur passage.

Très rapidement, le C-130 disparut, avalé par le ciel noir. Désormais, seul le vacarme des vagues emplissait l'espace autour de Jaeger. Il ressentait le choc tiède et la poussée des courants de la mer des Caraïbes, l'odeur et la saveur salée de l'eau dans sa bouche et ses narines.

Chacun de leurs sacs à dos était doublé d'un second sac imperméable noir qui leur permettait de flotter. En maintenant ces sortes de petits canots devant eux, les trois silhouettes commencèrent à se rapprocher à la nage de la frange inégale de palmiers qui bordaient le rivage. Ils se servaient des vagues les plus puissantes pour surfer, et quelques minutes plus tard accostèrent sur le sable, et rampèrent en tirant leurs sacs jusqu'aux massifs de végétation plus dense où ils se mirent à couvert.

Ils patientèrent dans l'ombre cinq bonnes minutes, l'oreille tendue au moindre bruit suspect, scrutant les environs d'un œil exercé.

Si un guetteur avait repéré le C-130 et le largage des parachutistes, c'est maintenant que l'ennemi se mettrait en chasse. Mais Jaeger ne perçut pas le moindre signe de danger. Aucun bruit inhabituel. Pas de mouvement inquiétant. Comme une absence totale de vie. Si ce n'est la rumeur des rouleaux s'affalant régulièrement sur le sable immaculé, tout était d'un calme rassurant.

Jaeger commençait à ressentir dans ses veines l'adrénaline de la prochaine attaque. Il était temps de se mettre en route.

Il sortit de son sac un récepteur GPS pour vérifier sa position. Il n'était pas rare que l'équipage d'un appareil dépose des troupes au mauvais endroit, et le pilote de cette nuit était sans doute encore plus enclin qu'un autre à se tromper.

Mais le GPS lui confirma l'exactitude de la position, et Jaeger se servit alors de sa petite boussole lumineuse pour faire le point et signaler la direction à prendre. Narov et Raff se rangèrent derrière lui et ils s'enfoncèrent silencieusement dans l'épaisse forêt. Pour des professionnels aussi aguerris qu'eux, nul besoin de se perdre en bavardage inutile.

Une trentaine de minutes plus tard, ils avaient traversé l'îlot pratiquement inhabité d'un rivage à l'autre. La végétation se réduisait à d'épais bosquets de palmiers séparés par de larges étendues d'herbe à éléphant à hauteur d'épaules, si bien qu'ils avaient pu progresser comme des ombres dans cet environnement qui les dissimulait parfaitement.

Jaeger donna le signal de la halte. D'après ses calculs, ils ne devaient plus se trouver qu'à une centaine de mètres de l'ensemble résidentiel où Leticia Santos était retenue prisonnière.

Il s'accroupit dans les hautes herbes, rejoint bientôt par Raff et Irina Narov.

«Il faut s'équiper», dit-il à voix basse.

Il y a deux sortes de risques au contact d'un agent comme le Kolokol-1 : le respirer, ou bien l'absorber par une membrane poreuse comme la peau. Ils utilisaient des combinaisons de protection Raptor 2, une version réservée aux forces spéciales composée d'un tissu ultraléger, mais doublé d'une couche de microbilles de carbone activé chargées d'absorber la moindre gouttelette d'agent chimique qui pourrait se répandre dans l'atmosphère.

Ces combinaisons Raptor s'avéraient étouffantes et encombrantes ; Jaeger appréciait le fait qu'ils les portent au cœur de la nuit, quand la température à Cuba était la moins chaude.

Ils disposaient également de masques anti-gaz Avon FM54 dernier modèle, protégeant le visage, les yeux et les poumons. Un équipement sophistiqué, endurci à la flamme pour l'extérieur, à visière unique, et à la conception ultraflexible, épousant étroitement le visage.

Malgré cela, Jaeger abhorrait utiliser un respirateur. Il ne se sentait à l'aise que dans un environnement ouvert, en pleine nature, et détestait la sensation d'être prisonnier, enfermé ou contraint d'une manière ou d'une autre.

Il se raidit avant d'enfiler le masque sur son visage, s'assurant que le caoutchouc épousait sa peau de façon étanche. Il resserra les sangles et sentit le masque adhérer parfaitement à ses traits.

Chacun avait choisi un masque spécialement adapté à la forme de son visage, mais ils avaient dû sélectionner une cagoule aux contours un peu plus lâches à l'intention de Leticia Santos. Les cagoules étaient de taille standard, mais assuraient une période de protection suffisante en cas d'exposition directe au gaz toxique.

Jaeger plaqua la main sur le filtre du respirateur et inspira profondément, appliquant le masque de manière hermétique sur son visage, une vérification indispensable pour s'assurer que l'étanchéité était parfaite. Il aspira quelques goulées d'air et entendit le son caractéristique de son souffle résonner fortement dans ses oreilles.

Une fois le masque en place, il enfila les encombrantes sur-chaussures en caoutchouc et rabattit sur sa tête la capuche de sa combinaison CBRN, dont l'élastique épousa le devant du masque. Il enfila pour terminer les gants en coton fin qu'il recouvrit d'épais gants en caoutchouc assurant la double protection de ses mains.

Son univers se réduisait désormais à ce qu'il percevait à travers la visière de son masque. Le filtre volumineux était fixé sur le côté gauche, de manière à ne pas gêner la vision, mais il ressentait déjà les premiers signes de claustrophobie.

C'était une raison de plus pour accélérer le mouvement et passer enfin à l'action.

«Vérification micro», annonça-t-il dans le minuscule microphone incrusté dans le caoutchouc du masque. Pas besoin d'appuyer sur un quelconque bouton, il était branché de manière permanente. Sa voix prenait une tonalité étrange, lointaine et nasale, mais au moins, grâce à cet interphone à portée limitée, ils seraient en mesure de communiquer tout au long de l'opération.

«C'est bon pour moi», répondit Raff.

«Bon pour moi… Chasseur», ajouta Narov.

Un sourire égaya le visage de Jaeger. «Le Chasseur», un surnom dont il avait hérité au cours de leur expédition en Amazonie.

Sur un signal de Jaeger, ils s'enfoncèrent dans la nuit. Bientôt, ils aperçurent à travers le feuillage des arbres les lumières de la villa qu'ils ciblaient. Ils traversèrent une étendue dépourvue de végétation jusqu'à ce qu'ils rejoignent l'arrière du bâtiment. Ils n'en étaient plus séparés que par un étroit chemin de terre.

Protégés par les arbres, ils étudièrent la disposition des lieux. La villa était entièrement illuminée par un cordon de projecteurs de sécurité. Pour l'instant, ils n'auraient pas besoin d'utiliser leur équipement de vision nocturne. La lumière crue ne pourrait que saturer l'image et transformer l'environnement en une bouillie blanchâtre.

Malgré la fraîcheur de la nuit, il faisait atrocement chaud à l'intérieur des combinaisons et des masques. La sueur dégoulinait du front de Jaeger. Il passa sa main gantée sur la visière pour tenter d'effacer la buée, mais sans effet.

Un certain nombre de fenêtres étaient éclairées au premier étage, le seul que l'on pouvait voir par-delà les hauts murs qui entouraient la villa. De temps en temps, on distinguait une silhouette aller et venir dans l'encadrement. Comme Jaeger s'y était attendu, les hommes de Vladimir étaient sur le qui-vive.

Il repéra deux 4x4 garés près du mur. Il leur faudrait les neutraliser pour éviter que quelqu'un ne se lance à leur poursuite. Du regard, il scruta le toit plat de la villa. L'endroit idéal pour planter des sentinelles, mais il ne détecta aucune présence particulière. Le toit était désert. Néanmoins, s'il existait un moyen d'y accéder, c'était un endroit qu'ils auraient du mal à couvrir.

Jaeger s'adressa à ses équipiers par le biais du micro. «On va y aller. Mais faites particulièrement attention au toit. Il faudra aussi immobiliser les 4x4.»

Raff et Narov acquiescèrent.

Jaeger piqua un sprint dans l'espace découvert. Ils firent une pause tous les trois à côté des véhicules et les piégèrent à l'aide de grenades collantes se déclenchant au moindre mouvement. Si quelqu'un tentait d'utiliser l'un ou l'autre des 4x4, le simple déplacement suffirait à déclencher les explosifs.

Raff se dirigea rapidement et seul vers la ligne à haute tension desservant la villa. Il allait utiliser un dispositif de sabotage qui enverrait une surcharge puissante de courant sur le réseau électrique du bâtiment, qui ferait exploser les fusibles et éteindrait toutes les lumières. Certes, Vladimir devait posséder un groupe électrogène de secours, mais il ne servirait à rien, tous les circuits étant grillés.

Jaeger se tourna vers Narov et posa la paume de sa main au sommet de sa tête, un signal qui voulait dire : *à moi de jouer*. Il se redressa et fonça vers le portail d'entrée de la villa, le cœur battant à tout rompre.

C'était le moment crucial de l'opération, celui où ils risquaient le plus d'être repérés ; ils se préparèrent néanmoins à escalader le mur d'enceinte. Jaeger prit position à un des côtés du portail. Une fraction de seconde plus tard, Irina Narov le rejoignit.

«En place», murmura-t-il dans le micro.

«Affirmatif», répondit Raff à voix basse. «J'éteins tout.»

Une seconde plus tard, on entendit un sifflement étrange suivi d'une explosion sèche en provenance de l'intérieur de la villa.

L'ensemble des bâtiments venait de s'éteindre entièrement dans une immense gerbe d'étincelles.

7

Jaeger saisit Narov aux jambes et la propulsa vers le haut. La jeune femme atteignit le faîte du mur et opéra un rétablissement. Elle se pencha alors et l'aida à grimper jusqu'à elle. Quelques secondes plus tard, ils se laissaient glisser de l'autre côté.

La cour était plongée dans l'obscurité la plus totale.

Il n'avait fallu que quelques secondes pour franchir le premier obstacle, mais Jaeger entendait déjà des cris et des appels sourds à l'intérieur du bâtiment.

La porte d'entrée s'ouvrit brutalement et une silhouette se rua à l'extérieur, balayant la cour d'une puissante torche, fusil d'assaut braqué dans toutes les directions. Jaeger s'immobilisa instantanément. L'homme se hâta de rejoindre un appentis dans un coin, là où devait se trouver le groupe électrogène.

Dès qu'il disparut à l'intérieur, Jaeger se rua en avant, Narov à ses côtés. Il s'aplatit contre le mur tout près de la porte d'entrée, Narov l'imitant de l'autre côté. Il tira de son sac une des cartouches de gaz, tout en saisissant sa petite hache de l'autre main.

Un regard furtif en direction de Narov.

Elle leva le pouce.

Regard de glace.

Jaeger s'empara de la goupille retenant le détonateur. Une fois celle-ci arrachée, la cartouche commencerait à propulser son gaz. Ils avaient atteint le point de non-retour.

Il retira la goupille, serrant toujours la cuillère dans sa main. Dès qu'il relâcherait la pression, la cuillère sauterait, et le gaz jaillirait.

«Je suis prêt», souffla-t-il dans l'interphone.

«Prêt!», répondit Raff. Après avoir coupé l'alimentation électrique de la villa, le grand Maori s'était rabattu sur l'arrière du bâtiment, seule autre issue pour accéder à l'intérieur.

Jaeger banda ses muscles. «On y va!»

Un grand coup de hache à travers la fenêtre. Le vacarme du verre brisé fut noyé par les occupants qui se bousculaient bruyamment dans l'obscurité. Il ressortit la hache et fit basculer la cartouche de gaz, libérant la cuillère.

De l'autre côté de la porte, Narov avait agi de même, et elle venait de lancer la cartouche par la fenêtre qu'elle avait fait voler en éclats.

Jaeger comptait mentalement les secondes. *Trois. Quatre. Cinq…*

À l'intérieur, on entendait le sifflement du gaz incapacitant qui se répandait rapidement, ainsi que les spasmes et les râles des hommes qui ressentaient les premiers effets du Kolokol-1 et se bousculaient dans le noir.

Un homme se mit soudain à tousser puis à vociférer dans le dos de Jaeger, tandis que le groupe électrogène se mettait en route. La silhouette émergea de l'appentis pour vérifier si le courant était rétabli, mais le bâtiment restait plongé dans l'obscurité. La puissante torche balayait l'espace pour tenter de comprendre la cause de la panne.

Jaeger ne disposait que d'une fraction de seconde pour neutraliser l'individu. Il tira son SIG Sauer de sa poche poitrine. L'aspect de l'arme était désormais différent : le canon était prolongé par un épais cylindre. Raff, Narov et lui avaient équipé leur P228 d'un silencieux Trident SWR. Ils avaient également garni leurs magasins de balles subsoniques, voyageant à une vitesse inférieure à celle du son, de manière à supprimer la détonation que produit une balle en franchissant le mur du son.

Afin de compenser la perte de vélocité, les balles étaient plus lourdes ; l'effet combiné rendait l'arme plus silencieuse, mais tout aussi létale.

Jaeger leva son P228, mais avant qu'il ne presse la détente, une silhouette familière sortit de l'ombre et tira deux balles :

pzzzt, pzzzt ; visa de nouveau : *pzzzt*. Raff avait dégainé une fraction de seconde avant Jaeger, et tiré en un éclair.

Dix. Onze. Douze… Jaeger égrenait toujours les secondes dans sa tête, tandis que le Kolokol-1 faisait son œuvre.

Il songea un instant à ce qui devait se passer à l'intérieur de la villa. L'obscurité totale. La confusion. Puis, les premiers effets glaçants du Kolokol-1. Un moment de panique tandis que chacun tentait de comprendre ce qui était en train de se produire, avant que la terreur ne s'installe dans les têtes, le gaz s'insinuant dans les trachées, brûlant les poumons.

Par expérience, Jaeger connaissait l'effet des gaz sur les organismes ; un terrible et brutal effondrement. Certes, on pouvait en réchapper, mais on n'oubliait jamais ce par quoi on était passé.

Il se retrouva durant une interminable seconde dans le décor de cette colline du pays de Galles où un poignard avait fendu la fine toile de tente, où une canule avait été introduite avant de répandre un nuage de gaz asphyxiant. Il avait aperçu des mains qui se saisissaient de sa femme et de son fils, puis qui les tiraient vers les profondeurs de la nuit. Il avait bien tenté de se lever pour se battre, mais le Kolokol-1 lui brûlait les yeux, paralysant chacun de ses muscles.

Ensuite, un poing recouvert d'un gant épais l'avait brutalement saisi par les cheveux, le forçant à relever la tête, et il avait entrevu des yeux emplis de haine derrière le masque.

«N'oublie jamais cela», avait sifflé une voix. «Ta femme et ton fils sont à nous. N'oublie jamais : tu n'as pas su protéger ceux que tu aimais.»

Quoique déformée par le masque, Jaeger avait cru reconnaître cette voix agressive, chargée de haine, mais il n'était jamais parvenu à mettre un nom sur celui qui lui avait fait si mal. Il le connaissait, mais sans pouvoir l'identifier ; il lui était désormais impossible d'échapper à cette torture.

Jaeger chassa ces images de ses pensées, mais garda à l'esprit le fait que les personnages qu'il était à son tour en train de livrer au gaz étaient capables du pire. Il avait été le témoin des meurtres horribles qu'ils avaient perpétrés sur son équipe en Amazonie, sans parler de ce qu'ils avaient fait subir à Leticia Santos. De plus, une partie de lui-même souhaitait découvrir dans ce lieu un indice quelconque qui le mènerait à sa femme et à son fils.

Chaque seconde comptait, désormais. *Dix-sept. Dix-huit. Dix-neuf. Vingt!*

Jaeger recula d'un pas, leva une jambe et enfonça d'un coup de botte la porte d'entrée. Le bois dur tropical résista, mais l'encadrement en contreplaqué céda et la porte s'ouvrit à toute volée.

SIG au poing, il batailla dans l'entrée, balayant l'espace grâce à la torche fixée sous le canon de son arme. L'air était saturé d'une vapeur blanche et huileuse qui dansait dans le faisceau lumineux. Des corps s'étalaient sur le sol, leurs mains griffant leurs visages et leurs cous comme s'ils essayaient de s'arracher la gorge.

Personne ne s'aperçut de sa présence; ils avaient le visage en feu, les yeux rendus aveugles par le gaz.

Jaeger pénétra dans une pièce, trébuchant sur une forme recroquevillée par terre, tordue de douleur. Du bout de sa botte, il retourna un second corps, scrutant les visages au passage.

Aucun n'était celui de Leticia Santos.

La torche éclaira une flaque de vomi, un autre corps se tordant dans l'ombre. L'odeur devait être terrible, mais Jaeger n'en percevait rien grâce à son respirateur.

Il se força à avancer et à occulter l'horreur qui l'entourait. Il fallait rester concentré sur son objectif : *retrouver Leticia.*

En se déplaçant à travers l'épais nuage de gaz, sa torche croisa une étrange fontaine blanche, une cartouche de Kolokol-1 déchargeant les restes de son gaz aux volutes spectrales. Puis il atteignit le fond de la pièce, deux escaliers, l'un montant et l'autre descendant. Son instinct lui dit que Leticia devait être détenue au sous-sol.

Il saisit une autre cartouche de gaz au fond de son sac. Mais comme il en arrachait la goupille, prêt à jeter la cartouche dans l'escalier, il fut paralysé par une attaque soudaine de claustrophobie, comme s'il avait reçu un coup de poing dans le ventre.

Il sentit son sang se figer, son esprit prisonnier de la scène terrible qu'il avait vécue sur la colline galloise, qui semblait tout à coup tourner en boucle dans sa tête.

Il était crucial de ne jamais s'arrêter au beau milieu d'un assaut tel que celui-ci. Mais il sentait son estomac se soulever, la nausée le submerger, le plier en deux. Il se revoyait sous la tente, se noyant dans sa propre impuissance, incapable de porter secours à sa femme et à son enfant.

Les membres totalement paralysés.

Incapable de lancer la cartouche dans l'escalier.

8

«Balance ta cartouche!», hurla Narov. «BALANCE-LA!
Santos est en bas quelque part! Balance ce foutu gaz!»

Sa voix parvint à percer la gangue dans laquelle Jaeger se sentait
paralysé. Au prix d'un formidable effort de volonté, il reprit le
contrôle de son corps et lança la cartouche dans les profondeurs
obscures de l'escalier. Quelques secondes plus tard, il dévalait les
marches, son arme pointant dans toutes les directions, Narov se
ruant à sa suite.

Au cours de ses années de service au sein des commandos
d'élite, le nettoyage des bâtiments constituait la routine la plus
souvent répétée de leurs exercices. C'était devenu une tâche facile,
naturelle, reposant sur l'instinct.

En bas de l'escalier, deux portes se présentèrent. Une de chaque
côté. Jaeger se précipita sur celle de droite, et Narov sur la gauche.
Il dégoupilla une nouvelle cartouche de Kolokol-1. Puis, il envoya
un formidable coup de pied dans la porte qui céda immédiatement
et lança la cartouche à l'intérieur.

Tandis que le gaz commençait à s'échapper, une forme s'approcha de lui en titubant, jurant dans une langue qu'il ne comprenait
pas. La silhouette ouvrit le feu et tira dans tous les sens, mais
l'homme était déjà aveuglé par l'épais panache. En un instant,
il s'effondra, les mains agrippant sa gorge.

Jaeger s'avança rapidement, ses semelles écrasant les douilles
que l'homme venait de tirer. Il balaya l'espace autour de lui,
espérant tomber sur Leticia Santos. Ne la voyant pas, il s'apprêtait
à faire demi-tour lorsqu'il eut un flash: *il reconnaissait cette pièce.*

Il l'avait déjà vue, quelque part, en d'autres circonstances.

Et subitement, il comprit. Pour tenter de le faire souffrir un peu plus à distance, les geôliers de Leticia Santos avaient envoyé par mail à Jaeger des photos de sa captivité. Sur l'une d'entre elles, on la voyait ligotée, blessée, agenouillée devant un drap déchiré taché de sang sur lequel on avait écrit :

Rends-nous ce qui nous appartient.
Wir sind die Zukunft.

Wir sind die Zukunft : nous sommes l'avenir.

À ce qu'il lui avait semblé alors, les mots avaient été tracés en lettres de sang.

Jaeger contemplait maintenant ce même drap tendu sur un mur de la pièce. En dessous, les maigres restes d'une captivité : un matelas crasseux, un seau de toilette, plusieurs longueurs de corde ainsi que quelques magazines à la couverture cornée ; une batte de baseball, qui avait dû servir à assurer la soumission de Santos.

Ce n'était pas la pièce qu'avait reconnue Jaeger, c'étaient les instruments qui avaient servi à détenir et à torturer Leticia Santos.

Il pivota brusquement. Narov avait fait l'inventaire de la pièce d'en face sans déceler la moindre trace de la présence de la jeune Brésilienne. *Où l'avaient-ils emmenée ?*

Ils firent une seconde de pause au pied des escaliers. Dégoulinants de sueur, ils étaient à bout de souffle. Chacun s'empara d'une cartouche de gaz et se prépara pour la suite de l'opération. Il fallait faire vite.

Ils s'élancèrent dans l'escalier menant à l'étage, laissant le gaz agir avant de parcourir chaque pièce, mais elles étaient vides. Quelques secondes plus tard, la voix de Raff retentit dans l'interphone.

« Il y a un escalier à l'arrière qui permet d'accéder à la terrasse. »

Jaeger fit demi-tour et se précipita dans cette direction, bataillant les nuées blanchâtres et tourbillonnantes de gaz. Raff attendait au pied d'un escalier de fer passablement rouillé. Au-dessus de lui, une trappe s'ouvrait sur le ciel.

Une fraction de seconde d'hésitation, et Jaeger s'élança à l'assaut de l'escalier de fer. Leticia devait se trouver là-haut. Il en était intimement persuadé.

En approchant de la trappe, il éteignit la torche de son pistolet. Le clair de lune suffirait pour se repérer et la torche ne pourrait que le désigner comme cible. Il s'aida d'une main pour achever son ascension, l'autre main toujours crispée sur son arme. Pas besoin de cartouche de gaz sur la terrasse. Elle n'aurait pas servi à grand-chose en plein air.

Il gravit les derniers centimètres avec prudence, sentant la présence toute proche de Narov dans son dos, puis il passa la tête et les épaules par l'ouverture, scrutant les alentours pour un signe de présence ennemie. Durant quelques secondes, il resta totalement immobile, aux aguets, guettant le moindre son, le moindre mouvement.

Finalement, il bondit sur la terrasse. Instantanément, un grand fracas se produisit, déchirant le silence. On venait de jeter un antique téléviseur au centre de la terrasse, et quelqu'un entassait de vieux meubles par-dessus.

Une chaise brisée s'était renversée tandis qu'une silhouette pointait une arme, à l'abri de la barricade improvisée.

Une fusillade sauvage éclata une seconde plus tard.

Jaeger se releva, penché en avant, l'arme au poing. Autour de lui, des balles ricochaient sur le parapet en béton de la terrasse. Soit il éliminait ce tireur fou, soit il y laissait sa peau.

Il visa la silhouette dans l'ombre et tira trois balles en succession rapide : *pzzzt, pzzzt, pzzzt !* À ce jeu, il fallait tirer vite et avec précision si l'on voulait faire mouche.

Exposé comme il pensait l'être, c'était lui ou l'ennemi. La différence se mesurait en dixièmes de centimètres et en millisecondes. Et les tirs de Jaeger avaient été infiniment plus véloces et plus précis.

Il changea de position et s'accroupit un peu plus loin, scrutant son environnement immédiat. Narov et Raff bondirent à leur tour sur la terrasse de chaque côté de lui, et Jaeger s'avança lentement, parfaitement équilibré sur la plante des pieds, comme un chat guettant sa proie. Il balaya de son arme la barricade de meubles brisés. Il était persuadé qu'il restait encore des ennemis dissimulés derrière.

Soudain, une silhouette jaillit de l'ombre et se mit à courir. Jaeger visa instantanément la forme mouvante, le doigt crispé sur la détente, quand il se rendit compte qu'il s'agissait d'une femme ; une femme aux cheveux bruns. *Leticia Santos, ce ne pouvait être qu'elle !*

Une seconde silhouette jaillit à sa poursuite, pistolet à la main. C'était un de ses geôliers, mais ils étaient trop proches l'un de l'autre pour ouvrir le feu.

« Jette ton arme ! », lança-t-il d'une voix rageuse. « Jette ce pistolet ! »

Le masque FM54 disposait d'un système de projection de la voix qui agissait comme un mégaphone. La voix de Jaeger prenait des tonalités métalliques étranges ; on aurait dit un robot.

« Lâche ton arme ! »

Pour toute réponse, l'homme armé encercla le cou de la femme de son bras, et entreprit de la pousser vers le parapet. Jaeger progressa vers lui, sous la menace de son arme.

Avec masque et combinaison, il faisait deux fois sa taille ordinaire. Leticia ne pouvait se douter de la personne qui se cachait sous cet équipement. De même, la voix métallique projetée par le mégaphone ne lui permettrait pas de le reconnaître.

Ami ? Ou ennemi ?

Elle n'avait aucun moyen de le savoir.

Leticia recula brusquement et son tortionnaire bataillait pour la maintenir contre lui. Leurs dos touchaient maintenant le parapet. Impossible de faire marche arrière ou de s'échapper en courant.

« Lâche ton arme ! », répéta Jaeger. « Jette ton foutu pistolet ! »

Il brandissait son SIG à deux mains devant lui, pieds écartés. Le silencieux tend à renvoyer les gaz du barillet dans le visage du tireur, il est donc crucial d'adopter une posture ferme afin de réduire l'effet de recul. Il plaça le visage de l'homme dans sa ligne de mire, le chien de son pistolet relevé, le doigt sur la détente, mais il n'arrivait pas à tirer. Dans la pénombre, il n'était pas sûr de toucher sa cible, et les gants rendaient toute précision aléatoire.

L'homme, pour sa part, pointait son arme vers la gorge de Leticia.

C'était l'impasse.

Jaeger sentit qu'Irina Narov se rapprochait de son épaule. Elle aussi pointait son P228 vers l'homme, ses mains ne tremblaient pas : elle gardait son sang-froid comme d'habitude. Elle s'approcha plus près de lui et il jeta un œil dans sa direction. Pas de réaction. Un bloc de glace. Son œil ne quittait pas la mire de son SIG.

Mais il y avait quelque chose de différent chez elle.

Elle avait arraché son respirateur, qui pendait au bout de ses sangles, et glissé une paire de lunettes de vision nocturne AN/PVS-21. Son visage reflétait une étrange aura vert fluo ; elle avait également retiré ses gants.

Instantanément, Jaeger sut qu'elle allait passer à l'action. Il tendit la main pour tenter de l'en empêcher. Il était trop tard.

Pzzzt, pzzzt, pzzzt !

Narov avait appuyé sur la détente.

Le coup était parti.

Le poids d'une balle standard utilisée par l'armée pour le P228 9mm est de 7,5 grammes. Les trois balles subsoniques que venait de tirer la jeune Russe pesaient chacune deux grammes de plus. Voyageant à cent mètres/seconde plus lentement, il ne leur fallut pourtant qu'une infime fraction de seconde pour toucher leur cible.

Elles déchirèrent le visage du geôlier de Leticia, le projetèrent en arrière, si bien qu'il bascula par-dessus le parapet pour un plongeon mortel. Une démonstration de tir exceptionnelle. Mais dans sa chute, le bras de l'homme enserrait encore le cou de la Brésilienne.

Avec un cri déchirant, les deux silhouettes basculèrent dans le vide.

Une chute d'une bonne quinzaine de mètres. Jaeger poussa un juron sauvage. *Foutue Narov!*

Il fit volte-face, fonça vers la trappe. En déboulant dans l'escalier métallique, des volutes de gaz tournoyaient encore autour de ses genoux, comme une brume mortelle. Il sauta les dernières marches, se rua dans le couloir, dévala l'escalier, enjambant des corps sur son chemin. Il émergea dans la cour, se mit à courir comme un fou pour tourner au coin du mur et, hors d'haleine, trouva enfin deux corps étendus par terre, entremêlés.

L'homme au pistolet était mort sur le coup, tué par les trois balles dans la tête tirées par Narov, et il semblait que Leticia ait eu les vertèbres brisées au point de chute.

Jaeger jura de nouveau. Comment les choses avaient-elles pu si mal tourner en si peu de temps? Il eut sa réponse presque instantanément : *c'était la faute d'Irina Narov, de son attitude de dingue à la gâchette trop facile.*

Il se pencha sur la silhouette recroquevillée de Leticia. Elle était face contre terre, immobile. Il posa les doigts sur son cou, guettant un signe de vie. Rien. Il frissonna, incrédule. Le corps était encore chaud, mais elle était morte, comme il l'avait craint.

Narov l'avait rejoint. Jaeger leva les yeux, le regard furieux. « Tu as vraiment merdé, ce coup-ci. Tu viens… »

« Tu veux y regarder de plus près ? » La voix de Narov était neutre. Elle avait repris son ton froid, dénué de la moindre émotion, celui que Jaeger trouvait toujours déconcertant. « Regarde bien ce que tu as devant toi. »

Elle se pencha, saisit les cheveux de la femme morte et retourna la tête pour qu'il puisse bien voir le visage. *Aucun respect, pas même pour les morts.*

Jaeger fixait les traits de la femme. C'était bien une latino, mais en aucun cas il ne pouvait s'agir de Leticia Santos.

« Mais, bon sang… », bafouilla-t-il.

« Moi, je suis une femme », coupa Irina Narov. « Je suis capable de reconnaître la silhouette d'une autre femme. Sa façon de marcher. Celle-ci, ce n'était pas Leticia. »

Pendant une seconde, Jaeger se demanda si Narov pouvait éprouver le moindre remords d'avoir provoqué la mort de cette mystérieuse prisonnière, ou du moins pour avoir tiré les balles qui avaient entraîné sa chute fatale.

« Autre chose », ajouta Narov. Elle glissa la main dans la veste de la jeune femme et en retira un pistolet, qu'elle tendit à Jaeger. « Elle faisait partie de la bande. »

Jaeger en resta bouche bée. « Bon sang. Le scénario sur la terrasse. C'était bidon. »

« Tout à fait. Pour nous attirer là-haut. »

« Comment le sais-tu ? »

Narov fixa Jaeger d'un œil vide. « J'ai vu la bosse dans sa veste. Une bosse en forme de crosse de pistolet. Mais surtout, c'est l'instinct, l'intuition. Le sixième sens de la guerrière. »

Jaeger secoua la tête. «Mais bon Dieu, elle est où, Leticia?»

Pris d'une soudaine inspiration, il cria dans l'interphone:

«Raff! Tu es là?» Le grand Maori était resté dans la villa, vérifiant les survivants et cherchant des indices. «Raff! Tu as trouvé Vladimir?»

«Ouais! Il est là.»

«Est-ce qu'il peut parler?»

«À peine.»

«OK, amène-le jusqu'ici.»

Trente secondes plus tard, Raff émergeait de la villa, portant en travers de ses épaules massives un homme qu'il jeta aux pieds de Jaeger.

«Je te présente Vladimir, du moins c'est ce qu'il affirme.»

Le chef de la bande qui avait kidnappé la jeune Brésilienne portait indiscutablement les stigmates de l'attaque au Kolokol-1. Son rythme cardiaque était dangereusement réduit au minimum vital, ainsi que sa respiration, et tous ses muscles étaient étrangement relâchés. Il avait la peau moite et la bouche desséchée.

Il commençait à ressentir les premiers symptômes de vertige, ce qui signifiait qu'il n'allait pas tarder à vomir et à être pris de spasmes. Il était crucial de tenter d'obtenir des informations avant qu'il ne sombre dans l'inconscience. Il chercha une seringue au fond de son sac et la présenta devant le visage de l'homme.

«Écoute-moi bien», annonça-t-il, la voix réverbérée par le système de mégaphone de son masque. «Tu viens d'être exposé au gaz sarin», ce qui constituait un mensonge éhonté. «Tu t'y connais un peu dans les gaz neurotoxiques? Une mort horrible. Il ne te reste que quelques minutes à vivre.»

Les yeux de l'homme s'écarquillaient de terreur. Apparemment, il comprenait assez l'anglais pour saisir la portée des explications de Jaeger.

Celui-ci agita la seringue. «Tu vois cette seringue? C'est du Compoden. L'antidote dont tu as besoin, absolument. Si je te l'injecte, tu vivras.»

L'homme se débattit, tendit la main vers la seringue.

Jaeger le repoussa du bout du pied. «D'accord, réponds à cette question. Où est l'otage, Leticia Santos? En échange, je t'injecte l'antidote. Sinon, on te regardera mourir.»

L'homme se contractait convulsivement, son nez coulait, la bave écumait aux coins de sa bouche. Pourtant, il leva une main tremblante et montra la villa.

«Sous-sol. Sous la couverture. En bas…»

Jaeger vérifia l'aiguille avant de la plonger dans le bras de l'homme. Il n'est pas nécessaire d'utiliser un antidote avec le Kolokol-1; la seringue contenait une dose inoffensive de solution saline. Quelques minutes à l'air libre suffiraient à assurer la survie, même s'il fallait attendre de nombreuses semaines avant un retour à la vie normale.

Narov et Jaeger se précipitèrent à l'intérieur, tandis que Raff continuait de veiller sur Vladimir. De retour au sous-sol, la torche de Jaeger éclaira une couverture bariolée de style latino étendue sur le béton nu du sol. Il l'écarta d'un geste rapide, découvrant une lourde trappe métallique. Il attaqua la poignée, mais sans succès. La trappe devait être verrouillée de l'intérieur.

Il extirpa de son sac un petit pain de plastic, le déroula, révélant le ruban collant, et choisit un endroit sur le bord de la plaque de métal où il fixa la charge explosive.

«Dès que le plastic explose, balance une cartouche de gaz», lança-t-il.

Narov acquiesça et prépara une cartouche.

Ils s'abritèrent. Jaeger activa le fusible et une forte détonation retentit instantanément, accompagnée d'un épais nuage de fumée et de débris divers volant en tous sens. La trappe n'était plus qu'un amas de métal tordu.

Narov lança la cartouche à l'intérieur de la cave, emplie de fumée. Jaeger compta mentalement les secondes pour que le gaz fasse son effet, puis il introduisit ses jambes par l'ouverture et se laissa tomber au fond de la cave. Le choc, amorti par les genoux, fut néanmoins brutal. Il se mit immédiatement en position de tir, balayant le petit local de la torche fixée au canon de son SIG.

À travers l'épais brouillard de gaz qui saturait l'atmosphère du lieu, il devina deux formes allongées sur le sol, dans un état comateux.

Narov le rejoignit bientôt et Jaeger éclaira les deux corps inconscients de sa torche. « Vérifie ceux-là. »

Narov se pencha tandis qu'il longeait le mur pour gagner le fond de la pièce où une petite alcôve avait été aménagée. Celle-ci contenait un coffre en bois dur. De sa main gantée, il s'attaqua à la fermeture du coffre : il était fermé à clé.

Pas le temps de chercher la clé.

Il saisit la fermeture à deux mains, posa le pied sur la paroi du coffre, tendit ses muscles et tira de toutes ses forces. Le bois céda avec un claquement sec et le couvercle se rabattit sur ses charnières. Jaeger s'en débarrassa rapidement avant de pointer sa torche à l'intérieur.

Tout au fond, il distingua une forme indistincte enveloppée dans un vieux drap. Il se pencha en avant pour la soulever ; il s'agissait bien d'un corps, qu'il déposa avec précaution sur le sol. Lorsqu'il souleva le drap, il reconnut instantanément Leticia Santos.

Ils l'avaient trouvée. Elle gisait, inconsciente, et d'après les blessures sur son visage, il était clair que Vladimir et ses sbires lui avaient fait connaître l'enfer au cours des derniers jours. Jaeger ne voulait surtout pas imaginer ce qu'ils lui avaient fait subir. Mais au moins, elle était vivante.

Derrière lui, Narov vérifiait le second corps, et s'assurait qu'il était neutralisé. Comme beaucoup des associés de Vladimir, celui-ci portait un gilet pare-balle. Aucun doute possible, ils avaient affaire à des professionnels bien organisés.

Mais comme elle retournait l'homme sur le dos, sa torche fit étinceler un objet qui traînait par terre à proximité. Un objet sphérique et métallique, environ de la taille d'un poing fermé, à la surface quadrillée.

« *GRENADE !* »

Jaeger fit volte-face, mesurant instantanément le danger. L'homme avait fabriqué un piège. Se sentant proche de la fin, il avait placé une grenade dégoupillée sous son ventre avant de se coucher sur le sol. Le poids de son corps maintenait la cuillère en place.

«*ABRITE-TOI!*», hurla Jaeger, ramassant le corps de Leticia avant de plonger au fond de l'alcôve.

Ignorant royalement l'ordre de Jaeger, Narov retourna le corps de l'homme sur la grenade et se jeta sur lui pour se protéger de l'explosion.

La détonation fut assourdissante, dévastatrice. Narov se retrouva catapultée dans les airs, tandis que Jaeger, recroquevillé dans l'alcôve, sentit sa tête cogner douloureusement contre le mur.

Le choc le secoua dans tout son être… Quelques secondes plus tard, le monde devint noir ; il perdit connaissance.

10

Jaeger tourna à gauche, abordant la bretelle de sortie qui conduisait à Harley Street, un des quartiers les plus chics de la capitale britannique. Trois semaines s'étaient écoulées depuis leur mission cubaine, et il se remettait difficilement des blessures reçues dans la cave de la villa. Mais son évanouissement avait été de courte durée : le masque avait protégé son crâne d'un traumatisme plus grave.

C'est Irina Narov qui avait souffert le plus durement. Dans l'environnement confiné de la cave, elle n'avait eu d'autre option que de se jeter sur la grenade, protégée par le corps de l'homme et son gilet pare-balle. Elle avait ainsi pu éviter l'impact direct de l'explosion, tout en donnant à Jaeger assez de temps pour se mettre à couvert avec Leticia.

Jaeger s'arrêta sur le trottoir opposé à la clinique Biowell, glissant sa Triumph Tiger Explorer dans un des espaces réservés aux motos. L'Explorer se jouait facilement de la circulation et la ville ne manquait pas de parkings réservés aux deux-roues. C'était l'un des plaisirs de Jaeger de circuler dans Londres en chevauchant sa moto. Il ôta son blouson et se retrouva en bras de chemise.

Le printemps était bien là : les platanes qui bordaient les rues de la capitale exhibaient leurs bourgeons et leurs premières feuilles. Lorsqu'il était contraint de fréquenter la grande ville, et de s'éloigner de la campagne et de la vraie nature, c'était sa saison préférée entre toutes.

Il venait de recevoir la nouvelle que Narov avait repris connaissance et avalé son premier vrai repas. En fait, le chirurgien avait même laissé entendre qu'elle pourrait bientôt toucher son bon de sortie.

Impossible de douter du fait qu'Irina Narov possédait une solide constitution.

Quitter l'îlot cubain s'était avéré un véritable défi. Après avoir recouvré ses esprits à la suite de l'explosion de la grenade, Jaeger s'était remis debout péniblement et avait dû extraire Narov et Leticia Santos l'une après l'autre de la cave. Ensuite, Raff et lui avaient porté les deux jeunes femmes à l'extérieur de la villa avant de s'enfuir par les jardins.

L'assaut s'était révélé très rapide, mais également très bruyant, et Jaeger ignorait si quelqu'un d'autre sur l'île avait entendu la fusillade. L'alerte avait sans doute été donnée, et ils n'avaient plus qu'une seule priorité : foutre le camp le plus rapidement possible. Il reviendrait à Vladimir et à ses acolytes d'expliquer aux autorités cubaines ce qui s'était passé.

Ils s'étaient dirigés en hâte vers les docks tout proches, où les kidnappeurs possédaient un gros Zodiac conçu pour naviguer en plein océan. Après avoir chargé Narov et Santos à bord, ils avaient démarré les deux moteurs puissants de 350 chevaux et avaient mis le cap à l'est sur le territoire britannique des îles Turques et Caïques, une traversée de 180 kilomètres à travers l'océan. Jaeger connaissait personnellement le gouverneur de l'archipel, qui devait par ailleurs guetter leur arrivée.

Après avoir gagné le large, Jaeger et Raff avaient stabilisé Narov, jugulé ses hémorragies, avant de l'installer en position latérale de sécurité ; ils avaient ensuite pris soin de coucher Leticia à l'arrière de l'embarcation sur une pile de gilets de sauvetage.

Ils s'étaient enfin débarrassés de la plus grande partie de leur équipement. Les armes, les combinaisons CBRN, les respirateurs, les explosifs, les cartouches de Kolokol-1, tout ce qui aurait pu être relié à leur mission avait été jeté au fond de l'océan.

Lorsqu'ils atteignirent leur destination, il ne restait rien qui puisse les associer avec une quelconque opération militaire.

On aurait dit quatre touristes de retour d'une excursion après avoir rencontré quelques difficultés en mer.

Ils s'étaient assurés auparavant de n'avoir laissé aucun indice de leur passage sur l'îlot, et avaient ramassé toutes les cartouches vides de Kolokol-1. Il ne devait rester sur place que quelques douilles de 9mm, parfaitement intraçables. Les empreintes de leurs pas avaient été masquées par les surchaussures.

Il y avait bien des caméras de surveillance autour de la villa, mais comme Raff avait grillé tous les circuits électriques, elles devaient être hors d'usage. De toute façon, bien malin qui pourrait identifier Jaeger et son équipe camouflés sous les combinaisons et les respirateurs.

Quant aux trois parachutes, ils avaient dû dériver vers le large dans les puissants courants.

Ils étaient insoupçonnables.

Durant le trajet sur l'océan, profitant du calme de la nuit, il avait réalisé qu'ils s'en étaient tous plutôt bien tirés ; l'équipe était au complet. Il avait ressenti cet afflux d'adrénaline brûlante, cette incroyable surexcitation de pénétrer dans une zone de danger mortel et d'en ressortir vivant.

Jamais la vie ne semblait plus réelle que lorsqu'on avait failli la perdre.

C'est peut-être pour ça qu'une image avait jailli spontanément dans son esprit. Une image de Ruth, avec ses cheveux bruns, ses yeux verts, ses traits fins presque délicats, et son aura de mystère celtique ; et celle de Luke, à huit ans, portrait craché de son père.

Luke avait onze ans aujourd'hui, douze dans quelques mois. Il était né en juillet, et ils avaient toujours réussi à choisir un lieu magique pour chaque anniversaire, qui tombait en plein milieu des vacances d'été.

Des souvenirs lui revenaient en foule : portant son fils de deux ans sur les épaules en parcourant la Chaussée des Géants sur la côte ouest sauvage de l'Irlande ; surfant sur les vagues d'une plage portugaise le jour de ses six ans ; gravissant les pentes enneigées du mont Blanc pour ses huit ans.

Ensuite, il y avait ce grand vide de l'absence… une perte déchirante qui durait depuis trois ans. Chacun de ses trois anniversaires avait eu un arrière-goût de l'enfer, surtout depuis que ceux qui avaient kidnappé sa femme et son fils le torturaient à distance en lui envoyant des preuves de leur captivité.

Il avait en effet reçu par mail des photos de Ruth et de Luke enchaînés, agenouillés devant leurs geôliers, le visage émacié, les yeux rouges où l'on devinait les cauchemars qu'ils subissaient tous les jours.

Savoir qu'ils étaient bien vivants et prisonniers quelque part dans des conditions atroces, proches du désespoir, avait conduit Jaeger jusqu'aux portes de la folie. Seules la traque, et la promesse de leur délivrance, avaient pu le tirer vers la vie.

Raff avait pris les commandes des deux moteurs du Zodiac, tandis que Jaeger gérait la navigation nocturne à l'aide de son capteur GPS portable. De sa main libre, il avait délacé une de ses bottes et retiré quelque chose qu'il cachait toujours sous la semelle intérieure.

Dans le faisceau de sa torche, allumée brièvement, il avait eu le temps de contempler les deux visages tournés vers lui sur la petite photo écornée, un cliché qu'il emportait lors de chaque mission, où qu'il aille. La photo avait été prise lors de leurs dernières vacances en famille, un safari en Afrique : Ruth était enveloppée dans un sarong kényan aux couleurs vives, Luke, bronzé par le soleil, était en short et arborait fièrement un tee-shirt sur lequel on lisait *SAUVEZ LES RHINOS*.

Tandis que les moteurs du Zodiac ronronnaient dans la nuit, Jaeger avait murmuré une courte prière à leur intention, où qu'ils se trouvent. Il savait désormais qu'ils étaient en vie, et que sa mission cubaine l'avait rapproché un peu plus de son objectif : les retrouver. Au cours de sa fouille dans la villa, Raff s'était emparé d'un iPad et d'un certain nombre de disques durs et les avait fourrés dans son sac à dos. Jaeger comptait beaucoup sur ces découvertes pour produire de nouveaux indices.

Dès qu'ils avaient abordé dans la capitale des îles Turques et Caïques, Cockburn Town, il avait appelé la résidence du gouverneur et fait jouer ses relations. Leticia et Narov avaient bénéficié d'un aller simple et direct vers Londres, à bord d'un jet privé truffé d'équipement médical.

La clinique Biowell appartenait à un nombre très restreint d'hôpitaux privés réservés à l'élite. On ne demandait que peu d'informations aux patients qui s'y rendaient, ce qui était bien utile lorsque s'y présentaient deux jeunes femmes montrant des symptômes d'empoisonnement au Kolokol-1, et dont l'une était criblée d'éclats métalliques.

Au moment où la grenade avait explosé, Irina Narov avait reçu une volée de shrapnel qui avait transpercé sa combinaison, d'où son empoisonnement au Kolokol-1. Mais le long trajet à bord du Zodiac et la fraîcheur de la brise nocturne avaient contribué à éliminer une grande partie des toxines.

Jaeger rejoignit Narov dans sa chambre d'hôpital ; elle avait le dos appuyé contre une pile d'oreillers d'une impeccable propreté. Le soleil inondait la chambre dont la fenêtre était entrouverte.

Tout bien considéré, elle avait l'air remarquablement en forme. Les traits peut-être un peu tirés, le visage légèrement plus pâle. Des cernes marqués autour des yeux. Elle arborait encore quelques pansements là où elle avait reçu des éclats de la grenade. Mais trois semaines seulement après le raid sur la villa, elle avait pratiquement récupéré.

Jaeger s'assit sur le siège le plus proche de son lit. Narov n'avait pas ouvert la bouche.

«Comment te sens-tu?», s'enquit Jaeger.

Elle ne tourna même pas les yeux vers lui. «Vivante.»

«Ça ne nous dit pas grand-chose», grommela Jaeger.

«OK, alors que penses-tu de ça : j'ai une migraine, je me fais suer comme c'est pas possible, et je n'ai qu'une envie… ficher le camp d'ici!»

Jaeger sourit malgré lui. Il ne cessait de s'étonner en constatant à quel point cette femme pouvait être exaspérante. Le ton de sa voix, plat et sans la moindre expression, autoritaire, ajoutait à toutes ses répliques des relents de menace ; et pourtant, on ne pouvait douter de son courage, de son sens du sacrifice. En se jetant sur le corps du geôlier pour atténuer le danger de la grenade, elle les avait tous sauvés. C'est à Irina qu'ils devaient d'être encore vivants.

Jaeger n'appréciait pas vraiment de devoir autant à une personne qui restait une telle énigme.

11

«D'après les médecins, tu ne sortiras pas tout de suite», risqua Jaeger. «Du moins pas avant d'avoir subi de nouveaux examens.»

«Les toubibs peuvent aller se faire voir. Personne ne me retiendra ici contre mon gré.»

Certes, Jaeger était impatient de reprendre la traque, mais il avait besoin de s'assurer que Narov était en pleine possession de ses moyens.

«Il faut y aller mollo», répliqua-t-il. Elle lui lança un regard interrogateur. Il voulait lui faire comprendre qu'il ne fallait pas confondre vitesse et précipitation. «Prends le temps de te remettre complètement.» Un silence. «*Après*, on aura du boulot.»

Narov grogna. «Mais il y a urgence! Après notre mission en Amazonie, ceux qui nous traquaient ont juré d'avoir notre peau. Ils sont trois fois plus déterminés aujourd'hui. Pourtant, rien ne presse, n'est-ce pas? Je peux rester ici tant que je veux à me faire bichonner?»

«Tu ne seras utile à personne tant que tu seras à moitié morte.»

Elle le fixa. «Je suis en pleine forme. Et le temps est compté. Ou alors, tu as oublié. Ces documents qu'on a découverts. Dans l'avion. *Aktion Werewolf.* Projet pour le Quatrième Reich.»

Jaeger n'avait pas oublié.

Vers la fin de leur expédition épique en Amazonie, ils étaient tombés sur un avion géant de la Seconde Guerre mondiale au milieu de la jungle, sur une piste de fortune arrachée à la forêt. Ils avaient découvert qu'il avait servi au transport des savants les plus éminents d'Hitler, ainsi que des *Wunderwaffe* du Reich, son armement secret le plus pointu, vers une destination où ces armes redoutables pourraient être développées bien après la fin de la guerre.

Retrouver l'avion avait constitué une découverte prodigieuse. Mais la véritable révélation pour Jaeger et son équipe, celle qui les avait stupéfiés, avait été d'apprendre que les puissances alliées, surtout les États-Unis et la Grande-Bretagne, avaient parrainé ces vols de relocalisation des secrets nazis.

Au cours des derniers mois de la guerre, les Alliés avaient passé un marché avec une brochette de haut gradés nazis leur garantissant qu'ils ne seraient jamais traduits en justice. À cette époque, le véritable ennemi n'était plus l'Allemagne, mais la Russie soviétique de Staline. L'Ouest devait faire face à une nouvelle menace : la montée du communisme et la Guerre froide. Les Alliés avaient fait confiance à cette vieille règle : les ennemis de mes ennemis sont mes amis ; ils avaient donc fait des pieds et des mains pour mettre à l'abri les principaux architectes du Reich d'Hitler.

En un mot, les plus importants responsables nazis et leur technologie avaient pu traverser en avion la moitié de la planète dans le plus grand secret et sans craindre pour leur vie. Britanniques et Américains faisaient allusion à ce programme ultrasecret sous divers noms de code : Opération Darwin pour les Britanniques, Projet Abri Sûr pour les Américains. Les Nazis avaient leur propre nom de code, sans doute le meilleur : *Aktion Werewolf*, Opération Loup-Garou.

L'Opération Loup-Garou devait se dérouler sur une échelle de soixante-dix ans, et son objectif était de prendre une revanche spectaculaire sur les Alliés. Une opération qui devait finalement faire naître un Quatrième Reich, en infiltrant des Nazis avérés dans des positions de pouvoir au niveau de la planète, tout en développant les *Wunderwaffe* les plus pointues.

C'est ce qui était ressorti des documents retrouvés dans l'avion de guerre en Amazonie. Au cours de cette expédition, Jaeger s'était rendu compte qu'une autre force, terriblement puissante, était également lancée à la recherche de cet appareil, dans l'objectif de détruire ses secrets pour l'éternité.

Vladimir et ses acolytes avaient traqué l'équipe de Jaeger durant leur mission en Amazonie. Parmi ceux qu'ils avaient faits prisonniers, seule Leticia Santos avait été épargnée, dans le but de faire pression et de capturer Jaeger et ses camarades. Mais Irina Narov avait brouillé les cartes et découvert le lieu de captivité de Santos. D'où la mission de libération qu'ils venaient d'accomplir, une mission qui avait fait apparaître de nouvelles preuves vitales.

«Il y a du nouveau», annonça Jaeger. Au fil des mois, il avait appris qu'il valait mieux ignorer les aspects les plus revêches du caractère d'Irina Narov. «On a réussi à décrypter leurs mots de passe. On est entrés dans leur ordinateur portable ; et dans leurs disques durs.»

Il lui tendit une feuille de papier où ne figuraient que quelques mots.

Kammler H.

BV222

Katavi

Choma Malaika

«Ça, ce sont les mots-clés que nous avons relevés dans leurs échanges de mails», expliqua Jaeger. «Vladimir, si tel est son vrai nom, communiquait avec quelqu'un de haut placé. Le véritable commanditaire, le donneur d'ordres. Ces mots reviennent régulièrement dans leurs communications.»

Narov les relut plusieurs fois. «Intéressant.» Le ton de sa voix s'était sensiblement adouci. «Kammler H. Il s'agit du général SS Hans Kammler, je suppose ; pourtant nous pensions qu'il était mort depuis longtemps.»

«BV222», poursuivit-elle. «C'est certainement le Blohm & Voss BV222 *Wiking*. Le fameux hydravion de la Seconde Guerre mondiale, un appareil incroyable qui pouvait se poser partout où on trouvait la moindre étendue d'eau.»

«*Wiking*, qui veut dire Viking, j'imagine ?», s'enquit Jaeger.

Narov s'ébroua. «Bien joué.»

«Et pour le reste?», enchaîna-t-il, soucieux d'éviter un clash.

Narov haussa les épaules. «Katavi. Choma Malaika. Ça évoque l'Afrique, à mon avis.»

«Tu as raison», confirma Jaeger.

«Alors? Tu as bien dû vérifier?»

«J'ai vérifié.»

«Eh bien, alors?» De nouveau, une pointe d'irritation.

Jaeger sourit. «Tu veux vraiment savoir ce que j'ai trouvé?»

Narov se renfrogna. Elle avait compris que Jaeger la faisait marcher. «Comment dites-vous: est-ce que l'ours chie dans les bois?»

Jaeger sourit de nouveau. «Choma Malaika, c'est du swahili, la langue qu'on parle en Afrique orientale, et ça veut dire "les Anges de feu". Je connais quelques mots depuis que j'ai effectué des opérations là-bas. Et puis, écoute bien: Katavi peut se traduire par "le Chasseur".»

Narov le fixait bizarrement. Le sens de ce nom ne pouvait pas lui échapper.

Depuis l'enfance, Jaeger croyait aux présages. Il s'avouait superstitieux, surtout quand les choses signifiaient quelque chose de personnel pour lui. «Le Chasseur», c'est le surnom qui lui avait été donné durant leur expédition en Amazonie, et qu'il n'avait pas adopté à la légère.

Une tribu d'Indiens d'Amazonie, les Amahuaca, les avait secondés dans leur quête de l'avion perdu. Ils s'étaient révélés des alliés fidèles et loyaux. Un des fils du chef de la tribu, Gwaihutiga, avait attribué ce terme honorifique de «chasseur» à Jaeger au terme d'une action qui leur avait sauvé la vie à tous. Lorsque Gwaihutiga avait perdu la vie aux mains de Vladimir et des assassins qui l'entouraient, le surnom avait revêtu une signification plus précieuse encore. Jaeger y était très attaché, en mémoire du sacrifice du guerrier indien.

Aujourd'hui, un nouveau chasseur semblait l'appeler, sur un autre ancien continent, l'Afrique.

12

Narov brandit la liste des mots inscrits par Jaeger. «Il faut que je transmette ces informations à mon équipe. Ces derniers mots : Katavi, Choma Malaika, je suis certaine qu'ils en savent plus.»

«Tu fais vraiment confiance à… ces gens. Tu les crois capables de faire des miracles.»

«Ce sont les meilleurs. Dans tous les sens du terme.»

«Ce qui me fait penser… tu ne m'as encore rien dit sur eux. Tu me dois une explication, il me semble, non?»

Narov haussa les épaules. «D'accord. Dans ce but, mes amis t'invitent à venir les rencontrer.»

«Dans quel but, exactement?»

«Pour que tu les rejoignes. Pour qu'on travaille ensemble. Du moins si tu arrives à prouver que tu es… prêt.»

Le visage de Jaeger se durcit. «Tu as failli dire "que tu en es *digne*", n'est-ce pas?»

«Peu importe. Ce que je pense n'a aucune importance. Ce n'est pas à moi de décider de toute façon.»

«Qu'est-ce qui te fait penser que je pourrais vous rejoindre? *Les* rejoindre?»

«C'est très simple. Ta femme et ton fils : en ce moment, mes amis constituent la meilleure chance de les revoir un jour.»

Un flot d'émotion cachée envahit Jaeger. Il venait de vivre trois années terribles. Cela faisait trop longtemps qu'il était à la recherche des siens, surtout lorsque tous les indices pointaient vers un fait indéniable : ils étaient prisonniers d'un ennemi impitoyable.

Il cherchait encore une réplique lorsque son téléphone se mit à vibrer. Un message. Le chirurgien de Leticia Santos le tenait au courant par textos, et il pensait que ce devaient être des nouvelles de la Brésilienne.

Il jeta un coup d'œil à l'écran de son téléphone mobile bon marché. Les téléphones à cartes rechargeables étaient souvent les mieux protégés. Tant qu'on enlevait la batterie en ne la replaçant que pour vérifier ses messages, ils demeuraient pratiquement intraçables. Sinon, un portable permettait invariablement de vous localiser.

Le message provenait de Raff, normalement peu loquace. Jaeger cliqua sur le message qui s'ouvrit.

Urgent. Rendez-vous à l'endroit habituel. Lis ceci.

Jaeger fit défiler le texte vers le bas et cliqua sur un lien inclus dans le message. Le titre d'un article de presse s'étala : *« Une salle de montage de Londres détruite par un incendie. La thèse d'un attentat semble certaine. »* Suivait une photo d'un bâtiment en flammes surmonté d'une colonne de fumée.

Jaeger ressentit comme un coup de poing dans le ventre. Il connaissait bien cet endroit. Il s'agissait du Joint, la salle de montage où l'on était en train de mettre la touche finale au documentaire racontant leur expédition en Amazonie.

«Je n'arrive pas à y croire…» Il s'approcha de Narov pour lui montrer le document. «Ils recommencent. Ils s'en sont pris à Dale.»

Narov contempla l'écran un instant, mais sans trahir la moindre réaction. Mike Dale était l'homme qui avait filmé toute leur équipée en Amazonie. Né en Australie, il était membre à part entière de l'équipe, chargé en plus de filmer l'expédition historique pour un certain nombre de chaînes de télé.

«Je t'avais mis en garde», déclara-t-elle. «Je t'avais dit que ça risquait d'arriver. Si nous ne finissons pas le boulot maintenant, ils vont tous nous traquer l'un après l'autre. Surtout après ce qui s'est passé à Cuba.»

Jaeger rempocha son téléphone, attrapa son blouson et son casque de moto. « Il faut que j'aille voir Raff. Ne bouge pas d'ici. Je vais revenir avec des nouvelles… et une réponse. »

Il avait bien envie de donner libre cours à sa colère en démarrant sur les chapeaux de roue, mais il se força néanmoins à respecter le code de la route. Il ne manquerait plus qu'il s'emplâtre un taxi, surtout qu'il venait peut-être de perdre un nouveau membre de son équipe.

Les débuts avaient été difficiles entre Jaeger et Dale. Mais au fil des semaines dans la jungle, Jaeger en était venu à respecter et à admirer la compétence de Dale et même à apprécier la compagnie du jeune homme. Vers la fin de l'expédition, Dale comptait parmi ses amis les plus proches.

L'endroit habituel qu'avait évoqué Raff n'était autre que le Crusting Pipe, un vieux bar établi dans les anciennes caves d'une vaste demeure du centre de Londres. Plafond bas en voûtes de briques jaunies par la fumée, sciure de bois sur le plancher, l'établissement avait des airs de gargote à pirates, de lieu de rendez-vous réservé aux désespérés et aux gentlemen-cambrioleurs.

L'endroit parfait pour Raff, Jaeger et les gens de leur espèce.

Jaeger gara sa moto dans la petite cour dallée et s'immisça au milieu de la foule, empruntant rapidement l'escalier de pierre qui descendait au niveau inférieur. Il trouva Raff dans le réduit qu'ils occupaient habituellement, à l'abri des oreilles indiscrètes.

Une bouteille de vin trônait sur la table en bois ancien et usé. À la lueur de la bougie, Jaeger constata qu'elle était déjà à moitié vide.

Sans un mot, Raff déposa un verre devant Jaeger et l'emplit. Il leva ensuite le sien, l'air sombre, et ils burent une gorgée. Les deux hommes avaient connu pas mal de moments tragiques et sanglants, et perdu bon nombre d'amis et de camarades de combat. Ils savaient que pour eux, la mort rôdait toujours et partout. Elle faisait partie du paysage.

« Raconte-moi », commença Jaeger.

Pour toute réponse, Raff glissa une feuille de papier devant son ami. «Un résumé du rapport d'un des flics. Un type que je connais. Il me l'a filé il y a une heure environ.»

Jaeger parcourut le texte.

«Ils ont frappé un peu après minuit.» Le visage sombre, Raff poursuivit son récit. «Il y avait un super système de sécurité au Joint; c'est nécessaire parce qu'ils possèdent du matériel, des tables de montage qui valent un paquet de fric. Eh bien le type est entré et ressorti sans déclencher la moindre alarme. Il a planté l'engin explosif artisanal dans la salle où Dale et son équipe travaillaient sur leur montage final, caché parmi un tas de disques durs.»

Raff avala une bonne gorgée de vin. «L'explosion s'est apparemment produite lorsque quelqu'un a pénétré dans la salle. Probablement un engin à déclenchement piégé. Le double objectif était rempli: tous les films de l'expédition ont été détruits et une dizaine de disques durs ont été transformés en shrapnel.»

Jaeger posa la question qui le tourmentait. «Dale?»

Raff secoua la tête. «Il n'a rien. Dale était sorti de la salle de montage pour chercher des cafés. Un pour chacun des membres de son équipe. C'est sa fiancée, Hannah, qui est retournée la première, en compagnie d'une jeune assistante.» Un silence lourd de sens. «Elles n'ont pas survécu.»

Jaeger était horrifié. Au fil des semaines pendant lesquelles Dale s'était attelé au montage, Jaeger avait appris à bien connaître Hannah. Ils étaient sortis tous ensemble plusieurs fois, et il avait apprécié la compagnie enjouée et pleine d'esprit de la jeune femme, ainsi que celle de la jeune assistante-monteuse, Chrissy.

Mortes, toutes les deux. Transformées en chaleur et en lumière par un engin explosif improvisé. Un vrai cauchemar.

«Comment Dale réagit-il?»

Raff fixa son ami. «Je te laisse deviner. Hannah et lui… devaient se marier cet été. Il est totalement effondré.»

«Il y a des images des caméras de surveillance?», demanda Jaeger.

«Il paraît qu'elles ont été effacées. Le type qui a fait le coup est un vrai pro. On est en train d'essayer de lire le disque dur, quelqu'un retrouvera peut-être quelque chose. Mais n'attends pas de miracle.»

Jaeger emplit les verres. Un silence chargé d'émotion s'installa durant quelques secondes. Finalement, Raff tendit la main et saisit le bras de Jaeger.

«Tu comprends ce que ça signifie? La traque recommence. On les chasse et ils nous chassent. Soit on les élimine, soit ils nous liquident tous. Pas d'autre option.»

«J'ai quand même une bonne nouvelle», avança Jaeger. «Narov est revenue parmi nous. Réveillée. Elle meurt de faim, et elle va sortir bientôt. Quant à Leticia Santos, elle reprend peu à peu connaissance. Je crois qu'elles vont très bien s'en sortir toutes les deux.»

Raff leva le bras pour réclamer une nouvelle bouteille. Rien n'empêcherait jamais qu'ils trinquent à la santé des disparus. Le barman apporta la seconde bouteille, présenta l'étiquette à Raff, qui hocha la tête. Il la déboucha et invita Raff à vérifier sa qualité. Raff l'écarta de la main. On était au Crusting Pipe, et le vin était toujours excellent.

«Frank, contente-toi de servir, d'accord? Nous allons boire à la santé des amis qui viennent de nous quitter.» Il se tourna de nouveau vers Jaeger. «Dis-moi: comment se porte notre reine des glaces?»

«Narov? Agitée. Et bagarreuse comme au bon vieux temps.» Un silence. «Elle m'a invité à rencontrer ses amis.» Jaeger jeta les yeux sur la feuille de papier sur la table. «Après ça, je crois que c'est nécessaire.»

Raff approuva de la tête. «S'ils sont capables de nous conduire à ceux qui ont fait ça, il faut y aller.»

«Narov m'assure qu'on peut leur faire confiance. Elle est catégorique.»

«Et toi, qu'est-ce que tu en penses? Tu es sûre d'elle? De ses amis? Je me souviens que tu avais des doutes en Amazonie.»

Jaeger haussa les épaules. «Il faut savoir la prendre. Elle est méfiante, ne fait confiance à personne. Mais j'imagine que ses amis sont la seule option qu'il nous reste. Et il vaudrait mieux savoir tout ce qu'ils savent.»

Raff grogna. «Moi, ça me convient.»

«D'accord. Envoie un message. Alerte tout le monde. Avertis-les que nous sommes tous dans le collimateur. Et préviens-les que nous allons avoir une réunion bientôt. L'heure et le lieu seront communiqués plus tard.»

«Compris.»

«Insiste bien : ils doivent se tenir sur leurs gardes à tout moment. Ceux qui ont signé ce carnage… Un instant d'inattention, et nous sommes tous morts.»

13

Une averse de printemps, légère et fraîche, caressait la peau de Jaeger.

Une tiédeur douce et humide qui épousait parfaitement son état d'esprit.

Il s'était réfugié sous un bosquet de sapins, à peu de distance du terrain de jeux. Son pantalon noir de moto et son blouson se fondaient avec l'atmosphère détrempée de la scène.

Un cri retentit jusqu'à lui. «Ne le lâche pas! Suis-le, Alex! Ne le lâche pas!»

Les encouragements d'un parent, dont Jaeger ne reconnaissait pas la voix. Sûrement un nouveau, mais comme Jaeger n'était pas revenu à l'école depuis trois ans, la plupart des visages lui semblaient inconnus aujourd'hui.

Comme son visage devait l'être pour les autres.

Une silhouette étrange, à moitié cachée dans les arbres, regardant un match de rugby scolaire dans lequel il paraissait n'avoir aucun intérêt. Aucun enfant à encourager.

Un étranger presque inquiétant. Visage émacié. Distant. Préoccupé.

Surprenant que personne n'ait songé à appeler la police.

Jaeger leva les yeux vers le ciel couvert. Les nuages bas défilaient, luisant dans les rares rayons de soleil, filant avec rapidité, indifférents aux petites silhouettes affairées qui se ruaient vers la ligne d'essai, sous les hourras de leurs parents, fiers des exploits de leurs rejetons.

Jaeger se demandait finalement pourquoi il était venu jusqu'ici.

Sans doute voulait-il raviver des souvenirs avant d'ouvrir un nouveau chapitre de sa mission : la rencontre avec les amis d'Irina Narov, quels qu'ils soient. Il avait souhaité revoir cette pelouse battue par la pluie, car c'était le dernier endroit où il avait vu son fils heureux et libre, avant qu'ils ne soient avalés par l'obscurité, lui et sa mère, Ruth.

Il avait voulu capturer de nouveau une parcelle de cette magie, pure, étincelante, inestimable.

Son regard balayait le paysage et s'arrêta sur la forme ramassée quoiqu'imposante de l'abbaye de Sherborne. Depuis plus de treize siècles, cette cathédrale saxonne, devenue abbaye bénédictine, montait la garde sur cette petite ville historique et l'école où son fils avait grandi et s'était éveillé superbement au monde.

Une bonne éducation et une tradition que l'on retrouvait cristallisées ici, avec force, sur le terrain de rugby.

KA MATE! KA MATE! KA ORA! KA ORA! Vais-je mourir ? Vais-je mourir ? Vais-je vivre ? Vais-je vivre ? Jaeger entendait ces mots, qui emplissaient le terrain et résonnaient dans ses souvenirs. Un chant de légende.

Aux côtés de Raff, Jaeger avait été un pilier de l'équipe de rugby des SAS, lorsqu'ils étrillaient les équipes rivales. C'est toujours Raff qui conduisait le haka, la danse guerrière maorie traditionnelle qui précédait chaque match ; ses coéquipiers se rangeaient derrière lui, intrépides, irrésistibles. Les SAS comptaient de nombreux Maoris dans leurs rangs, le haka s'imposait donc.

Raff n'étant pas du genre à se marier, ni à fonder une famille, il avait plus ou moins adopté Luke comme son fils de substitution. Il se rendait régulièrement à l'école, et faisait office d'entraîneur honoraire de l'équipe de rugby. Officiellement, le haka n'était pas autorisé à l'école avant les matches. Mais officieusement, les autres entraîneurs fermaient les yeux, surtout que la danse guerrière semblait galvaniser les garçons au point qu'ils remportaient tous leurs matches.

C'était la raison pour laquelle un ancien chant guerrier maori avait résonné sur les pelouses sacrées de Sherborne.

KA MATE! KA MATE! KA ORA! KA ORA!

Jaeger se concentra sur le match. L'équipe adverse tentait de nouveau de repousser les garçons de Sherborne. Pas d'essai cette fois-ci. Jaeger n'était pas certain qu'on chante encore le haka avant chaque match, Raff et lui-même n'ayant pas reparu depuis trois longues années.

Il s'apprêtait à repartir, pour rejoindre la Triumph garée discrètement sous les arbres, lorsqu'il sentit une présence à proximité. Il tourna les yeux.

«Bon sang! William! Je me disais bien que c'était toi! Mais dis donc…? Merde, ça fait un bail.» L'homme tendit la main. «Comment vas-tu, mon vieux?»

Jaeger l'aurait reconnu n'importe où. En surpoids, les dents gâtées, les yeux globuleux et la chevelure grisonnante retenue en une queue de cheval, Jules Holland était plus connu sous le surnom de «Chasseur de rats». Ou pour faire court, le Rat.

Les deux hommes se serrèrent la main chaleureusement. «Eh bien… je suis… toujours vivant.»

Holland esquissa une grimace. «Tu n'as pas l'air très enthousiaste.» Un silence. «C'est juste que tu as disparu tout d'un coup. On a fait ce tournoi de rugby à sept, à Noël: Luke, Ruth et toi, vous comptiez vraiment dans l'école. Et puis, au Nouvel An, plus personne. On n'a plus entendu parler de vous.»

Le ton de sa voix exprimait des regrets, presque offensés. Jaeger comprenait bien sa réaction. Aux yeux de certains, leur amitié avait quelque chose d'improbable; mais au fil du temps, Jaeger avait commencé à apprécier le côté original et non-conformiste du Rat, et surtout sa spontanéité dénuée de prétention.

Avec le Rat, on n'était jamais déçu.

Ce fameux Noël, Jaeger avait convaincu Ruth de s'intéresser vraiment au rugby, ce qui n'avait pas été évident jusque-là. Elle n'avait jamais apprécié les matches, avouant qu'elle détestait voir Luke «prendre des coups», comme elle disait.

Jaeger la comprenait, mais à huit ans, Luke était déjà obsédé par ce sport. Il possédait un instinct naturel de protection, doublé d'une loyauté féroce, et il faisait un arrière remarquable. Solide comme un roc. Un vrai lion.

Il plaquait comme personne, et peu d'adversaires parvenaient à le passer. En dépit des inquiétudes de sa mère, il arborait ses ecchymoses et ses écorchures comme des trophées honorifiques. Il était une preuve vivante du proverbe qui affirme que *ce qui ne vous tue pas vous rend plus fort*.

Cette compétition de Noël de rugby à sept avait l'avantage de produire un jeu plus fluide, moins haché et brutal que le traditionnel rugby à quinze. Jaeger avait persuadé Ruth d'assister au premier match, et dès qu'elle avait vu son fils courir comme le vent et aplatir son premier essai, elle était devenue une fan inconditionnelle.

À partir de ce moment, Jaeger et Ruth, bras dessus bras dessous, n'avaient pas manqué un match, sur la touche, hurlant des encouragements pour Luke et son équipe. C'était un souvenir précieux pour Jaeger : celui des joies simples de la vie de famille.

Il avait filmé un des matches les plus contestés afin de le projeter à l'attention des garçons, dans le but d'analyser les phases de jeu et d'améliorer leur performance. Ils avaient appris la leçon. Aujourd'hui, c'étaient les dernières images qu'il possédait de son fils disparu.

Et il s'était passé et repassé ces instants de bonheur de nombreuses fois au cours des trois années qui le séparaient de lui.

14

Sur un coup de tête, ils avaient décidé de prendre la route vers le nord pour ce Noël. Plus précisément pour le pays de Galles, où ils avaient choisi de camper dans la neige ; la voiture était surchargée d'équipement et de cadeaux. Ruth adorait tout ce qui touchait à la nature, elle avait la fibre écolo particulièrement développée, et Luke avait hérité de ses tendances. Tous les trois n'aimaient rien de plus que de mettre le cap sur la nature sauvage.

Mais c'était là, dans les collines galloises, que Ruth et Luke avaient été arrachés à l'amour de Jaeger. Dévasté par le chagrin, fou de douleur, il avait rompu tout contact avec le monde qu'ils avaient connu ensemble, et cela comprenait Jules Holland et son fils Daniel.

Daniel souffrait du syndrome d'Asperger, une forme d'autisme, mais c'était le meilleur copain de Luke à l'école. Jaeger se doutait des dégâts provoqués chez ce garçon par la disparition subite de son ami.

Holland fit un geste du bras en direction du match. « Tu t'en es sûrement aperçu, Dan est toujours aussi maladroit. Il ressemble à son père, une catastrophe dans tous les sports. Au moins, au rugby, on peut s'en tirer avec un peu de gras et de muscle. » Il pointa vers sa bedaine. « Surtout le gras en ce qui concerne mon rejeton. »

« Je suis vraiment désolé », coupa Jaeger. « À propos de notre départ. Notre disparition. Il s'est passé des trucs. » Son regard se perdait dans le paysage. « J'imagine que tu en as entendu parler. »

Un silence s'établit entre les deux hommes. Un silence fait d'amitié, de non-dit, d'acquiescement, ponctué seulement par le piétinement des crampons et les cris des parents.

«Dis-moi, comment va Daniel?», reprit Jaeger. «Ça a dû être terrible pour lui. Perdre Luke. Ils étaient vraiment inséparables.»

Holland sourit. «Deux âmes sœurs, je l'ai toujours pensé… Dan s'est fait de nouveaux copains, mais il ne cesse de me demander quand Luke va revenir. Des trucs dans ce genre.»

Jaeger avait une boule dans la gorge. Il avait peut-être commis une erreur en venant jusqu'ici. Trop de souvenirs. Il tenta de changer de sujet. «Et le boulot? Toujours dans la bidouille informatique?»

«Je n'arrête pas. Une fois que tu t'es fait une réputation, tout le monde vient sonner à ta porte. Je suis toujours freelance. Je me vends au plus offrant. Plus il y a de la concurrence, plus mes tarifs augmentent.»

Jules Holland s'était taillé une belle réputation, et son surnom, dans une branche des plus aléatoires, celle des ordinateurs et de la piraterie informatique. Il s'était lancé à l'adolescence en piratant le site de son collège, remplaçant les portraits des professeurs qu'il détestait par des photos d'ânes.

Il avait poursuivi par le piratage du site des résultats d'examens en s'attribuant, ainsi qu'à ses potes, les meilleures notes. Rebelle et militant radical depuis sa jeunesse, il s'était lancé dans le piratage d'organisations liées au crime ou au banditisme, pillant leurs comptes en banque pour les transférer directement dans les caisses de ceux qui les combattaient.

Il s'était par exemple infiltré dans le compte en banque d'un mafieux brésilien, spécialisé dans le trafic de drogue et de bois précieux en Amazonie, et avait transféré plusieurs millions de dollars sur le compte de Greenpeace.

Greenpeace n'avait pas pu conserver cet argent, évidemment. Ils ne pouvaient accepter qu'on les accuse de profiter des mauvaises actions contre lesquelles ils luttaient. Sans parler de l'aspect illégal de la transaction. Mais la couverture médiatique de cet événement avait jeté un coup de projecteur sur le gang mafieux, qui ne devait jamais s'en remettre. Un pas de plus vers la célébrité pour le Chasseur de rats.

À chaque nouveau succès d'une opération de hacking, Holland utilisait toujours la même signature : *Piraté par le Rat*. Ce sont ces compétences très spéciales qui étaient venues à l'attention de ceux dont le métier est de tout savoir.

Arrivé à ce stade, il avait été confronté à un choix cornélien : ou bien se retrouver devant un juge pour répondre d'une avalanche de piratages illégaux, ou bien mettre ses compétences au service de ceux qui luttaient contre le crime. C'est ainsi qu'il se retrouvait aujourd'hui dans un rôle de consultant très demandé pour une variété d'agences de renseignements, jouissant de la bénédiction des services de sécurité.

«Je suis content de voir que ça marche pour toi», commenta Jaeger. «Ne signe jamais avec les méchants. Le jour où le Rat se mettra au service du mal, on sera tous foutus!»

Holland replaça une longue mèche sur le sommet de son crâne et grogna. «Ça ne risque pas.» Son regard revint sur Jaeger. «Tu veux que je te dise un truc : Raff et toi, vous êtes les seuls à avoir jamais pris Dan au sérieux sur un terrain de sport. Grâce à vous, il a pris confiance en lui. Vous lui avez donné sa chance. Et vous lui manquez encore. Beaucoup.»

Jaeger esquissa une grimace d'excuse. «Je suis vraiment désolé. Mon univers était complètement sens dessus dessous. Pendant longtemps, je n'étais plus moi-même, si tu vois ce que je veux dire.»

Holland pointait l'index en direction de son fils, alors que celui-ci s'avançait pour entrer en mêlée. «Will, regarde-le. Il est peut-être un peu gauche, mais au moins *il joue*. Il fait partie de l'équipe. C'est grâce à vous. Votre héritage !» Il contempla ses pieds un instant avant de se tourner vers Jaeger. «Alors, comme je te l'ai déjà dit, pas besoin d'excuses. Ce serait plutôt le contraire, en fait. C'est moi qui vous dois quelque chose. Si jamais tu as besoin de… mes services spéciaux, tu n'as qu'un geste à faire.»

Jaeger sourit. «Merci. Je suis touché.»

«Non, je t'assure. Je laisserai tomber tout le reste. » Jules Holland souriait. «Et pour toi, je ne ferai même pas valoir mes honoraires astronomiques. Ce sera gratos ! »

15

«Dites-moi, c'est quoi cet endroit, exactement?», s'enquit Jaeger.

Quelques jours après sa visite à l'école, il se trouvait dans un vaste bâtiment de béton caché au milieu de la campagne boisée à l'est de Berlin. Son équipe amazonienne arrivait au compte-goutte d'un éventail de localisations diverses, et il était le premier sur les lieux. Ils seraient sept en tout lorsque tout le monde serait là, Jaeger, Raff et Narov compris.

Celui qui servait de guide à Jaeger était un homme à la chevelure grisonnante et à la barbe bien taillée. Il tendait le bras vers les murs vert pâle. Ils s'élevaient à près de quatre mètres de haut de chaque côté, et le tunnel oblong et sans fenêtre était plus large encore. D'immenses portes d'acier s'ouvraient de chaque côté et une étroite canalisation courait au plafond. L'endroit avait été construit dans un esprit militaire, de toute évidence, et gardait un côté sinistre lorsqu'on parcourait ses longs couloirs vides, ce qui mettait les nerfs de Jaeger à fleur de peau.

«Le nom de cet endroit dépend du pays dont vous venez», commença le vieil homme. «Si vous êtes Allemand, nous sommes dans le bunker de Falkenhagen, d'après le village du même nom dont nous sommes proches. C'est ici, dans ce vaste complexe, dont la majeure partie est souterraine et donc à l'abri des bombardements, qu'Hitler a ordonné la création de l'arme qui devait amener les Alliés à leur défaite totale.»

Il observait Jaeger derrière ses sourcils blanchis. Son accent transatlantique faisait qu'on n'arrivait pas à savoir de quel pays il venait vraiment. Il aurait pu être Britannique, ou Américain, ou bien citoyen d'un pays européen, impossible à situer. En tout cas, il se dégageait de toute sa personne un air de simplicité, de politesse et d'honnêteté.

On lisait beaucoup de compassion dans son regard, de calme, mais Jaeger se rendait compte qu'il masquait également un caractère bien trempé. Cet homme, qui s'était présenté sous le nom de Peter Miles, était un des plus importants responsables du cercle d'Irina Narov, et il ne pouvait que partager avec elle un indomptable instinct de tueur.

«Peut-être avez-vous entendu parler de *N-Stoff*?», s'enquit Miles.

«Je ne crois pas, non.»

«Peu de gens connaissent ce composé. Le trifluorure de chlore: *N-Stoff*, ou substance-N, si vous voulez. Essayez d'imaginer la combinaison de deux agents tels que le napalm et le gaz neurotoxique sarin. C'était l'idée du *N-Stoff*. Volatile au point de s'enflammer même quand on le versait dans l'eau, et tout en brûlant le gaz qu'il dégageait vous asphyxiait.

«Selon le *Chemicplan* rédigé par Hitler, six cents tonnes devaient sortir de cet endroit chaque mois.» Il eut un petit rire. «Dieu merci, Staline a débarqué dans sa belle armure avant qu'une infime quantité puisse être produite.»

«Que s'est-il passé ensuite?»

«La guerre une fois terminée, ce lieu a été transformé en un site de défense de la Guerre froide, le plus avancé du régime soviétique. C'est ici que les dirigeants soviétiques devaient se réfugier durant l'Armageddon nucléaire, bien à l'abri trente mètres sous terre, protégés par un immense sarcophage d'acier et de béton, totalement imprenable.»

Jaeger leva les yeux. «Ces canalisations devaient assurer la circulation d'un air filtré et respirable, non? Tout le complexe souterrain pouvait donc être isolé du monde extérieur.»

Les yeux du vieil homme pétillèrent. «Tout à fait. Vous êtes jeune, mais vous n'êtes pas bête, à ce que je vois.»

Jeune? Jaeger sourit, et plissa le regard d'amusement. Il ne parvenait pas à se souvenir de la dernière fois où on l'avait traité de gamin. Décidément, ce vieil homme lui plaisait.

«Alors comment se fait-il que nous nous retrouvions ici, vous et nous?», demanda-t-il.

Miles bifurqua et précéda Jaeger le long d'un interminable couloir. «En 1990, l'Allemagne de l'Est et l'Allemagne de l'Ouest ont été réunifiées. Les Soviétiques ont été contraints de rétrocéder aux autorités allemandes les bases comme celle-ci.» Nouveau sourire. «C'est le gouvernement allemand qui nous a confié celle-ci; très discrètement, bien sûr, mais pour la durée que nous choisirions. Malgré son histoire plutôt sinistre, elle convient parfaitement à ce que nous cherchions. Elle est très bien protégée. Et très, très discrète. Et puis vous connaissez le proverbe: nécessité fait loi, à cheval donné on ne regarde pas les dents…»

Jaeger éclata de rire. Il appréciait l'humilité de son guide, sans parler de son humour. «Le gouvernement allemand vous a donc fait cadeau d'un ancien bunker nazi? Je ne comprends pas très bien.»

Le vieil homme haussa les épaules. «Nous estimons que ce n'est que justice, après tout. En fait, il y a une certaine ironie à cette histoire. Voulez-vous que je vous dise quelque chose? S'il existe une nation qui n'oubliera jamais les horreurs de la guerre, c'est bien l'Allemagne. Le moteur de leur puissance, c'est leur culpabilité, encore et toujours, jusqu'à aujourd'hui.»

«Je n'avais jamais envisagé les choses sous cet angle», avoua Jaeger.

«Vous devriez peut-être essayer…» Le vieil homme se moquait gentiment de lui. «Si nous voulons nous protéger, nous serons peut-être vraiment à l'abri au fond d'un ancien bunker nazi en Allemagne, où tout a commencé. Mais… je vais sans doute un peu trop vite. Il y a des discussions qu'il vaudra mieux avoir lorsque tous les membres de votre équipe seront arrivés.»

Son guide le mena à la chambre spartiate qui lui avait été attribuée. Il avait mangé au cours du vol, et ne pouvait se cacher qu'il était épuisé. Les trois dernières semaines avaient ressemblé au passage d'une tornade : la mission cubaine, l'attentat de la salle de montage, suivis par la frénésie pour réunir son équipe. Il rêvait d'une très longue nuit de sommeil au fond d'un terrier comme celui-ci.

Peter Miles prit congé. Une fois refermée la lourde porte d'acier, Jaeger prit conscience de l'extraordinaire silence. Enfoui sous des mètres cubes de roche et de béton armé, on ne percevait plus le moindre son.

On se serait cru sur une planète lointaine.

Il s'allongea et se concentra sur sa respiration. Une méthode qu'il avait retenue de ses années dans l'armée. Une inspiration profonde, retenue pendant plusieurs secondes, suivie par une expiration profonde. On recommence plusieurs fois. Concentré sur sa seule respiration, tous les ennuis s'évanouissaient et l'esprit retrouvait le calme.

Sa dernière pensée consciente fut de se dire qu'allongé ainsi sous la terre et dans l'obscurité totale, il avait l'impression d'être enseveli dans sa propre tombe.

Mais il céda bientôt à l'épuisement et s'endormit comme une masse presque instantanément.

16

«SORTEZ! SORTEZ IMMÉDIATEMENT!» Des voix hurlaient des ordres à l'extérieur. «DEHORS! REMUEZ-VOUS, ENFOIRÉS!»

Les portes du véhicule s'ouvrirent brutalement tandis qu'une horde de silhouettes noires, passe-montagne sur la tête, envahissaient la cabine, arme au poing. Ils s'emparèrent de Jaeger et le tirèrent brutalement hors du véhicule, tandis que Peter Miles était arraché du siège du conducteur.

Jaeger avait dormi près de quatorze heures d'affilée, puis il avait rejoint Miles pour se rendre à l'aéroport afin d'accueillir deux autres membres de son équipe. Mais alors qu'ils roulaient lentement sur la petite route forestière qui les éloignait de Falkenhagen, ils avaient dû s'arrêter à cause d'un arbre tombé sur la route. Miles avait immédiatement trouvé cela étrange. Quelques instants plus tard, un groupe d'hommes armés, le visage masqué, avait surgi des arbres tout proches.

Jaeger fut projeté sur le sol, la tête maintenue de force dans la boue.

«COUCHÉ! COUCHE-TOI, NOM DE DIEU!»

Des bras musclés le maintenaient au sol, forçant sa tête à s'enfoncer dans la boue. Il suffoqua, cracha de la terre au goût de pourriture, et sentit la panique s'emparer de tous ses membres.

Ils étaient en train de l'étouffer.

Il tenta désespérément de se relever pour aspirer une goulée d'air, mais une pluie de coups de pieds et de poings s'abattit sur lui.

«COUCHÉ!» Une voix continuait de hurler dans son oreille. «Garde ta face de merde dans la boue, enfoiré!»

Jaeger se débattait pour tenter d'échapper à ses bourreaux, les injuriant lui aussi. En retour, il subit une nouvelle volée de coups de crosse. Comme il se tordait de douleur, il sentit ses mains tirées violemment vers l'arrière, comme s'ils avaient décidé de lui arracher les bras, puis ses poignets furent ligotés serré avec un épais ruban adhésif.

Brusquement, une fusillade éclata en plein cœur de la forêt. Les rafales claquaient de tous côtés, réverbérées par la densité des sous-bois. Des coups de feu qui affolaient Jaeger.

La situation est grave. Désespérée.

Il réussit à lever suffisamment la tête pour se rendre compte de ce qui se passait. Il constata que Miles avait réussi à s'échapper des mains des hommes en noir, et qu'il se faufilait rapidement à travers les arbres.

La fusillade n'avait pas cessé. Miles tituba soudain avant de s'effondrer sur le ventre. Un des attaquants se rua dans sa direction. Il braqua un pistolet vers la tête de l'homme à terre, pressa la détente trois fois d'affilée.

Jaeger fut pris de tremblements. Ils venaient d'exécuter ce vieil homme respectable, Peter Miles, de sang-froid. Qui pouvait commettre un crime aussi abominable?

Un instant plus tard, quelqu'un saisit Jaeger par les cheveux et rabattit sa tête vers le sol boueux. Avant qu'il puisse protester, il fut bâillonné par un large ruban adhésif tout autour de la tête, avant qu'ils ne lui enfilent une cagoule en tissu qu'ils serrèrent autour du cou.

Il était plongé dans le noir.

On le releva brutalement, et le poussa sans ménagement; il trébuchait comme un aveugle, à travers les troncs d'arbres, buta contre une souche et s'étala de tout son long.

Les hurlements reprirent de plus belle: «LÈVE-TOI! DEBOUT CONNARD!»

On le poussa vers une zone au sol humide et spongieux, où l'odeur des feuilles pourrissantes soulevait le cœur. La marche forcée dura longtemps, jusqu'à ce que Jaeger ait perdu tout sens de l'orientation. Finalement, il découvrit un nouveau bruit au-dessus de sa tête : le vrombissement d'un moteur. Ils le poussaient en direction d'un véhicule qui devait les attendre. À travers la cagoule, il parvenait à distinguer deux lueurs jumelles à peu de distance.

Des phares.

Deux hommes le saisirent aux aisselles et le soulevèrent, tout en avançant vers le véhicule. Ses jambes s'agitaient sans toucher terre. L'instant d'après, ils le projetaient contre la calandre ; il ressentit une violente douleur à la tête.

«ENFOIRÉ ! À GENOUX ! AGENOUILLE-TOI ! À GENOUX !»

On le força à s'agenouiller. Les faisceaux des phares jouaient sous sa cagoule, l'aveuglant. Sans un mot d'avertissement, la cagoule fut arrachée. Il tenta d'échapper à la lumière crue, mais des mains lui maintenaient sauvagement la tête.

«TON NOM !», aboya la voix, maintenant toute proche de son oreille. «Dis-nous comment tu t'appelles, enfoiré !»

Jaeger ne pouvait apercevoir celui qui s'adressait à lui, mais la voix avait un accent étranger, probablement d'Europe de l'Est. Un instant, il repensa au gang qui avait subi leur attaque au Kolokol-1, Vladimir et ses acolytes, et crut qu'ils venaient de le faire prisonnier. Mais c'était impossible : ils n'avaient aucun moyen de le retrouver.

Réfléchis, Jaeger. Vite.

«TON NOM !» La voix hurlait de nouveau. «TON NOM !»

Jaeger avait la gorge sèche, paralysée par la peur et la surprise. Il parvint à cracher un seul mot : «Jaeger».

Les hommes qui tenaient Jaeger projetèrent son visage contre le phare le plus proche et le maintinrent collé contre le verre.

«TON PRÉNOM ! Ton nom et ton prénom, connard !»

«Will. William Jaeger.» Il avait craché les noms en même temps qu'un filet de sang.

«Bon. Voilà qui est mieux, William Jaeger.» La même voix aux accents sinistres de prédateur, mais un peu apaisée désormais. «Maintenant, dis-moi: comment s'appellent les autres membres de ton équipe?»

Jaeger resta muet. Jamais il ne donnerait les noms. Mais il sentait bien que la colère et l'agressivité étaient montées d'un cran dans l'autre camp.

«Écoute-moi bien, je vais répéter ma question: quels sont les noms des autres membres de ton équipe?»

Une réponse s'imposa à Jaeger, sans qu'il ait eu besoin de réfléchir. «Je ne vois vraiment pas de quoi vous voulez parler.»

Les mains tirèrent violemment sa tête en arrière, puis son visage s'écrasa dans la terre humide de la forêt, plus profondément qu'auparavant. Il tenta de retenir sa respiration tandis que les insultes et les coups pleuvaient sur lui, coups de pieds, coups de poings assénés méthodiquement. Qui que soient ses assaillants, ils maîtrisaient parfaitement les techniques qui faisaient mal.

Finalement, on le releva pour lui enfiler de nouveau la cagoule sur la tête.

La voix lança un ordre. «Débarrassez-vous de lui. Il ne nous servira à rien s'il ne parle pas. Vous savez ce qu'il vous reste à faire.»

On le tira vers ce qu'il estimait être l'arrière du véhicule, puis on le souleva pour le jeter sur le plancher de métal. Des mains le contraignirent à s'asseoir, jambes tendues, les poignets liés dans le dos.

Puis plus rien. Le silence. Rien que le son de ses propres halètements laborieux.

Les minutes passèrent. Jaeger ressentait les picotements métalliques de sa propre peur sur sa langue. À un moment donné, il tenta de changer de position pour soulager la douleur dans ses jambes.

Bang! Un coup de botte terrible dans le ventre. Mais pas un mot. Il était forcé de rester assis, immobile. Malgré la peur, malgré la douleur. Il était dans une position stressante, qui pouvait être assimilée à une torture insupportable.

Subitement, le véhicule fit une embardée et se mit à avancer. La secousse avait projeté Jaeger en avant. Immédiatement, il reçut un coup de pied dans la tête. Il revint péniblement à sa position, mais quelques instants plus tard la camionnette fit une embardée dans une ornière et il se retrouva sur le dos. De nouveau, les coups de coude et de poings se mirent à pleuvoir et sa tête heurta la paroi métallique.

Un des assaillants le tira pour qu'il reprenne la position qu'ils avaient choisie pour lui. La douleur devenait intense. Sa tête le lançait, il était au bord de l'asphyxie, et la succession des coups l'avait profondément meurtri. Il sentait son cœur près d'éclater. La peur, la panique s'emparaient de lui.

Jaeger était conscient d'avoir été fait prisonnier par de vrais professionnels. La question était de savoir qui étaient les méchants.

Et où ces chiens le conduisaient-ils ?

17

Le trajet semblait interminable ; la camionnette cahotait péniblement sur un étroit chemin et s'aventurait parfois en pleine campagne. Malgré la douleur, Jaeger profitait de ce répit pour réfléchir. Quelqu'un les avait trahis. Sinon, personne n'aurait pu déceler leur présence dans le bunker de Falkenhagen. Personne.

Se pourrait-il que ce soit Irina Narov ? À part la jeune Russe, qui connaissait le lieu de leur réunion ? Aucun autre membre de l'équipe n'avait été averti de leur destination. Ils savaient simplement qu'on viendrait les chercher à l'aéroport.

Mais alors, pourquoi ? Après toutes les difficultés qu'ils avaient traversées ensemble, pourquoi Narov l'aurait-il vendu ? Et à qui ?

La camionnette ralentit subitement avant de stopper. Les gonds de la porte arrière s'ouvrirent en grinçant. Tous ses muscles se tendirent. Des mains agrippèrent ses pieds et le tirèrent vers l'extérieur. Il chuta lourdement, tentant d'éviter le choc avec ses bras, mais il ne put empêcher que sa tête heurte le sol.

Bon sang, les souffrances continuaient.

On le tira par un pied comme une carcasse d'animal, sa tête et son torse s'écrasèrent dans la terre meuble. De la lumière filtrait à travers la cagoule, il faisait jour. Mais il avait perdu toute notion du temps.

Il entendit une porte s'ouvrir sans ménagement et on le força à coups de pieds à pénétrer dans un bâtiment. Tout redevint opaque. La sensation angoissante de l'obscurité totale. Le son familier du moteur d'un ascenseur résonna dans son crâne douloureux, et le sol s'enfonça sous ses pieds. Il était à l'intérieur d'un monte-charge entamant sa descente.

Au bout d'un long moment, le mouvement cessa. Jaeger fut tiré hors de l'ascenseur et poussé le long d'une série de coudes à angles droits, qui devaient correspondre à des couloirs qui s'entrecroisaient. Puis une porte s'ouvrit, et Jaeger fut assailli par une avalanche de sons proprement assourdissants. Comme si on avait laissé un poste de télévision allumé sur un écran vide, déversant des interférences électroniques, du «bruit blanc», volume au maximum.

On le souleva par les aisselles pour le faire entrer dans la pièce saturée de «bruit blanc». Quelqu'un coupa le ruban adhésif qui liait ses poignets, puis on lui arracha ses vêtements avec une telle force qu'il entendait craquer les boutons. Il se retrouva en caleçon; même ses chaussures avaient disparu.

On le poussa face à un mur, les mains appuyées sur les briques froides de manière à ce que seul le bout des doigts l'empêche de tomber. Par à-coups, ses gardiens poussaient ses pieds de plus en plus vers l'arrière; son corps tendu était penché maintenant à soixante degrés, reposant sur les doigts et les orteils.

Il entendit des pas s'éloigner. Le silence redevint total, à part sa propre respiration laborieuse.

Y avait-il quelqu'un dans la pièce avec lui?

Quelqu'un qui l'observait?

Impossible de savoir.

Des années plus tôt, Jaeger avait passé un test de résistance à un interrogatoire, dans le cadre du processus de sélection des SAS. Cette simulation a pour objectif de mesurer votre résistance dans une situation de stress intense, et de vous préparer à affronter la captivité. Trente-six heures d'enfer avaient suivi, mais il avait toujours su qu'il s'agissait d'un exercice.

Maintenant, cependant, la situation, et l'angoisse, étaient bien réelles.

Les muscles de ses épaules commençaient à souffrir, ses doigts à ressentir des crampes, tandis que le torrent de sons électroniques continuait de se déverser dans son crâne. Il aurait voulu crier sa douleur, mais le ruban adhésif qui couvrait sa bouche l'en empêchait. Il ne pouvait que hurler dans sa tête.

Finalement, c'était les crampes dans ses doigts qui sapaient le plus sa résistance. La douleur se répandait dans les mains, contractait tous ses muscles, au point qu'il avait l'impression que ses phalanges allaient s'arracher de la paume. Pendant un instant, il relâcha la tension en appliquant ses paumes contre le mur. La sensation de détente fut immédiate : il pouvait reposer le poids de son corps sur leur surface. Mais la seconde suivante, il se contracta violemment sous l'effet d'une douleur insupportable dans la colonne vertébrale.

Jaeger hurla, mais ne produisit qu'un cri étouffé. Il n'était pas seul dans la pièce : quelqu'un venait d'appliquer une électrode, peut-être un aiguillon dont on se servait pour le bétail, dans le bas de ses reins.

À grands coups de pieds, on le contraignit à reprendre sa position initiale. Aucune parole n'avait été prononcée, mais Jaeger était parfaitement conscient de la situation : dès qu'il tenterait de bouger, ou de se détendre, ils appliqueraient l'électrode.

Peu de temps après, ses bras et ses jambes commencèrent à tétaniser de manière incontrôlable. À l'instant précis où il sentit qu'il ne pouvait plus tenir, ses pieds furent crochetés vers l'arrière et il s'effondra sur le sol totalement épuisé. Il n'y eut aucun répit. Des mains le saisirent comme la carcasse d'un animal, le replacèrent dans la position assise qu'ils lui avaient imposée dans la camionnette, mais cette fois-ci les bras croisés sur la poitrine.

Les geôliers n'avaient pas de visage, ils ne parlaient pas. Mais leur message était infiniment clair : si tu bouges, tu souffres.

Jaeger n'était plus soumis qu'à la torture du «bruit blanc» qui hurlait à ses oreilles. Le temps n'existait plus. Chaque fois qu'il perdait conscience, et glissait de sa position, des bras le replaçaient sans ménagement dans une nouvelle position stressante. Encore et toujours.

Puis, Jaeger sentit que quelque chose venait de changer.

Sans le moindre avertissement, il fut remis en position debout. Ses mains se retrouvèrent dans son dos, ses poignets liés par du ruban adhésif, et on le poussa vers la porte. Il repassa par le labyrinthe de couloirs, obliquant à droite et à gauche sans prévenir.

Une autre porte s'ouvrit violemment et il fut projeté dans une pièce. Il sentit un choc dans les genoux. On venait de glisser une chaise de bois derrière lui ; il fut contraint de s'asseoir. Il demeura un moment penché en avant, abruti de silence.

Où qu'il se trouve maintenant, l'atmosphère était plus fraîche, l'air sentait le renfermé, l'humidité. D'une certaine façon, c'était le moment le plus terrifiant qu'il ait vécu depuis l'attaque. Jaeger avait compris le sens de la pièce au «bruit blanc», son objectif et ses règles. Ses geôliers avaient tout fait pour le pousser à l'épuisement, pour le briser et le forcer à craquer moralement et physiquement.

Mais ce vide, cette absence totale de bruit et de présence humaine, c'était une angoisse insupportable.

Jaeger ressentait de la peur, jusqu'au fond de lui ; une peur viscérale et réelle. Il était incapable de deviner où il se trouvait, mais il percevait le caractère sinistre de l'endroit. Sans parler du fait qu'il ignorait l'identité de ses assaillants, et ce qu'ils avaient l'intention de lui faire subir.

Tout à coup, la lumière s'alluma, une lumière intense qui l'aveuglait. On venait d'arracher sa cagoule et de brancher un puissant projecteur qui semblait braqué directement en pleine face.

Graduellement, ses yeux s'accommodèrent et il commença à percevoir les détails de son environnement.

Devant lui, un bureau de métal nu surmonté d'un plateau de verre. Au centre du bureau, un mug de porcelaine blanche, ordinaire.

Rien d'autre : un mug, empli d'une boisson chaude.

Derrière le bureau avait pris place un homme corpulent et chauve, avec une barbe. Dans les soixante-cinq ans. Il portait une veste en tweed élimée, une chemise qui s'effilochait. Son apparence, ses petites lunettes, lui donnaient l'allure d'un vieux prof de faculté, ou d'un conservateur de musée sous-payé.

Un célibataire, qui faisait sa lessive lui-même, jugea Jaeger, qui mangeait des légumes trop cuits, et collectionnait les papillons.

Somme toute, un personnage quelconque, un sous-fifre, que l'on croisait dans la foule sans le remarquer, sur lequel on ne se retournait pas. Aussi gris et anonyme qu'un mur de banlieue triste. Pas du tout le genre de personne que Jaeger se serait attendu à trouver en face de lui à cet instant.

Il n'aurait pas été surpris de se retrouver confronté à des gangsters d'Europe orientale au crâne rasé, le pic à glace ou la batte de baseball à la main. C'était une situation étrange. Tellement inattendue qu'il ne savait plus où il en était.

L'homme insignifiant fixait Jaeger sans un mot. Son expression pouvait même donner l'impression que tout cela ne le concernait pas, qu'il s'ennuyait, ou qu'il étudiait un objet sans intérêt dans un musée.

Il eut un mouvement de tête vers le mug. «Du thé, au lait, un sucre. *Cup of tea?* C'est comme ça que vous dites en Angleterre, n'est-ce pas?»

La voix était posée, avec une légère touche d'accent que Jaeger ne parvenait pas à situer. Aucune agressivité, aucun signe d'hostilité. L'homme donnait l'impression d'être légèrement blasé, comme s'il avait déjà vécu cette situation des centaines de fois.

«Une tasse de thé? Vous devez avoir soif. Buvez du thé.»

Durant ses années dans les forces spéciales, on avait toujours conseillé à Jaeger d'accepter une boisson ou de la nourriture chaque fois qu'on vous le proposait. Certes, le thé pouvait être drogué, mais pourquoi prendraient-ils cette peine? Il était tellement plus simple de tabasser un prisonnier jusqu'à ce qu'il meure, ou bien de lui tirer une balle dans la tête.

Il fixait le mug de porcelaine blanche. Une vapeur légère s'en échappait dans l'air plutôt frais.

«Une tasse de thé», répéta l'homme calmement. «Au lait, avec un sucre. Buvez.»

Le regard de Jaeger remonta jusqu'au visage anonyme du vieil homme, puis revint au mug fumant. Il tendit la main et s'en empara. À l'odeur, le doute s'évanouit : du thé au lait, sucré. Il porta le mug à ses lèvres et avala une bonne gorgée.

Rien ne se passa. Il ne tomba pas à la renverse, foudroyé, il n'eut pas envie de vomir, ne sentit pas son estomac se convulser.

Il reposa le mug sur le bureau.

Le silence s'installa de nouveau entre les deux hommes.

Jaeger jeta les yeux autour de lui, détaillant la pièce. Un cube aux murs nus, sans fenêtres, sans aucune particularité. L'homme insignifiant le regardait intensément, et Jaeger détourna les yeux pour fixer de nouveau le sol.

« On dirait que vous avez froid… Je comprends, c'est normal. Vous avez froid. Aimeriez-vous avoir chaud ? »

Les pensées se bousculaient dans la tête de Jaeger. C'était peut-être une question piège ? Avant tout, il fallait gagner du temps. Et à la vérité, il était assis sur une mauvaise chaise, en caleçon, à se les geler. « J'ai déjà eu plus chaud, sir. C'est exact. J'ai froid. »

L'utilisation du *sir* faisait également partie des leçons reçues lors des entraînements de Jaeger au sein des SAS : traitez vos geôliers comme s'ils méritaient un minimum de respect. Peut-être aurez-vous la chance qu'ils vous le rendent ; peut-être jetteront-ils sur vous un regard un peu plus humain.

Pourtant, à cette minute précise, Jaeger ne nourrissait qu'un infime espoir. L'expérience qu'il venait de vivre dans cet endroit avait eu pour résultat de le réduire au statut d'un animal sans défense.

« Il me semble que vous aimeriez avoir chaud, maintenant », poursuivait l'homme en face de lui. « Regardez à côté de vous. Il y a un sac ; ouvrez-le. Vous trouverez des vêtements chauds à l'intérieur. »

Jaeger baissa les yeux. À côté de sa chaise, on avait posé un sac de sport bon marché. Il le prit et ouvrit la fermeture éclair ; il s'attendait un peu à y trouver la tête coupée dégoulinante de sang d'un membre de son équipe amazonienne à l'intérieur. Mais il n'y avait qu'une salopette de travail orange, une paire de chaussettes élimées et des espadrilles usées.

«Vous vous attendiez à quoi exactement?», demanda l'homme effacé, un vague sourire aux lèvres. «D'abord une bonne tasse de thé. Maintenant des vêtements. Pour vous réchauffer. Habillez-vous. Allez-y.»

Jaeger enfila la salopette et la boutonna sur le devant, passa les espadrilles sur ses pieds et se rassit.

«Vous vous réchauffez? Vous vous sentez mieux?»

Jaeger acquiesça.

«Maintenant, vous avez compris que j'ai le pouvoir de vous aider. Je peux vous apporter mon aide. Mais il faut que vous m'apportiez quelque chose en retour: j'ai besoin que *vous*, vous m'aidiez.» L'homme marqua une pause lourde de sens. «Il faut que vous me disiez quand vos amis vont arriver, qui nous devons attendre, et comment nous allons les reconnaître.»

«Je ne peux pas répondre à ces questions, sir.» La réplique standard que Jaeger avait apprise lors de ses entraînements: une réponse négative, mais néanmoins aussi polie et respectueuse que possible, étant donné les circonstances. «J'ignore ce dont vous voulez parler, d'ailleurs», ajouta-t-il. Gagner du temps, par tous les moyens.

L'homme soupira, comme s'il s'était attendu à cette réponse. «Cela n'a pas d'importance. Nous avons mis la main sur votre… équipement. Ordinateur portable, téléphone. Nous allons décrypter vos codes de sécurité, vos mots de passe, et bientôt vos secrets n'en seront plus pour nous.»

Tout se bousculait dans la tête de Jaeger. Il était certain de ne pas avoir emporté son ordinateur portable. Quant au téléphone portable bon marché à carte rechargeable, il ne révèlerait pas d'informations capitales.

«Si vous ne pouvez pas répondre à ma question, au moins dites-moi ce que vous êtes venu faire ici. Quelle est la raison de votre présence dans mon pays?»

Cette révélation ébranla Jaeger. *Son pays?* Mais on était en Allemagne! La camionnette n'avait pas pu parcourir une distance suffisante pour traverser la frontière d'un pays d'Europe de l'Est en si peu de temps. Bon sang, qui étaient ces types qui l'avaient fait prisonnier? Une branche dissidente et voyou des services secrets allemands?

«Je ne vois pas ce que vous voulez dire…», commença-t-il, mais le vieil homme le coupa subitement.

«C'est extrêmement regrettable. Je vous ai aidé, M. Jaeger, mais de votre côté, vous ne m'aidez pas du tout. Et si vous vous entêtez, nous allons vous reconduire dans la pièce où le bruit et la douleur vous attendent.»

Le petit homme effacé avait à peine fini de parler que des mains surgies de nulle part recouvrirent la tête de Jaeger de la cagoule noire. Son cœur s'emballa.

Sans un mot, on le força à se lever, et il fut escorté brutalement hors de la pièce.

18

Jaeger se retrouva dans la pièce au «bruit blanc», appuyé à un angle impossible contre le mur de briques. Au cours de ses entraînements au sein des SAS, on avait baptisé ce genre d'endroits «l'attendrisseur», le lieu où les gros costauds se transformaient en agneaux. Il subissait de nouveau le vacarme neutre et insupportable dans la plus totale obscurité. Il respirait l'odeur de sa propre transpiration, froide et moite sur sa peau. Le goût acide de sa propre bile emplissait sa bouche.

Il se sentait meurtri, épuisé et abandonné; le corps douloureux comme jamais. Le sang cognant à ses tempes, des hurlements plein la tête.

Il s'imposa de fredonner des airs. Des passages de ses chansons préférées, celles de sa jeunesse. S'il parvenait à chanter dans sa tête, peut-être oublierait-il le bruit blanc, la souffrance et la peur.

Des vagues de fatigue l'envahissaient maintenant. Il sentait bien qu'il était à bout de forces, qu'il approchait de ses limites.

Lorsqu'il fut à court de chansons, il se remémora des histoires de son enfance. Des contes, avec des héros, que son père avait l'habitude de lui lire, le soir. Des exploits qui l'avaient inspiré à se dépasser, à affronter les épreuves les plus difficiles, lorsqu'il était petit, et plus tard, celles qu'il avait connues sous l'uniforme des SAS.

Il se souvint de l'histoire de Douglas Mawson, l'explorateur australien qui traversa l'enfer et en revint, mourant de faim, unique survivant de la traversée de l'Antarctique, et qui s'en était tiré malgré tout. De celle de George Mallory, peut-être le premier alpiniste à s'attaquer à l'Everest, un homme parfaitement conscient qu'il sacrifiait sa vie pour conquérir le plus haut sommet de la planète. Mallory avait échoué, il avait péri sur les parois glacées de la montagne. Mais c'est une mort qu'il avait lui-même choisie.

Jaeger savait que l'humanité était capable d'atteindre l'impossible. Quand le corps hurlait qu'il n'en pouvait plus, l'esprit pouvait le pousser à se dépasser. L'homme pouvait aller au-delà du possible.

Ainsi, si Jaeger y croyait assez fort, il avait la capacité de vaincre l'adversité. Il avait les ressources pour dépasser cette épreuve.

Le pouvoir de la volonté.

Le mantra se déroulait sans cesse dans son cerveau : *Sois vigilant, guette le moment de t'échapper. Sois vigilant…*

Il perdit la notion du temps, incapable de distinguer le jour de la nuit. À un moment donné, la cagoule fut arrachée pour libérer sa bouche. Il sentit qu'on approchait une tasse. Sa tête fut renversée en arrière et ils versèrent le contenu dans sa gorge.

Du thé. Comme la dernière fois.

Puis, un biscuit moisi. Un autre encore, un troisième. Ils les enfournaient dans sa bouche. Puis ils lui enfilèrent la cagoule de nouveau et le forcèrent à reprendre l'horrible position.

Comme une bête.

Au moins, pour le moment, ils ne voulaient pas qu'il meure.

Un peu plus tard, comme sa tête avait dû se relâcher d'un coup, sous l'effet du sommeil et de l'épuisement, une décharge sauvage le fit se tordre avant de reprendre une nouvelle position stressante.

Cette fois-ci, ils le forcèrent à s'agenouiller sur du gravier. Au fur et à mesure des minutes qui défilaient, les petits cailloux pointus pénétraient lentement dans la peau, envoyant des signaux de détresse douloureux au cerveau. Il était au supplice, mais se disait qu'il pourrait surmonter cette épreuve.

Le pouvoir de la volonté.

Combien de temps s'était-il écoulé ? se demandait-il. Un jour ? Deux ou trois, ou plus ? Cela semblait une éternité.

Puis brusquement, le « bruit blanc » cessa et le générique déjanté, incongru, de *Barney et ses amis* éclata dans la pièce, plein pot.

Jaeger connaissait la technique : passer des musiques de dessins animés en boucle pendant des heures pour briser la résistance mentale et la volonté d'un sujet. Dans le vocabulaire du métier, on appelle ça les opérations psychologiques. Mais en ce qui concernait Jaeger, l'effet ne fut pas celui escompté par ses geôliers.

Barney et ses amis avait toujours été la série TV et le personnage préférés de Luke lorsqu'il était petit. La chanson du générique fit remonter des vagues de souvenirs. Des moments de bonheur auxquels se raccrocher, comme à un roc solide où reprendre des forces et lutter contre la dérive de tout son être.

Il se souvint que c'était la raison qui l'avait amené jusqu'ici. Le plus important de ses objectifs, c'était de retrouver sa femme et son fils, toujours disparus. S'il permettait à ses assaillants de le briser, il abandonnait sa mission et ceux qu'il aimait par-dessus tout.

Il ne trahirait jamais Ruth ni Luke.

Il fallait tenir coûte que coûte.

À un moment, il sentit qu'on le faisait avancer de nouveau. Il avait le plus grand mal à mettre un pied devant l'autre, si bien qu'ils étaient obligés de le porter pour sortir de la pièce, enfiler un long couloir, avant qu'il ne pénètre dans une pièce qu'il crut reconnaître : celle où il avait rencontré son interrogateur.

On le projeta sans ménagement sur la chaise, sa cagoule fut arrachée et le projecteur l'éblouit comme la première fois.

Le petit homme terne avait repris sa place derrière le bureau, face à lui. De là où il était assis, Jaeger sentait l'odeur fétide de la transpiration qui imprégnait ses vêtements. Il fixa le sol, tandis que l'homme lui jetait le même regard qu'auparavant, au bord de l'ennui.

« Malheureusement, cette fois-ci, nous n'avons plus de thé. » L'homme haussa les épaules. « Les choses s'arrangeraient pour vous si seulement vous nous aidiez. Je pense que vous le comprenez, désormais. Le ferez-vous ? Êtes-vous prêt à collaborer avec nous ? »

Jaeger tentait de mettre de l'ordre dans ses pensées. Il avait l'esprit confus; il ne savait plus que répondre. Collaborer, mais de quelle manière?

«Je me pose la question, M. Jaeger.» Le vieil homme souleva un sourcil. «Voulez-vous vous montrer coopératif? Si ce n'est pas le cas, nous n'avons plus besoin de vous.»

Jaeger restait muet. L'esprit confus et l'épuisement ne l'empêchaient pas de deviner un piège.

«Bon, dites-moi: quelle heure est-il? Dites-moi l'heure. Ce n'est vraiment pas difficile. Voulez-vous m'aider en me disant tout simplement quelle heure il est?»

Instinctivement, Jaeger chercha sa montre, mais on l'avait arrachée de son poignet quelques instants après qu'il avait été fait prisonnier. Il ignorait quel jour on pouvait bien être, *a fortiori* l'heure.

«Alors, quelle heure est-il?», répéta le vieil homme. «C'est très facile de m'aider. Je veux juste savoir l'heure.»

Jaeger n'avait pas la moindre idée du genre de réponse qu'il était censé faire.

Tout à coup, une voix hurla dans son oreille: «RÉPONDS À LA QUESTION, ENFOIRÉ!»

Un poing s'abattit sur un côté de son crâne, il tomba de la chaise et se reçut plutôt mal. Il ignorait que d'autres hommes se trouvaient dans la pièce. Le choc accéléra encore les battements de son cœur.

Il entrevit trois costauds, les cheveux ras, en survêtement noir, qui se penchaient pour le relever. Ils le plaquèrent sur la chaise avant de se murer de nouveau dans le silence.

Le visage de l'homme effacé demeurait impénétrable. Il fit un geste en direction d'un de ses trois acolytes musclés et ils échangèrent quelques mots dans une langue aux accents gutturaux, inconnue de Jaeger. Puis le chef sortit une radio et eut une brève conversation.

Le vieil homme se tourna vers Jaeger. Il avait presque l'air de s'excuser. «Il n'est nullement nécessaire d'en venir à ce

genre de… désagréments. Vous allez vous rendre compte bientôt qu'il est inutile de nous résister, parce que nous détenons
les cartes, toutes les cartes dans notre main. En nous aidant,
vous vous aiderez vous-même, ainsi que votre famille. »

Le cœur de Jaeger fit un bond dans sa poitrine.

Que voulait-il dire, bon sang : *sa famille* ?

19

Jaeger sentit une nausée remonter de son estomac. Par un effort de sa seule volonté, il la surmonta. Si ces gens étaient ceux qui retenaient prisonniers Ruth et Luke, il faudrait qu'ils l'éliminent. Sinon, il se libérerait lui-même et les égorgerait jusqu'au dernier.

Il entendit un déclic dans son dos, une porte s'ouvrir. Quelqu'un venait d'entrer dans la pièce et passait près de lui. Jaeger faillit s'étrangler. Il s'attendait au pire, certes, mais cette fois-ci, bon sang, il se retrouvait en plein cauchemar. Il avait envie de se frapper la tête contre le mur pour se réveiller.

Irina Narov s'arrêta, lui tournant le dos, et tendit quelque chose au vieil homme par-dessus le bureau. Elle pivota sans un mot et sortit rapidement, mais Jaeger avait eu le temps de relever de la consternation et de la culpabilité au fond de son regard.

«Merci, Irina», commenta le vieil homme d'une voix calme. Il tourna vers Jaeger un regard vide, où l'on lisait toujours le même ennui. «La belle Irina Narov. Que vous connaissez, bien sûr.»

Jaeger s'abstint de répondre. Cela n'aurait servi à rien. Il devinait que tout cela n'annonçait rien de bon.

Narov avait déposé un objet sur le bureau. Quelque chose que Jaeger crut identifier immédiatement. L'homme effacé poussa l'objet vers lui.

«Regardez ceci. Étudiez-le attentivement. Vous comprendrez ainsi pourquoi vous n'avez pas d'autre choix que de coopérer.»

Jaeger se pencha, mais il avait déjà reconnu avec horreur l'objet qu'il avait sous les yeux. C'était le tee-shirt de Luke, *SAUVEZ LES RHINOS*, celui qu'il lui avait acheté au cours de leur safari en famille en Afrique orientale quelques années plus tôt. Tous trois, ils avaient marché dans la savane au clair de lune, croisant des troupeaux de girafes, de gnous et surtout de rhinocéros, leur animal fétiche. Des vacances merveilleuses. Les tee-shirts avaient constitué leurs plus précieux souvenirs.

Et maintenant, il en contemplait un sur le bureau devant lui.

Les doigts douloureux et tachés de sang de Jaeger se saisirent du fin vêtement de coton. Il le souleva, l'approcha de son visage, le cœur cognant follement dans sa poitrine, prêt à éclater. Il sentait les larmes monter.

Ils détenaient sa famille, ces sales assassins, ces salopards sans pitié.

« Il faut que vous compreniez… tout ceci n'est pas nécessaire. » Les paroles du vieil homme interrompirent le train de pensées morbides dans le cerveau de Jaeger. « Tout ce que nous exigeons, c'est la réponse à quelques-unes de nos questions. Si vous me donnez ces réponses, vous rejoindrez ceux que vous aimez. Voilà tout ce que je vous demande. C'est d'une simplicité… enfantine, n'est-ce pas ? »

Jaeger grinça des dents, mâchoires serrées. Le corps tendu, prêt à bondir de sa chaise, prêt à frapper. Mais il savait où cela le mènerait. Les mains liées par l'épais ruban adhésif, il sentait le regard des gorilles dans son dos, n'attendant qu'un geste de sa part pour fondre sur lui.

Il devait attendre sa chance. Tôt ou tard, ils commettraient une erreur, et c'est à ce moment qu'il frapperait.

L'homme en face de lui étendit les mains vers lui. « Alors, M. Jaeger, pour aider votre famille, dites-moi quand vos amis ont-ils prévu d'arriver ? Qui devons-nous attendre ? Et comment les reconnaîtrons-nous ? »

Un terrible dilemme paralysait toutes les pensées de Jaeger. Il était déchiré, incapable de prendre une quelconque décision. Trahir ses amis les plus proches, et vendre ses frères d'armes ? Ou bien perdre la seule chance qui lui restait d'être réuni avec Ruth et Luke ?

Bon dieu! Narov l'avait trahi, après tout! Elle jurait qu'elle était du côté des anges, mais elle mentait. Elle l'avait vendu sans le moindre état d'âme; comme jamais personne n'avait osé le faire auparavant.

À qui pouvait-il faire confiance aujourd'hui?

Jaeger ouvrit la bouche pour parler. Mais à l'ultime seconde, les mots s'étranglèrent dans sa gorge. S'il abdiquait toute volonté maintenant, il trahissait ceux qu'il aimait.

Jamais il ne trahirait ni sa femme ni son fils.

Il fallait tenir bon.

«Je ne sais pas de quoi vous voulez parler…»

Le vieil homme écarquilla les yeux, haussant les sourcils. La première réaction presque spontanée que Jaeger ait décelée sur le visage de son interlocuteur, visiblement étonné.

«Je suis un homme patient et raisonnable», siffla-t-il. «Je vais vous donner encore une chance. Je vais donner une nouvelle chance *à votre famille*.» Un silence. «Dites-moi: quand vos amis ont-ils prévu d'arriver? Qui devons-nous attendre? Et comment les reconnaîtrons-nous?»

«Je ne peux pas vous répondre…»

«Écoutez-moi. Si vous ne coopérez pas, les choses vont se compliquer pour vous. Et pour votre famille. Alors, simplifions la situation. J'attends vos réponses à mes questions: quand vos amis ont-ils prévu d'arriver? Qui devons-nous attendre? Comment les reconnaîtrons-nous?»

«Je ne peux pas…»

L'homme effacé claqua des doigts pour couper Jaeger. Il jeta un regard en direction de ses sbires. «Ça suffit! Restons-en là. Emmenez-le.»

La cagoule noire s'abattit sur le visage de Jaeger; son menton s'écrasa contre sa poitrine.

Un instant plus tard, les poignets de nouveau liés devant lui, il fut soulevé de sa chaise et traîné hors de la pièce comme un pantin désarticulé.

Derrière la paroi de verre, Narov frissonna. À la fois fascinée et horrifiée, elle avait vu Jaeger, la tête recouverte de la cagoule noire, arraché brutalement de sa chaise avant d'être emporté vers son destin. Elle n'avait rien perdu de la scène à travers le miroir sans tain.

«Tu n'apprécies pas ce genre de méthode, il me semble?» La question provenait de l'homme qui se tenait à ses côtés, Peter Miles, le vieil homme que Jaeger croyait mort, abattu dans la forêt.

«Non. Elles me font horreur», avoua Narov. «Je pensais que c'était nécessaire, mais… Faut-il vraiment continuer? Jusqu'au bout?»

Le vieil homme étendit les mains vers elle. «C'est toi-même qui nous a dit qu'il fallait le mettre à l'épreuve. Il y a ce blocage qu'il éprouve à propos de sa femme et de son fils… ce désespoir sans fond, cette culpabilité. Cela pourrait conduire un homme à envisager ce qu'il ne ferait jamais. L'amour est une émotion extrêmement puissante, et l'amour d'un enfant plus encore que tout autre.»

Narov s'enfonça dans son siège.

«Il n'y en a plus pour très longtemps», concéda Peter Miles. «Il vient de passer l'épreuve la plus éprouvante. S'il avait échoué, il n'aurait jamais été autorisé à nous rejoindre.»

Narov acquiesça en silence, morose, l'esprit en proie à une foule d'idées noires.

On frappa à la porte. Un personnage très âgé, ratatiné, entra dans la pièce. Il planta sa canne fermement sur le sol, le regard marqué par une inquiétude visible. On lui donnait plus de quatre-vingt-dix ans, mais sous ses sourcils broussailleux, les yeux affichaient une vivacité et une vigilance étonnantes.

«Vous êtes presque au bout, il me semble?»

Peter Miles passa une main fatiguée sur son front. «Presque, Dieu merci. Encore quelques heures et nous saurons à quoi nous en tenir.»

«Pensez-vous que tout cela était bien nécessaire?», s'enquit le visiteur. «Enfin, souvenez-vous de qui était son grand-père.»

Miles se tourna vers Irina Narov. «Irina semblait persuadée qu'il fallait en passer par là. N'oubliez pas qu'elle a servi à ses côtés dans des situations extrêmement stressantes, dans des combats, et qu'elle avait noté combien il lui arrivait de perdre subitement ses moyens.»

Un éclair de colère jaillit dans les yeux de l'homme âgé. «Il a traversé tant d'épreuves! Il peut perdre ses moyens, parfois, mais on ne pourra pas le briser. Jamais! C'est mon neveu. C'est un Jaeger!»

«Oui, je sais», concéda Miles. «Mais je crois que vous comprenez ce que je veux dire.»

L'homme âgé secoua la tête. «Personne ne devrait avoir à subir ce par quoi il est passé durant ces trois dernières années.»

«Pourtant, nous ne sommes pas certains que ces trois ans n'aient pas entraîné des effets à long terme sur lui. D'où les inquiétudes soulevées par Narov. D'où les… mesures que nous prenons en ce moment.»

Le visiteur se tourna vers Narov. Étonnamment, son regard avait retrouvé une certaine sérénité. «Ma chère, courage. Qui vivra verra.»

«Je suis désolé, Oncle Joe», murmura la jeune Russe. «Mes soupçons étaient peut-être déplacés. Ou infondés.»

Le visage du visiteur s'adoucit. «Il a hérité de bons gènes, ma chère.»

Narov tourna les yeux vers le vieillard aux cheveux blancs. «Il n'a pas commis la moindre erreur, Oncle Joe. Il n'a trahi personne, durant toutes les épreuves. Je crains de m'être trompée…»

«Qui vivra verra», répéta le vieillard. «Peut-être Peter a-t-il raison, après tout. Il vaut mieux en être absolument certain.»

Il s'apprêta à quitter la pièce et marqua une pause sur le seuil. «Mais s'il chute sur la dernière haie, il faut me promettre une chose. Ne lui dites jamais. Laissez-le partir de façon à ce qu'il ignore toujours que c'est nous qui l'avions mis à l'épreuve et que… qu'il a échoué.»

Le vieil homme sortit de la salle d'observation; ses derniers mots résonnèrent après son départ.

«Après tout ce qu'il a enduré, la vérité ne pourrait que le briser.»

21

Jaeger s'attendait à ce qu'on le reconduise rapidement et sans ménagement dans la pièce où on le torturait depuis des heures. Mais on lui fit prendre un couloir vers la gauche avant de stopper abruptement sa progression douloureuse. Il détectait une odeur différente dans l'air qu'il respirait : du désinfectant, et les relents fétides d'ammoniaque, de vieille pisse.

«Toilettes», aboya un des gardiens. «Sers-toi des toilettes.»

Depuis le début de son supplice, Jaeger avait été contraint d'uriner là où il se trouvait, ou bien accroupi. Maintenant, Jaeger déboutonna sa salopette, les poignets toujours liés, s'appuya au mur et pissa en direction de l'urinoir. On ne lui avait pas retiré sa cagoule, et il pissait à l'aveuglette.

Il surprit un chuchotement furtif près de son oreille. «Tu n'as pas l'air d'apprécier le traitement, mon vieux. Comme moi. De vrais salopards si tu veux mon avis.»

La voix était toute proche, comme si son interlocuteur se penchait vers lui. Une voix amicale, à qui l'on pouvait se fier.

«Je m'appelle Dave. Dave Horricks. Tu as perdu la notion du temps ? Eh bien moi aussi. J'ai l'impression d'être ici depuis une éternité, pas toi ?»

Jaeger s'abstint de répondre. Il flairait le piège. Une nouvelle épreuve psychologique. Après avoir fini d'uriner, il entreprit de se reboutonner.

«Mon vieux, j'ai entendu dire que tu as de la famille. Ils sont détenus pas loin d'ici. Si tu as un message pour eux, je peux leur faire passer.»

Par un intense effort de volonté, Jaeger parvint à garder le silence. Et si la possibilité de transmettre un message à Ruth et Luke existait réellement?

«Dépêche-toi, mon vieux, avant que les gardiens rappliquent. Qu'est-ce que tu veux leur dire, à ta femme et à ton fils? Et si tu as un message pour tes copains, je peux aussi leur transmettre. Combien y en a-t-il? Vite, grouille-toi!»

Jaeger se pencha vers l'homme, comme s'il voulait lui parler à l'oreille. Il sentit que le type se rapprochait.

«Tiens, voilà le message, Dave», coassa-t-il. «Va te faire foutre!»

Quelques instants plus tard, on lui rabattit le menton sur la poitrine et il fut de nouveau malmené avant d'être sorti brutalement des toilettes. Après une marche forcée pénible dans les couloirs, il entendit qu'on ouvrait une porte. On le poussa dans une nouvelle pièce et le força à prendre place sur une chaise. La cagoule fut arrachée, la lumière l'aveugla.

Devant lui étaient assises deux personnes.

Il n'arrivait pas à en croire ses yeux.

L'une des personnes n'était autre que Takavesi Raffara, l'autre le jeune Mike Dale en personne, bien qu'il arbore maintenant les cheveux longs et négligés, les yeux cernés trahissant la perte qu'il avait subie récemment.

Raff grimaça un sourire. «Mon vieux, on dirait que tu viens de prendre un poids lourd en pleine figure. Je t'ai vu plus mal en point, comme cette nuit blanche qu'on avait passée au Crusting Pipe à regarder les All Blacks laminer votre équipe. Mais quand même…»

Jaeger ne releva pas.

«Écoute, vieux», reprit Raff, qui se rendait compte que l'humour ne lui serait d'aucun secours. «Écoute-moi bien. Personne ne t'a fait prisonnier. Tu te trouves toujours dans le bunker Falkenhagen. Ces types qui t'ont jeté dans la camionnette, ils ont fait un parcours dans la forêt avant de revenir au point de départ…»

Jaeger resta muet. S'il avait pu détacher ses poignets, il leur serait tombé dessus à bras raccourcis.

Raff poussa un soupir. « Vieux, il faut que tu m'écoutes. Je ne voulais pas venir ici, et Dale non plus. On n'est pas dans ce coup pourri. On a appris ce qu'ils t'avaient fait subir quand on a débarqué ici. Ils nous ont demandé de nous asseoir dans cette pièce et d'être les premières personnes que tu verrais. Ils ont demandé parce qu'ils s'imaginaient que tu nous ferais confiance. Il faut me croire. C'est terminé, mon vieux. Ta fête est finie… »

Jaeger secoua la tête. *Bon dieu, pourquoi ferait-il confiance à ces deux enfoirés; pourquoi ferait-il confiance à qui que ce soit?*

« C'est bien moi. Raff. Je n'essaie pas de t'entourlouper. C'est fini. Terminé. »

Jaeger secoua de nouveau la tête : *va te faire foutre!*

Le silence se prolongeait dans la petite pièce.

Mike Dale se pencha et posa les coudes sur le bureau. Jaeger s'aperçut avec surprise qu'il avait l'air d'un vrai déchet humain, au bout du rouleau. Même au cours de leurs pires moments en Amazonie, Jaeger n'avait jamais vu Dale dans cet état.

Dale jeta un regard de chien battu en direction de Jaeger. « Comme tu peux t'en rendre compte, je n'arrive pas à dormir. J'ai perdu la femme que j'aimais. Tu t'imagines peut-être que je viendrais te raconter des bobards après avoir perdu Hannah? Tu m'en crois vraiment capable? »

Jaeger frissonna. Il parvint à articuler quelques mots… « Je crois que tout le monde est capable de pratiquement n'importe quoi, désormais. » Il ne savait plus ce qu'il devait croire, ni en qui il pouvait avoir confiance.

Dans son dos, quelqu'un frappait doucement à la porte. Raff et Dale se regardèrent. Quoi encore, maintenant, bon sang?

Sans prévenir, la porte s'ouvrit; une silhouette âgée, au dos voûté, pénétra lentement dans la pièce, appuyée fermement sur une canne. Il avança à la hauteur de Jaeger et posa une main ridée sur son épaule. Il grimaça en découvrant l'homme meurtri et sanglant assis sur la chaise.

« Will, mon petit. J'espère que tu n'en veux pas à un vieil homme de s'immiscer dans… cette petite réunion? »

Jaeger, les yeux gonflés, striés de sang, fixait le vieil homme sans comprendre.

«Oncle Joe?», croassa-t-il, stupéfait. «C'est toi, Oncle Joe?»

«Will, mon petit, je suis là, près de toi. Et comme tes amis te l'ont sûrement déjà dit, c'est fini. Vraiment terminé. Même si tout cela n'aurait jamais dû sembler nécessaire.»

Jaeger leva ses mains toujours ligotées et agrippa longuement le bras du vieil homme. Oncle Joe serrait fermement son épaule. «C'est fini, mon petit. Crois-moi. Mais à partir de maintenant, le vrai travail commence.»

22

Le Président hume l'air avec délectation. Washington au printemps. Les cerisiers s'apprêtent à fleurir, les rues sont bordées d'arbres couverts de fleurs roses et l'air est parfumé de leur fragrance entêtante.

La période préférée du président Joseph Byrne, une saison au cours de laquelle le froid paralysant de l'hiver s'évacue vers l'ouest, dégageant peu à peu le ciel de la côte est, et inaugurant la belle saison, celle des longs mois de l'été tempéré. Mais évidemment, pour ceux qui connaissent leur histoire, ces cerisiers recouvrent une vérité plus sombre et plutôt gênante.

La variété de cerisier la plus commune est connue sous le nom de cerise Yoshino, descendante des quelque trois mille plans envoyés par bateau vers les États-Unis depuis le Japon dans les années 1920, en cadeau d'éternelle amitié. En 1927, la ville avait organisé le premier festival des cerisiers en fleurs, qui devait bientôt s'inscrire comme un rendez-vous incontournable de la capitale américaine.

Mais en 1942, des escadrilles innombrables d'avions de guerre japonais s'étaient abattues sur Pearl Harbor, et du jour au lendemain, le festival avait été rayé du calendrier. La promesse d'éternelle amitié s'était malheureusement révélée beaucoup moins éternelle que prévu.

Durant trois ans, les États-Unis et le Japon s'étaient affrontés dans une guerre sans merci. Mais dès la fin des hostilités, les deux nations avaient renouvelé des liens d'amitié. La nécessité crée parfois des alliances étranges. Dès 1947, le festival des cerisiers en fleurs rouvrait ses portes, et le reste, comme aimait à souligner le Président, appartenait à l'histoire.

Il se tourne vers les deux personnes qui l'accompagnent, balaie du bras le paysage qui s'ouvre devant eux, tandis que les premières touches de rose illuminent au loin la cime des cerisiers qui bordent les eaux du bassin de marée de la ville.

« La perspective est superbe, n'est-ce pas ? Chaque année, je crains que ces arbres refusent de fleurir. Mais chaque année, ils me démentent. »

Daniel Brooks, directeur de la CIA, émet quelques commentaires appropriés. Il est conscient du fait que le Président ne les a pas convoqués pour admirer la vue, même si celle-ci est sublime. Il a hâte qu'on en vienne aux choses sérieuses.

À ses côtés, Hank Kammler, directeur adjoint de l'agence, tâche de se protéger les yeux des rayons du soleil. Le langage corporel des deux responsables de la CIA trahit l'aversion qu'ils éprouvent l'un pour l'autre. En dehors des convocations présidentielles comme celle-ci, ils s'efforcent de passer le minimum de temps en tête-à-tête.

Le fait que Hank Kammler soit pressenti pour le poste de prochain directeur de l'agence, une fois que Brooks aurait été poussé à la retraite, faisait frissonner le vieux fonctionnaire. Il ne pouvait imaginer de candidat plus indigne de lui succéder à la tête de l'agence de renseignement la plus puissante du monde.

Le problème étant que le Président, pour d'obscures raisons, semblait faire confiance à Kammler, et avait foi dans ses initiatives douteuses. Kammler détenait une bizarre influence sur Byrne, une emprise inexplicable.

« Messieurs, mettons-nous au travail. » Le Président fait un geste vers les fauteuils où ils s'installent confortablement. « On m'a rapporté qu'il s'est produit certains événements fâcheux dans ce que l'on considère avec justesse, selon moi, comme notre zone d'influence. Je veux parler de l'Amérique latine. Du Brésil. Et pour être plus spécifique, de l'Amazonie. »

«Qu'est-ce qui vous inquiète, M. le Président?», s'enquiert Brooks.

«Il y a deux mois, sept personnes ont péri en Amazonie. De plusieurs nationalités, mais principalement des Brésiliens; aucun citoyen américain.» Byrne étend les mains. «Alors, en quoi cela nous concerne-t-il? Il s'avère que les Brésiliens sont convaincus que les responsables de ces décès sont Américains, ou du moins qu'ils agissaient sous le contrôle d'une agence américaine. Lorsque je serre la main de la présidente brésilienne, et qu'elle me pose des questions sur cet incident, j'aimerais savoir de quoi elle parle, bon sang!»

Le Président marque une pause lourde de sens. «Ces sept personnes faisaient partie d'une expédition internationale dont l'objectif était de retrouver un avion de guerre de la Seconde Guerre mondiale. Il semble que lorsqu'ils étaient sur le point de réussir, une force armée mystérieuse s'est mise à les harceler. C'est la composition de cette force armée qui pose problème et qui est remontée jusqu'à mon bureau.»

Byrne observe les deux responsables de la CIA. «Cette force possédait un armement et un équipement importants, qui ne peuvent être gérés que par une agence américaine. Du moins c'est ce que soutient la présidente brésilienne. Elle disposait de drones de type Predator, d'hélicoptères furtifs Black Hawk et d'un arsenal impressionnant.

«Alors, messieurs, je vous pose la question: êtes-vous au courant de cet incident? Se pourrait-il qu'une agence américaine soit impliquée, comme le suggèrent les Brésiliens?»

Brooks hausse les épaules. «Ce n'est pas totalement à exclure, M. le Président. Mais, si je puis m'exprimer ainsi: c'est la première fois que j'entends parler de ce sujet. Je peux me renseigner et refaire le point avec vous dans vingt-quatre heures, je ne peux rien vous dire de plus d'ici là. Mais je ne peux pas m'exprimer pour mon collègue ici présent.»

«Sir, il se trouve que je peux apporter un certain nombre de précisions sur ce sujet.» Kammler coule un regard assassin vers Brooks. « Mon métier est de tout savoir. Cet avion de guerre entre dans le cadre d'un projet connu sous divers noms de code. Le problème, M. le Président, c'est que ce projet était classé top secret, et qu'il y va de notre intérêt qu'il le demeure. »

Le Président fronce les sourcils. « Allez-y. Je vous écoute. »

« Sir, nous sommes dans une année électorale. Comme toujours, il est crucial de s'assurer du soutien du lobby juif. En 1945, cet appareil transportait un certain nombre de hauts responsables nazis vers un abri sûr en Amérique latine. Mais ce qui devrait surtout vous concerner, M. le Président, c'est qu'il renfermait une grande partie du butin des Nazis. Inévitablement, bien sûr, celui-ci comprenait une grande quantité d'or spolié auprès des juifs. »

Le Président hausse les épaules. « Je ne vois pas en quoi cela devrait me concerner. Cette histoire d'or volé aux juifs est de notoriété publique depuis des dizaines d'années. »

« C'est vrai, M. le Président. Mais cette fois-ci, le scénario est différent. Ce que l'on ignorait, c'est que nous, le gouvernement américain, avions parrainé cette opération de relocalisation. Nous l'avions fait sous couvert du secret le plus absolu, évidemment. »

Kammler lance un regard entendu vers le Président. « Et je suggère respectueusement que le secret le plus strict soit maintenu aujourd'hui. »

Le Président émet un long soupir. « Un deal avec le diable, comme dit le proverbe… Il est évident que cela pourrait être embarrassant en pleine année électorale. C'est bien ce que vous voulez dire ? »

« Tout à fait, sir. Très embarrassant et très préjudiciable. Certes, ça ne s'est pas produit au cours de votre mandat. Ça remonte à la fin du printemps 1945. Mais cela n'empêchera pas les médias de s'en donner à cœur joie. »

Le Président se tourne vers Brooks. « Dan, quel est ton point de vue là-dessus ? »

Des rides barrent le front du directeur de la CIA. « Encore une fois, sir, je suis pris en défaut, c'est mon adjoint qui a l'information.

Si elle s'avère exacte, il est vrai que c'est embarrassant. D'un autre côté, c'est peut-être un ramassis de conneries. De l'intox pure et simple.»

Kammler se raidit. Le ton de sa voix marque une rupture. «Il me semblait que c'était votre boulot de savoir tout ce qui se passait au sein de l'agence!»

Brooks réagit immédiatement. «Donc, cet incident est *vraiment* relié à la CIA? Ce serait *du ressort de l'agence*! Ces foutus Brésiliens vous ont pris la main dans le sac!»

«Messieurs, s'il vous plaît.» Le Président étend les mains pour imposer le silence. «L'ambassadeur brésilien me harcèle: il exige des réponses. Cette affaire n'en est encore qu'au niveau gouvernemental privé. Mais il n'existe aucune garantie qu'elle ne déborde pas dans le domaine public.» Il fixe les deux hommes. «Et si vous avez raison, s'il s'agit d'un complot parrainé par les Américains pour s'approprier l'or des juifs… cela va faire beaucoup de bruit.»

Brooks ne bronche pas. Même s'il a de la peine à en convenir, le Président et Kammler ont raison. Si la presse s'emparait de cet incident, la réélection du Président serait sérieusement compromise. Et même si Byrne était un piètre choix, c'était le meilleur dont ils disposaient.

Le Président adresse ses derniers mots en fixant Kammler dans les yeux. «Si, comme l'affirment les Brésiliens, il existe des voyous américains impliqués dans cette force, la situation pourrait dégénérer gravement. Dites-moi franchement, Hank: cette opération a-t-elle été menée à la demande de personnes de notre maison ou que nous commandons?»

«Sir, votre prédécesseur à la Maison-Blanche a signé un décret présidentiel spécial», affirme Kammler pour toute réponse. «Un décret spécial qui donne le feu vert pour l'élaboration de certaines missions hors de tout contrôle. En d'autres termes, sans l'approbation du Président. C'est parce que dans certaines circonstances, il vaut mieux que vous ne soyez pas au courant de telles missions. De cette façon, il est aisé pour vous de démentir toute implication au cas où les choses… tournent mal.»

Le président Byrne prend un air préoccupé. «Hank, je comprends bien cela. Je sais que je peux toujours nier. Mais pour l'instant, j'exige d'être mis au courant le plus précisément possible selon vos informations.»

Le visage de Hank Kammler se durcit. «Sir, en d'autres termes : parfois les choses ne peuvent rester secrètes s'il n'existe pas certaines agences qui s'assurent de leur parfaite étanchéité.»

Byrne se masse les tempes. «Hank, ne vous y trompez pas : si on trouve des indices de la présence de la CIA dans cette affaire, il est préférable de connaître le pire le plus tôt possible. Il faut que je connaisse le potentiel de gravité des retombées éventuelles.»

«Sir, la CIA n'est pas impliquée.» Kammler adresse un regard meurtrier en direction de Brooks. «Je l'affirme catégoriquement. Mais je suis heureux de constater que vous reconnaissez la nécessité urgente du plus grand secret sur cette affaire, et si vous me permettez, je suggère que c'est dans notre intérêt *à tous*.»

«Je vais avertir les Brésiliens que nous ne sommes pour rien dans cet incident», annonce le Président, visiblement soulagé. «Et, Hank, je mesure l'importance de maintenir le secret absolu là-dessus.» Un regard en direction de Brooks. «Nous en sommes tous conscients, je vous rassure.»

Cinq minutes plus tard, Brooks reprend la route à bord de sa voiture, conduite par son chauffeur. Il s'est excusé auprès du Président : son emploi du temps ne lui permet pas de rester déjeuner. Évidemment, Kammler est resté. Ce petit cloporte n'est pas du genre à refuser une occasion de faire de la lèche.

Tandis que son chauffeur rejoint la voie principale de circulation qui rejoint le sud du centre-ville de Washington, il sort son téléphone portable et compose un numéro.

«Bucky? Ouais, c'est Brooks. Ça fait un bail, pas vrai? Comment vas-tu?» Il enregistre la réponse et éclate de rire.

«Excellent! Écoute, je t'appelle pour un truc très précis. Ça te dirait de reprendre du service un moment? Tu n'en as pas marre de tirer sur des pommes de terre de l'autre côté de Chesapeake Bay? Si? Parfait. Qu'est-ce que tu dirais si je venais te rendre une petite visite, vieille branche. Tu demandes à Nancy de me préparer un bol de soupe de palourdes, et toi et moi on parle du bon vieux temps. Ça te dit?»

Il admire au passage les cerisiers en fleur. Kammler et ses opérations clandestines : au mieux, ce type était un franc-tireur ; au pire, lui et ses sbires dépassaient, et de loin, leurs prérogatives.

Avec Hank Kammler, plus Brooks creusait, plus il déterrait des trucs bizarres. Souvent, il fallait simplement s'entêter : creuser sans cesse jusqu'à ce qu'on découvre la vérité.

Et parfois, la vérité était difficile à regarder en face.

23

Les forêts impénétrables qui entouraient le complexe de Falkenhagen conféraient au décor un aspect sauvage. Le genre d'endroit où personne ne vous entendrait jamais hurler à la mort.

«Combien de temps suis-je resté enfermé là-dedans?», s'enquit Jaeger, en massant ses poignets douloureux.

Il était sorti du bunker proche, encore épuisé par le traitement brutal qu'il venait de subir, avide d'oxygène et de plein air. Il ne décolérait toujours pas, et bouillait littéralement.

Raff consulta sa montre. «Il est 0700 heures, on est le 8 mars. Tu es resté 72 heures dans ce trou.»

Trois jours. *Bande de salopards.*

«Et qui est à l'origine de cette idée géniale?»

Raff s'apprêtait à répondre quand Oncle Joe apparut à leur côté. «Je vais te faire une confidence, mon garçon.» Il entraîna Jaeger à l'écart et lui tint le bras. «Il vaut mieux que ce soit quelqu'un de la famille qui explique certaines choses.»

À la suite du décès prématuré du grand-père de Jaeger, vingt ans plus tôt, son grand-oncle Joe avait endossé le rôle de grand-père honoraire. Comme il n'avait pas d'enfants, il s'était beaucoup rapproché de Jaeger, et ensuite de Ruth et de Luke.

La famille avait passé de nombreuses vacances dans le chalet d'Oncle Joe, sur les pentes de Buccleuch Fell, dans les Scottish Borders. Depuis l'enlèvement de Ruth et de Luke, Jaeger avait très peu vu son grand-oncle, mais les liens étaient toujours aussi solides.

Oncle Joe et le grand-père de Jaeger avaient servi côte à côte durant les premières années qui avaient suivi la création des SAS, et Jaeger avait toujours admiré leurs exploits.

Le vieil homme le conduisit sur un petit carré bétonné, abrité par la lisière des arbres, sans doute le toit d'une des nombreuses structures souterraines du complexe, peut-être même la pièce où Jaeger avait été interrogé si durement.

«Tu cherches à savoir qui est responsable», commença Oncle Joe, «évidemment, tu as le droit de connaître la réponse.»

«Je devine parfaitement», admit Jaeger, l'œil sombre. «C'est Narov. Elle a magistralement joué son rôle. On reconnaît sa patte dans le scénario…»

Oncle Joe secoua la tête doucement. «À vrai dire, elle n'était pas vraiment favorable. Au fil des heures, elle a tenté d'interrompre le processus.» Un silence. «Veux-tu que je te dise? Je suis persuadé, en fait je suis certain, qu'Irina a un petit faible pour toi.»

Jaeger ignora la touche d'humour. «Alors, qui est responsable?»

«Tu as rencontré Peter Miles? Il joue un rôle beaucoup plus important que tu ne crois dans cette structure.»

«Mais qu'est-ce qu'il voulait prouver, bon sang?» Jaeger avait haussé le ton, l'œil furibond.

«Il s'inquiétait d'une chose: que la disparition de ta famille ait pu te déstabiliser d'une manière ou d'une autre. Que le traumatisme et la culpabilité ne te fassent tomber dans la dépression. Il tenait absolument à te mettre à l'épreuve. Pour déterminer si ses craintes, et celles exprimées par Irina, étaient fondées ou non.»

Jaeger explosa. «Et qu'est-ce qui l'autorise, qui *les* autorise, à me mettre à l'épreuve?»

«En fait, je me risquerai à affirmer qu'ils en ont parfaitement le droit.» Un silence. «As-tu jamais entendu parler du *Kindertransport*? En 1938, le diplomate britannique Nicholas Winton parvint à sauver des centaines d'enfants juifs en organisant leur transport par train puis par bateau jusqu'en Grande-Bretagne. Peter Miles n'avait pas encore adopté ce nom à cette époque. C'était un petit garçon de onze ans qui s'appelait Pieter Friedman, un nom juif-allemand.

«Pieter avait un grand frère, Oscar, qu'il idolâtrait. Mais seuls les enfants âgés de moins de seize ans avaient le droit de monter à bord des trains de Winton. Pieter fut autorisé à le faire, mais pas son frère. Ni son père, sa mère, ses oncles, tantes et grands-parents. Tous périrent dans un camp de concentration. Pieter fut le seul survivant de sa famille, et jusqu'à ce jour, il estime que sa vie relève du miracle, que c'est un don de Dieu.» Oncle Joe s'éclaircit la voix. «Tu comprends donc que si quelqu'un sait ce que c'est de perdre sa famille, c'est bien Pieter. Il est conscient que cela peut briser un homme. Il sait combien cela peut ébranler un individu.»

La colère de Jaeger semblait s'être quelque peu apaisée. Le récit d'Oncle Joe avait remis certaines choses en perspective.

«Alors, ai-je passé le test?», demanda-t-il simplement. «Ai-je réussi à effacer les soupçons? Tout est encore flou dans ma tête. Je me souviens à peine de ce qui s'est passé.»

«Tu me demandes si tu as passé le test avec succès?» Oncle Joe s'approcha et serra Jaeger dans ses bras. «Oui, mon garçon. Bien sûr! Comme je leur avais dit, tu as triomphé de cette épreuve.» Un silence s'établit entre les deux hommes. «À vrai dire, peu d'hommes auraient supporté un tel degré de souffrance. Et quoi qu'il arrive maintenant, il est évident que c'est toi qui dois prendre les commandes.»

Une ombre obscurcit les traits du vieil homme. «Dieu m'est témoin, certaines personnes ont commis des actes qu'ils n'auraient jamais dû commettre. Dans ton appartement de Wardour, il y a un placard, rempli de vêtements appartenant à ceux que tu aimes et qui attendaient leur retour, j'imagine…»

Un éclair de colère traversa instantanément le regard de Jaeger. «Ils ont cambriolé mon appartement?»

Le vieil homme soupira. «Effectivement. Des temps extrêmes ne justifient jamais des mesures extrêmes, mais peut-être trouveras-tu dans ton cœur la force de leur pardonner.»

Jaeger haussa les épaules. Il faudrait du temps, mais il y parviendrait.

« Luke et Ruth reviendront », murmura Oncle Joe d'une voix intense, presque féroce. « Reprends ce tee-shirt, Will, et replace-le soigneusement dans le placard. »

Il serra le bras de Jaeger avec une intensité surprenante. « Ruth et Luke reviendront un jour… »

24

Pieter Friedman, connu dorénavant sous le nom de Peter Miles, prit place devant la petite assemblée à l'intérieur de l'ancien bunker principal du complexe de Falkenhagen. Un lieu d'exception pour la tenue de cette réunion de travail.

Le bunker était gigantesque, et sa profondeur insondable : pour atteindre la pièce, Jaeger avait dû descendre six étages par un escalier exigu. Le plafond élevé était en forme de dôme, avec une armature de poutrelles courbes en acier, et évoquait le nid d'un oiseau mécanique géant enterré au fond de la terre.

Sur les murs de chaque côté étaient fixées des échelles de fer menant à des ouvertures pratiquées dans le béton. Où menaient ces ouvertures, impossible de le deviner, car entre chaque pièce courait un labyrinthe de galeries, de conduits d'aération, de puits verticaux, de canalisations et de tuyaux, sans parler d'énormes citernes d'acier, sans doute là où était stockée la *N-Stoff* produite par les Nazis.

Le confort était réduit au minimum dans la pièce dépourvue de meubles où chaque son résonnait longuement. Jaeger et son équipe avaient pris place sur de simples chaises en plastique disposées en arc de cercle autour d'une table en bois nue. Raff et Dale étaient là, ainsi que le reste de l'équipe qui l'avait accompagné en Amazonie.

À côté de Jaeger, on trouvait Lewis Alonzo, Afro-Américain et ancien Marine de l'unité des SEAL. Durant leur expédition, Jaeger avait pu jauger les compétences de cet homme. Il aimait jouer au gros costaud, imposant, musclé et indestructible et pas très futé.

Mais en vérité, c'était tout le contraire. Il inspirait le respect autant pour son intelligence que pour sa stature. En un mot, Alonzo combinait la masse musculaire de Mike Tyson avec la prestance, l'humour vif et incisif de Will Smith. Il était sincère, courageux et doté d'une véritable générosité de cœur.

Jaeger avait une confiance sans limites dans ce frère d'armes.

Près d'Alonzo, beaucoup moins imposant par la stature, on trouvait Hiro Kamishi, ancien membre des forces spéciales japonaises, les Tokusha Sakusen Gun. Kamishi était le prototype du samouraï moderne, un soldat de la voie supérieure. Adepte de la croyance en un guerrier mystique de l'Orient, le bushido, il avait développé avec Jaeger de solides affinités au cours de leur périple en Amazonie.

À côté était assis Joe James, une sorte d'ours géant, et peut-être le personnage le plus marquant de l'expédition. Les cheveux longs, mal peignés, la barbe profuse, c'était un croisement entre un SDF et un motard des Hell's Angels.

En fait, c'était un ancien commando des SAS néo-zélandaises, peut-être l'unité la plus coriace et la plus renommée des forces spéciales dans le monde. Originaire de la campagne, spécialiste de la traque, il avait du sang maori, ce qui le rapprochait de Takavesi Raffara.

James avait pris part à d'innombrables missions de combat au sein des commandos, et avait eu du mal à encaisser la perte de nombreux frères d'armes en chemin. Mais au fil des années, Jaeger avait appris à ne pas se fier aux apparences. James possédait un dynamisme peu commun et, tout aussi important, une mentalité spéciale qui lui permettait d'imaginer des solutions hors des conventions.

Jaeger respectait avant tout ses qualités d'équipier.

Irina Narov était présente, bien sûr, même si elle n'avait pas échangé trois mots avec Jaeger depuis qu'il avait subi la terrible épreuve.

Au cours des dernières vingt-quatre heures, Jaeger avait en grande partie réalisé ce qui s'était passé, et en était venu à reconnaître qu'il s'agissait en fait d'un cas classique de test de résistance à un interrogatoire, baptisé «R2I» dans le métier.

Chaque recrue des SAS doit subir un R2I en point d'orgue de leur processus épuisant de sélection. On y passe par tous les stades que Jaeger venait de connaître : choc, surprise, désorientation, ainsi que la torture psychologique.

Durant les longues heures de tests physiques et psychologiques, ils sont scrutés à la loupe pour trouver le moindre signe qui trahirait une tendance à craquer, ou à trahir leurs camarades. Dès qu'ils répondent aux questions qui leur sont posées brutalement, et donnent des réponses qui risquent de trahir leur mission, ils sont rejetés de la sélection.

D'où la réponse qu'ils doivent assimiler comme un mantra susceptible de leur sauver la vie : *Je ne peux pas répondre à cette question, sir*.

Les événements s'étaient enchaînés si rapidement à Falkenhagen, de manière si violente et inattendue, que l'idée d'un jeu pervers n'avait jamais effleuré Jaeger. Irina Narov ayant joué son rôle à merveille, il avait été intimement convaincu d'avoir subi l'ultime trahison.

Il était tombé dans le piège, on l'avait tabassé, poussé jusqu'aux limites de sa résistance, mais au moins il était vivant, et il avait fait un pas de plus sur le chemin qui menait à Ruth et à Luke. Pour le moment, c'était ce qui lui tenait le plus à cœur.

«Messieurs, Irina, je vous remercie d'être venus.» Les premiers mots de Peter Miles ramenèrent Jaeger aux préoccupations du moment. Le vieil homme leva les yeux vers la structure de béton et d'acier qui les entourait. «Beaucoup de ce pour quoi nous luttons trouve son origine dans ce lieu. Dans son histoire la plus terrible. Dans ces murs sombres chargés de sens.»

Il se tourna vers les visages sérieux qui lui faisaient face. Son regard projetait une intensité que Jaeger n'avait encore jamais vue. Il commandait l'attention de tous les participants à ce briefing.

«Allemagne. Printemps 1945», lança-t-il. «La patrie est envahie par les Alliés, la résistance allemande fléchit rapidement.

Un grand nombre de dignitaires nazis sont déjà aux mains des Alliés.

«Les principaux dirigeants sont conduits vers un centre d'interrogatoires près de Francfort, nom de code Dustbin. Ils tentent chacun leur tour de nier le fait que l'Allemagne ait jamais possédé d'armes de destruction massive, ou que le Reich ait pu envisager de les utiliser pour gagner la guerre. Pourtant, un des prisonniers va craquer, et confesser ce qui apparaît d'emblée comme une série de révélations ahurissantes.

«Soumis à des interrogatoires plus poussés, il avoue que les Nazis ont mis au point trois agents chimiques redoutables : les gaz neurotoxiques tabun et sarin, et le légendaire *Kampfsoffe*, un gaz mortel baptisé *N-Stoff*, la fameuse Substance N. Il révèle également la véritable ampleur du *Chemicplan* d'Hitler, un projet visant à fabriquer des milliers de tonnes d'agents chimiques destinées à écraser les Alliés. Le plus incroyable, c'est que les Alliés ignoraient tout de ce projet, et qu'en conséquence nous ne possédions aucune défense contre de tels agents.

«Comment expliquer le fait que nous n'ayons pas eu vent de ce *Chemicplan* ? Tout d'abord, vous êtes à même d'en juger, le complexe de Falkenhagen est entièrement souterrain. Plus ou moins invisible lors des reconnaissances aériennes. C'est dans de tels laboratoires profondément enterrés que les agents chimiques les plus redoutables étaient fabriqués. Ensuite, Hitler avait soustraité son programme d'armement chimique à une société privée : le complexe industriel géant I.G. Farben, dirigé alors par un certain Otto Ambros.»

Miles appuya sur une touche du clavier de son ordinateur portable, et une image apparut sur un des murs de la salle de contrôle du bunker. Un portrait représentant un homme dans la force de l'âge, les cheveux blonds en bataille, et des yeux pétillant de malice, qui renforçaient curieusement l'expression rusée émanant du personnage.

«Ambros», annonça Miles. «C'est lui le maître d'œuvre de la construction de ces usines de la mort. La tâche aurait pu s'avérer un défi impossible à réaliser si les Nazis n'avaient pas eu à leur disposition un stock apparemment illimité de main-d'œuvre esclave. Les grands complexes comme Falkenhagen ont été construits par les millions de pauvres diables envoyés dans les camps de concentration nazis. Mieux encore, les chaînes de fabrication étaient aussi attribuées à des prisonniers des camps de concentration, car ils étaient de toute façon voués à la mort. »

Les paroles de Miles résonnaient entre les quatre murs, comme un présage. Jaeger remua sur sa chaise.

C'était comme s'il ressentait une présence étrange, comme si un spectre s'était immiscé dans la pièce, et serrait son cœur battant entre ses doigts glacés.

«Les Alliés ont mis la main sur d'immenses stocks d'agents prêts à frapper», poursuivit Miles, «dont une bonne partie ici, à Falkenhagen. On a même parlé d'une fusée de type V à longue portée, le V-4, qui aurait dû prendre la suite du V-2, et capable de déverser des agents neurotoxiques sur Washington et New York.

«On s'imaginait à l'époque qu'on avait gagné la guerre, mais qu'on l'avait échappé belle. Certains étaient persuadés que c'était une bonne idée d'utiliser l'expertise des savants nazis afin de se préparer à une guerre prochaine contre les Soviétiques, la Guerre froide. La plupart des savants nazis liés au programme de fusées ont alors été accueillis aux États-Unis, l'objectif étant de produire des missiles pour combattre la menace soviétique.

«C'est alors que les Russes ont lâché une bombe. En plein procès de Nuremberg sur les crimes de guerre, ils ont produit un témoin-surprise: le brigadier général Walter Schreiber, de l'unité médicale de l'Armée allemande, la Wehrmacht. Schreiber a déclaré qu'un obscur médecin SS du nom de Kurt Blome avait été à la tête d'un projet nazi ultrasecret dont l'objectif était la guerre biologique, ou bactériologique si vous préférez.»

Le regard de Miles se fit pénétrant. «Comme vous ne l'ignorez pas, les armes bactériologiques peuvent tuer des millions de personnes. Une bombe nucléaire lâchée sur New York serait capable de tuer tous les habitants de la ville. Un missile avec une tête chargée au gaz sarin aurait les mêmes effets. Mais un seul missile transportant le germe de la peste bubonique ne laisserait personne de vivant sur tout le territoire américain, pour la simple raison qu'un seul de ces agents biologiques est autoreproducteur. Une fois dans la nature, il se développe dans le corps d'une victime et se répand à l'infini, exterminant toute la population.

« Le programme d'armement bactériologique lancé en grand secret par Hitler avait pour nom de code *Blitzableiter*, paratonnerre. Il était dissimulé sous l'apparence d'un programme de recherche sur le cancer, afin de ne pas être repéré par les Alliés. Les agents ainsi développés devaient être utilisés uniquement sur l'ordre du Führer en vue de parvenir à la victoire suprême. Mais le plus ahurissant dans les révélations de Schreiber, c'est le fait qu'à la fin de la guerre, Kurt Blome fut recruté par les Américains pour recréer son programme d'armement biologique, cette fois au profit de l'Ouest.

« Il est certain qu'au cours de la guerre, Blome était parvenu à développer un formidable éventail d'agents : peste, typhoïde, choléra, anthrax, pour ne mentionner que les plus connus. Il avait travaillé en collaboration étroite avec l'Unité 731 japonaise, responsable d'avoir relâché les agents biologiques qui avaient tué un demi-million de Chinois… »

« Cette Unité 731 représente un moment très sombre de notre histoire », intervint une voix assurée. Hiro Kamishi, l'ancien commando japonais dans l'équipe de Jaeger, poursuivit avec le même calme. « Notre gouvernement ne s'est jamais vraiment excusé. Il a laissé aux Japonais eux-mêmes le soin de tenter de faire la paix avec les victimes. »

D'après ce que Jaeger connaissait de Kamishi, il aurait été tout à fait dans sa nature de s'être tourné vers les victimes de l'Unité 731 pour rechercher les voies de la paix.

« Blome était sans conteste le grand maître de la guerre bactériologique. »

Miles observait chacun des membres de son auditoire, les yeux brillants. « Mais il détenait certains secrets qu'il ne révélerait *jamais*, même pas aux Américains. Les Allemands n'utilisèrent pas leurs armes de *Blitzableiter* contre les Alliés pour une seule raison, indiscutablement imparable : les Nazis étaient sur le point de mettre au point un super agent, qui leur permettrait de conquérir la planète entière. Hitler avait donné l'ordre de rendre rapidement cette arme opérationnelle, mais l'avance accélérée des Alliés avait pris tout le monde par surprise. Blome et son équipe ont perdu sur le gong.»

Miles se tourna vers un personnage assis, appuyé sur une fine canne. «Maintenant, j'aimerais céder la parole à une personne qui a vécu ces événements. En 1945, je n'avais que dix-huit ans. Joe Jaeger pourra vous relater mieux que moi les épisodes les plus sombres de cette histoire.»

Lorsque Miles aida Oncle Joe à se lever de sa chaise, Jaeger sentit son cœur s'emballer. Tout au fond de son être, il était conscient que le destin l'avait conduit à ce moment précis de sa vie. Il devait à tout prix sauver sa femme et son fils, mais après ce qu'il venait d'entendre, il réalisait que ce qui était en jeu aujourd'hui dépassait leurs propres existences.

Oncle Joe s'approcha en s'appuyant lourdement sur sa canne. «Je dois tout d'abord invoquer votre indulgence, parce que j'ai sans doute trois fois l'âge de certaines personnes au sein de cette assemblée…» Il balaya la pièce d'un regard pensif. «Alors, par quoi vais-je commencer? Par l'Opération Loyton, je suppose.»

Ses yeux s'arrêtèrent sur Jaeger. «Durant la majeure partie de la guerre, j'ai servi aux côtés du grand-père de ce jeune homme au sein des SAS. Peut-être est-ce évident, mais cet homme, Ted Jaeger, était mon frère. Vers la fin de l'année 1944, nous avons été envoyés dans le nord-est de la France dans le cadre d'une mission baptisée Opération Loyton. L'objectif était simple. Hitler avait donné l'ordre à ses troupes de mener une dernière bataille afin de stopper l'avance des Alliés. Nous devions les battre.

«Nous avons été parachutés, puis nous avons causé pas mal de dégâts derrière les lignes ennemies. Un vrai chaos en fait, car nous avons fait sauter des voies ferrées et abattu les plus haut gradés nazis. À la fin de cette mission, trente et un de nos hommes avaient été faits prisonniers. Nous étions déterminés à savoir ce qui leur était arrivé. Le problème, c'est que les SAS ont été dissoutes peu après la fin de la guerre. On croyait en haut lieu que l'on n'aurait plus besoin de nous. Ce n'était pas notre vision des choses, vous vous en doutez bien. Ce n'était pas la première fois, mais nous avons désobéi aux ordres d'en haut.

«Nous avons donc mis sur pied une unité secrète, ne figurant dans aucun document officiel, chargée de rechercher nos frères d'armes disparus. Très rapidement, nous avons pu établir qu'ils avaient été torturés puis cruellement exécutés par les Nazis qui les avaient faits prisonniers. Nous avons alors décidé de traquer ces assassins. Et pour cela nous avons adopté un nom bien ronflant : l'unité des SAS pour enquêter sur les crimes de guerre. Dans le privé, on nous appelait les Chasseurs clandestins.»

Joe Jaeger affichait un sourire empreint de nostalgie. «Il est étonnant de constater ce que l'on arrive à obtenir en bluffant un peu. Parce que nous nous cachions à la vue de tous, tout le monde croyait que nous étions une unité parfaitement légale. En fait nous ne l'étions pas! Nous étions une unité clandestine, qui n'existait pas officiellement, nous accomplissions une mission que nous pensions juste, tout simplement, tant pis pour les bavures sanglantes qui en résulteraient. C'était comme ça à l'époque. Le bon vieux temps!»

L'émotion paraissait submerger le vieil homme, mais il se reprit rapidement. «Au cours des années qui suivirent, nous avons pourchassé tous les assassins nazis. Durant cette traque, nous avons découvert que plusieurs de nos camarades avaient fini dans un lieu d'horreur absolue, un camp de concentration nazi du nom de Natzweiler.»

Les yeux d'Oncle Joe cherchaient Irina Narov. Jaeger avait découvert qu'ils entretenaient des relations privilégiées; un des nombreux sujets que Jaeger n'avait pas eu le temps d'éclaircir avec la jeune femme.

«Il y avait une chambre à gaz à Natzweiler», poursuivit Oncle Joe. «Son objectif était de tester les armements nazis sur des êtres humains, en l'occurrence les prisonniers à l'intérieur de ce camp. Ces expériences étaient supervisées par un médecin SS fort connu,

August Hirt. Nous avons décidé d'avoir une petite conversation avec ce monsieur.

«Hirt avait disparu, mais peu de ces salopards parvenaient à échapper aux Chasseurs clandestins. On a découvert que lui aussi travaillait secrètement pour les Américains. Durant la guerre, il avait testé du gaz neurotoxique sur des femmes et des enfants innocents. Torture, brutalité, mort, c'était sa signature. Mais les Américains étaient plus qu'heureux de lui ouvrir les bras et de le mettre à l'abri ; nous savions qu'ils n'avaient pas l'intention de le traduire en justice. Face à ces circonstances, nous avons décidé que Hirt devait mourir. Mais lorsque celui-ci a compris notre intention, il nous a proposé un marché extravagant : le secret nazi le mieux gardé contre la vie sauve.»

Oncle Joe redressa les épaules. «Hirt nous a fait part d'un plan concocté par les Nazis, le *Weltplagverwustung*, dont l'objectif était la dévastation de la planète par la peste. Pour atteindre cet objectif, ils devaient utiliser un agent biologique totalement nouveau. Personne ne pouvait dire d'où provenait cet agent, mais son taux de mortalité était stupéfiant. Lorsque Hirt l'avait expérimenté à Natzweiler, son taux d'efficacité atteignait 99,99 %. Aucun être humain n'était capable de lui opposer une résistance naturelle. Comme si cet agent biologique provenait d'une autre planète ; ou du moins, d'une autre époque.

«Avant de l'exécuter, parce que croyez-moi, nous ne pouvions pas le laisser vivre, Hirt nous a avoué le nom du virus, un nom choisi par Adolf Hitler lui-même.»

Le regard hanté d'Oncle Joe se posa sur Jaeger. «Ils l'avaient appelé *Gottvirus*, le virus de Dieu.»

26

Le vieil homme réclama un verre d'eau, que Peter Miles lui tendit. Un silence de plomb s'était abattu sur la petite assemblée. Tous étaient fascinés par le récit qu'ils découvraient.

«Nous avons fait remonter notre découverte jusqu'au plus haut niveau de commandement, mais elle ne suscita qu'un intérêt mitigé. Qu'avions-nous trouvé? Nous connaissions un nom, le *Gottvirus*, mais à part ça…» Oncle Joe haussa les épaules d'un air résigné. «Le monde avait retrouvé la paix. Le grand public ne voulait pas entendre de nouvelles horreurs. Peu à peu, l'affaire tomba dans l'oubli. Pendant vingt ans, on n'en entendit plus parler. Jusqu'à… Marburg.»

Le regard du vieil homme se perdait dans le vague de ses souvenirs. «Dans le centre de l'Allemagne se niche une jolie petite ville du nom de Marburg. Au printemps 1967 s'est répandue une maladie étrange dont le foyer semblait être le laboratoire Behringwerke de la ville. Trente et un ouvriers furent atteints et sept en moururent. Sans qu'on puisse l'expliquer, un nouvel agent pathogène totalement inconnu venait de faire son apparition; on le nomma le virus de Marburg, ou *Filoviridae*, car il avait la forme d'un filament. Un virus qui n'avait encore jamais été détecté.»

Oncle Joe but une gorgée d'eau. «Apparemment, ce virus s'était échappé dans le laboratoire à partir d'une petite colonie de singes récemment arrivés d'Afrique. Du moins, c'est la version officielle. Des équipes de chercheurs se sont donc rendues en Afrique pour traquer l'origine du virus. Ils cherchaient dans l'habitat naturel des singes, c'est-à-dire dans la brousse. Ils n'ont rien trouvé. En fait ils n'ont pas retrouvé non plus l'animal porteur, cette race de singe dont certains membres s'étaient retrouvés à Marburg. En bref, aucun signe du virus dans la forêt tropicale africaine d'où étaient censés provenir les singes.

« Vous savez qu'on utilise un grand nombre de singes pour des expériences au sein des laboratoires », poursuivit-il. « Pour tester de nouveaux médicaments, ce genre de choses. Mais ils servent également de cobayes pour tester des armes bactériologiques ou chimiques, pour la simple raison que si un agent tue un singe, il a de fortes chances de tuer aussi un être humain. »

Oncle Joe fixa de nouveau Jaeger. « Ton grand-père, le général de brigade Ted Jaeger, a ouvert une enquête. Pour lui comme pour beaucoup d'entre nous, la mission des Chasseurs clandestins ne s'était jamais interrompue. Les premiers éléments faisaient froid dans le dos. Il apparut que durant la guerre, le laboratoire faisait partie du réseau d'I.G. Farben, l'empire d'Otto Ambros voué à la destruction de masse. Ce n'est pas tout : en 1967, le principal savant en charge du laboratoire n'était autre que Kurt Blome, l'ancien grand-maître de la guerre bactériologique du temps d'Hitler. »

Oncle Joe fixait son auditoire, le regard de nouveau vindicatif. « Au début des années 60, Blome avait été contacté par un individu que nous pensions mort depuis longtemps : l'ancien général SS Hans Kammler. Kammler avait été un des hommes les plus puissants du Reich, un des proches les plus écoutés d'Hitler. Mais à la fin de la guerre, il s'était évanoui dans la nature. Envolé ! Pendant des années, Ted Jaeger avait tenté de suivre sa trace. Finalement, il avait découvert que ce Kammler avait été recruté par une organisation parrainée par la CIA, chargée d'espionner les Soviétiques.

« En raison de sa notoriété, la CIA utilisait Kammler sous diverses identités : Harold Krauthammer, Hal Kramer et Horace Konig, entre autres. Dès les années 1960, il avait accédé à un poste de responsabilité au sein de la CIA, et désirait recruter Blome pour servir sa cause, qui semblait obscure. »

Le vieil homme marqua une pause, le visage sombre. «Nous sommes parvenus à forcer la porte de l'appartement de Kurt Blome à Marburg, et à mettre la main sur ses dossiers privés. Son journal intime révéla une histoire hors du commun. Totalement incroyable dans un contexte différent. Le fait est que l'affaire commençait à avoir un sens, de notre point de vue. Une signification terrible, qui faisait froid dans le dos.

«À l'été 1943, Blome avait reçu l'ordre du Führer de se concentrer exclusivement sur un seul agent bactériologique. Ce virus avait déjà tué. Deux hommes, tous deux lieutenants SS, avaient péri après avoir été infectés. Ils étaient morts d'une manière absolument terrible. Leur organisme avait commencé de pourrir de l'intérieur. Leurs organes, foie, reins, poumons, s'étaient liquéfiés, putréfiés même si le reste du corps vivait encore. Ils sont morts en vomissant des flots de sang noir, le résultat du pourrissement de leurs organes; l'expression sur leur visage évoquait celle de zombies, leur cerveau était réduit à une bouillie sanglante au moment de la mort.

«Vous allez me demander ce que deux lieutenants SS faisaient en contact avec le virus?» Le regard d'Oncle Joe balayait l'assistance. «Ils avaient servi tous les deux dans une organisation SS spécialisée dans l'histoire de l'Antiquité. Souvenez-vous que dans l'esprit malade du Führer, les "vrais Allemands" descendaient d'une race mythique venue du nord, les Aryens, tous blonds aux yeux bleus. Étrange, n'est-ce pas, quand on songe qu'Hitler était petit, brun aux yeux noisette.

«Ces deux lieutenants SS, archéologues amateurs et chasseurs de mythes et légendes, avaient reçu pour mission de "prouver" que la prétendue race supérieure des Aryens gouvernait la terre depuis des temps immémoriaux. Nul besoin de le préciser, leur mission s'annonçait impossible, mais dans le cadre de leurs recherches, ils étaient tombés par hasard sur le *Gottvirus*.

«C'est Blome qui reçut l'ordre d'isoler et de cultiver ce mystérieux agent pathogène. Il respecta cet ordre à la lettre, et déclencha rapidement une catastrophe. Pourtant, tout avait bien commencé : un agent bactériologique donné par Dieu lui-même. Le *Gottvirus* ultime. Il l'avait consigné dans son journal : "C'est comme si cet agent pathogène venait d'une autre planète ; ou du moins d'une ère préhistorique de notre terre, bien avant l'apparition de l'homme moderne." »

Oncle Joe se redressa. « Deux défis se présentaient avant de déclencher le virus. Tout d'abord, les Nazis avaient besoin d'un antidote : un vaccin qui pourrait être produit en masse afin de protéger la population allemande. Ensuite, il fallait changer le mode de transmission du *Gottvirus*, du simple contact par échange de fluide à une transmission par les voies respiratoires. Il fallait qu'il se transmette comme la grippe : un éternuement, et toute une population pouvait être contaminée en quelques jours.

« Blome travaillait sans relâche. C'était une course contre la montre. Heureusement pour nous, il a perdu cette course. Son laboratoire fut investi par les Alliés avant qu'il puisse perfectionner un vaccin ou reprogrammer la méthode de transmission du virus. Le *Gottvirus* avait été classifié par les Nazis dans la catégorie ultrasecrète des *Kriegsentscheidend* – les informations jugées décisives pour l'issue de la guerre. À la fin de celle-ci, le général SS Hans Kammler fut déterminé à en faire le secret ultime du Reich, protégé entre tous. »

Oncle Joe s'appuya sur sa canne ; le vieux combattant arrivait au terme de son récit. « C'est là que l'histoire se termine, plus ou moins. D'après le journal de Blome, il était évident qu'avec Kammler, ils avaient protégé le *Gottvirus*, dont ils ont repris le développement vers la fin des années 1960. Une dernière précision : dans son journal, Blome répète sans cesse la même phrase au fil des pages. *Jedem das Seine*. La phrase revient avec régularité dans ses écrits : *Jedem das Seine*… Une phrase en allemand qui signifie "chacun reçoit ce qu'il mérite". »

Son regard parcourait l'assistance. Un regard dans lequel Jaeger lisait, peut-être pour la première fois, de la peur.

27

«Joli coup, cette opération à Londres… On me dit qu'il n'est pas resté grand-chose du bâtiment. Pas le moindre indice sur le responsable. »

Hank Kammler s'adresse à la véritable montagne de muscles assise sur le banc à ses côtés. Le crâne rasé, un petit bouc et une carrure impressionnante, Steve Jones, les épaules penchées en avant, aurait fait peur à n'importe qui.

Kammler et lui ont choisi un banc tranquille du West Potomac Park, à Washington. Les cerisiers sont en fleurs tout autour d'eux, contrastant avec la dureté des traits, marqués de balafres, du grand costaud. La trentaine, face aux soixante-trois ans de Kammler, Jones arbore une expression austère, et des yeux de poisson mort.

«Londres?», grogne Jones. «J'aurais pu faire le boulot les yeux fermés. C'est quoi la suite?»

Kammler apprécie les capacités physiques et l'instinct de tueur de Jones, certes, mais il n'est pas certain de lui faire assez confiance pour l'inclure dans son équipe. Il estime qu'il vaudrait mieux enfermer les types comme Jones dans une solide cage en acier, quitte à ne le sortir qu'en temps de guerre… ou bien pour détruire totalement un studio de montage à Londres, sa dernière mission.

«Je suis curieux de savoir pourquoi tu éprouves autant de ressentiment pour cet homme?»

«Qui?», lance Jones. «Jaeger?»

«Lui-même. William Edward Jaeger. Pourquoi tant de haine?»

Jones se penche en avant, pose les coudes sur ses genoux. «Parce que je suis vraiment bon quand j'ai la haine. C'est tout. »

Kammler relève la tête pour profiter de la tiédeur du soleil printanier. «Mais j'aimerais tout de même savoir. Ça contribuerait à ce que je t'accorde... toute ma confiance.»

«On peut le dire comme ça», réplique Jones, le front buté, «si vous ne m'aviez pas ordonné de lui laisser la vie sauve, Jaeger serait mort aujourd'hui. Je l'aurais abattu lorsque j'ai enlevé sa femme et son fils. Vous auriez dû me laisser le liquider pendant qu'on avait une chance.»

«C'est possible. Mais je préfère le faire souffrir le plus long-temps possible.» Kammler sourit. «La vengeance est un plat qui se mange froid, comme on dit... Et comme sa famille est entre nos mains, j'ai les moyens à ma disposition pour que cette vengeance soit lente et douloureuse. Pleinement satisfaisante.»

L'homme éclate d'un rire cruel. «Je comprends ça.»

«Alors, j'en reviens à ma question : pourquoi cette haine ?»

Jones se tourne vers Kammler et le fixe d'un regard morne et vide. «Vous voulez vraiment le savoir ?»

«Je t'en prie, cela m'aiderait.» Kammler se tait un instant. «J'ai perdu pratiquement toute confiance dans mes... soutiens d'Europe de l'Est. Ils s'occupaient d'un de mes intérêts sur une petite île au large de Cuba. Il y a quelques semaines, Jaeger et son équipe ont frappé, ils leur ont fait très mal. Ils étaient trois et moi, j'avais trente hommes là-bas. Cela t'explique pourquoi je n'ai plus confiance dans ces gens-là, et pourquoi j'aimerais me tourner plus vers toi.»

«Des amateurs.»

Kammler approuve de la tête. «C'est aussi ma conclusion. Mais cette haine de Jaeger... Pourquoi ?»

Le colosse se replie sur lui-même. «Il y a quelques années, j'étais sur les rangs pour une sélection au sein des SAS. Sur la liste figurait également un officier du nom de William Jaeger, capitaine des Royal Marines. Il m'a vu mettre des suppléments alimentaires dans mon paquetage et a pris sur lui d'imposer sa morale aberrante sur ma conduite personnelle.

«Je survolais les épreuves de la sélection. Personne n'arrivait à ma hauteur. Et puis, on en est venu à l'ultime épreuve. Endurance. Soixante-quatre kilomètres à travers les collines sous une pluie battante. À l'avant-dernier contrôle, des types de l'état-major m'ont conduit à l'écart, ils m'ont retiré mes vêtements et m'ont fouillé. J'ai compris tout de suite que Jaeger m'avait dénoncé.»

«Ça ne justifie peut-être pas toute une vie de ressentiment», remarque Kammler. «C'était quoi ces fameux compléments alimentaires?»

«Des pilules. Le genre de stimulants que prennent les athlètes pour augmenter leur vitesse et leur endurance. Les SAS affirment qu'ils encouragent la pensée non-conventionnelle, qu'ils font une place à ceux qui agissent de manière non-conformiste. C'est du vent, des conneries! Si ça, ce n'était pas agir hors des conventions, alors c'était quoi? Non seulement ils m'ont exclu de la sélection, mais ils ont rédigé un rapport à l'attention de mon unité, si bien que j'ai été renvoyé de l'armée purement et simplement.»

Kammler hoche la tête d'un air entendu. «Tu t'es fait pincer avec des stimulants interdits? Et c'est Jaeger qui t'a dénoncé?»

«C'est vrai. Ce type est un traître, un vrai serpent.» Un silence. «Vous avez déjà cherché à vous faire embaucher quand votre CV mentionne que vous avez été jeté de l'armée pour usage de drogue? Je vais vous avouer un truc: je hais les traîtres, et Jaeger est certainement le plus prétentieux et le plus venimeux de tous.»

«Alors, c'est heureux qu'on se soit rencontrés.» Le regard de Kammler parcourt les allées bordées de cerisiers. «Steve, je crois que je vais te confier un super boulot. En Afrique. Dans le cadre de certains intérêts que je possède là-bas.»

«En Afrique? Où ça? En général, je déteste ce coin.»

«Je gère une réserve d'animaux en Afrique orientale. Le gros gibier, c'est ma passion. Les indigènes abattent mes animaux sauvages à un rythme qui m'affecte beaucoup. Surtout les éléphants, pour l'ivoire. Et les rhinocéros. La corne de rhino vaut plus que de l'or, poids pour poids. Je cherche quelqu'un qui puisse aller sur place et surveiller minutieusement ce qui s'y passe.»

« Le côté minutieux n'est pas vraiment ma spécialité », reprend Jones. Il tend ses mains, massives comme des battoirs, les replie. Ses poings ont la taille de boulets de canon. « Moi, c'est plutôt le coup de poing. Ou mieux, une lame bien affûtée, des pains de plastic et un bon Glock. Tuer pour vivre ; vivre pour tuer. »

« Je suis certain que tu trouveras de quoi t'occuper là où je t'envoie. J'ai besoin d'un espion, d'un homme de main et j'en ai peur, d'un bon assassin, tout ça en un seul homme. Alors, qu'en penses-tu ? »

« Dans ce cas, et si c'est bien payé, je suis votre homme. »

Kammler se lève. Il ne tend pas la main à Jones. En fait, il n'apprécie pas particulièrement le personnage. Il a trop entendu les récits de son père sur les Anglais pendant les années de guerre ; il a le plus grand mal à leur faire confiance. Hitler avait toujours voulu que la Grande-Bretagne se batte aux côtés de l'Allemagne pendant la guerre ; pour conclure un marché une fois que la France aurait été vaincue, et unir leurs forces contre l'ennemi commun : la Russie et le communisme. Mais les Anglais, fanfarons et entêtés comme des mules, avaient refusé.

Sous la conduite aveugle et butée de Churchill, ils avaient refusé de voir où était leur intérêt, et de comprendre que tôt ou tard, la Russie soviétique deviendrait l'ennemie du monde libre. Sans l'obstination des Anglais, et de leurs frères écossais et gallois, le Reich d'Hitler aurait triomphé, et le reste appartiendrait à l'histoire.

Au lieu de cela, soixante-dix ans plus tard, la planète regorge de déviants et de paumés : socialistes, homos, juifs, handicapés, musulmans, étrangers de tout poil. Kammler les hait, les déteste au plus haut point. Pourtant, ces *Untermenschen*, ces sous-hommes, ont réussi à ramper vers les plus hauts échelons de la société.

Il revient de droit à Kammler, et à quelques hommes justes de son calibre, de mettre un terme à cette folie.

Certes, Hank Kammler ne parviendra jamais à faire totalement confiance à un Anglais. Mais il peut se servir de Jones pour ses propres intérêts, et décide pour ce faire de l'appâter un peu plus.

« Si tout se passe bien, tu pourras t'en prendre à Jaeger. Ainsi tu pourras régler définitivement tes comptes avec lui. »

Pour la première fois depuis le début de leur conversation, Steve Jones sourit, mais son regard reste de glace. « Dans ce cas, je signe tout de suite ! »

Kammler s'apprête à partir. La main de Jones l'arrête.

« J'ai une question, si vous le permettez... Pourquoi vous, le haïssez-vous ? »

Kammler fronce les sourcils. « Si tu le permets, c'est moi qui pose les questions, Steve. »

Jones n'est pas homme à se dégonfler facilement. « Je vous ai fait part de mes raisons, il me semble équitable d'entendre les vôtres. »

Kammler affiche un léger sourire. « Si tu tiens à le savoir, je hais Jaeger parce que son grand-père a tué mon père. »

28

Le briefing de Falkenhagen avait été interrompu afin que chacun puisse se restaurer et se reposer. Mais Jaeger ne dormait jamais beaucoup. Au cours des six années passées, il pouvait compter sur les doigts d'une main les nuits où il avait pu jouir de sept bonnes heures de sommeil.

C'était d'autant plus difficile maintenant, car les révélations d'Oncle Joe se bousculaient dans sa tête.

Ils s'assemblèrent de nouveau dans le bunker, et Peter Miles reprit son exposé. «Nous sommes désormais convaincus que l'infection s'était déclenchée à Marburg en 1967 parce que Blome avait tenté d'inoculer le *Gottvirus* à des singes. Nous pensons qu'il avait réussi à faire évoluer le virus jusqu'à ce qu'il soit transmissible dans l'air, d'où l'infection subie par les chercheurs du laboratoire, mais en atteignant ce stade, il en avait réduit grandement sa virulence.

«Nous avons surveillé Blome de très près», continua Miles. «Plusieurs collaborateurs travaillaient à ses côtés, d'anciens Nazis qui l'assistaient déjà du temps du Führer. Mais après l'incident de la "fièvre" de Marburg, ils risquaient d'être découverts. Il leur fallait trouver un endroit isolé où poursuivre le développement de leur cocktail de la mort, un lieu où ils ne seraient jamais découverts.

«Nous avons perdu leur trace pendant dix longues années.» Un silence. «Puis, en 1976, le monde a dû faire face à une nouvelle et terrible menace : Ebola. Un autre virus du type *Filoviridae*. Comme à Marburg, on disait que les premiers porteurs étaient des primates, et qu'il s'était transmis à une autre espèce proche, les hommes. Comme à Marburg, on retraçait son origine en Afrique centrale, près du fleuve Ebola, d'où son nom.»

Les yeux de Miles cherchèrent Jaeger, et s'arrêtèrent sur lui. «Afin d'être certain de la virulence d'un agent pathogène, il faut le tester sur des humains. Nous sommes différents des primates. Un agent qui tuera un singe pourra se révéler inoffensif sur un homme. Nous sommes persuadés que le virus Ebola a été délibérément inoculé par Blome pour un test sur un homme grandeur nature. Son pouvoir de tuer avoisinait les 90 %. Neuf personnes infectées sur dix mouraient. Un taux de mortalité stupéfiant, mais ce n'était pas encore le vrai *Gottvirus*. De toute évidence, Blome et son équipe étaient près du but. Nous étions persuadés qu'ils travaillaient quelque part en Afrique, mais le continent est vaste, et de nombreuses régions sont encore sauvages et inexplorées.» Miles étendit les mains. «Et c'est là que la piste s'est plus ou moins arrêtée.»

«Mais pourquoi n'avez-vous pas interrogé Kammler?», intervint Jaeger. «Attirez-le dans un endroit comme celui-ci et faites-lui avouer ce qu'il sait!»

«Deux raisons pour cela. La première, c'est qu'il s'est hissé à une position de véritable pouvoir au sein de la CIA, comme de nombreux anciens Nazis dans les cercles de l'armée et du renseignement américains. La seconde, c'est que ton grand-père n'avait eu d'autre choix que de l'éliminer. Kammler avait appris qu'il s'intéressait au *Gottvirus*. La chasse était ouverte. Un combat à mort. C'est Kammler qui a perdu, je me réjouis de le dire.»

«C'est donc pour ça qu'ils ont pourchassé mon grand-père à son tour?», insista Jaeger.

«C'est bien pour cette raison», confirma Miles. «Les conclusions officielles pointaient vers un suicide, mais nous avons toujours été convaincus que le général Ted Jaeger avait été assassiné par des éléments loyaux à Kammler.»

Jaeger acquiesça. «Jamais il n'aurait attenté à sa propre vie. Il avait trop de raisons de continuer à vivre.»

Jaeger était encore adolescent lorsque son grand-père avait été retrouvé mort dans sa voiture, un tuyau introduit par la vitre entrouverte. La police avait conclu à un suicide par asphyxie, provoqué par les traumatismes accumulés durant ses années de guerre. Peu de gens, parmi ses proches, avaient cru à cette version.

« Quand tout semble perdu, il est parfois salutaire de suivre la piste de l'argent », poursuivit Miles. « Nous nous sommes attelés à cette piste, et certains indices nous ont en effet conduits directement vers l'Afrique. En dehors du nazisme, l'ancien général SS Kammler cultivait une autre passion, celle de la sauvegarde des animaux sauvages. Depuis quelques années, il avait acheté une immense réserve d'animaux sauvages privée, utilisant pour cela de l'argent pillé par les Nazis durant la guerre.

« Après que ton grand-père eut éliminé le général Kammler, son fils, Hank Kammler, hérita de sa réserve. Nous craignions qu'il ne poursuive les recherches secrètes de son père à partir de cette base. Pendant plusieurs années, nous avons surveillé les activités de la réserve, espérant trouver une trace d'un quelconque laboratoire de biologie caché dans les environs. Mais nous n'avons rien trouvé. Pas la moindre trace suspecte. »

Miles parcourut l'auditoire, et son regard s'arrêta sur Irina Narov. « Puis, nous avons entendu parler d'un mystérieux avion de la Seconde Guerre mondiale cloué au sol en Amazonie. Dès que nous avons pris connaissance du type d'appareil, nous avons compris qu'il s'agissait d'un des vols des Nazis vers leur soi-disant "abri sûr". Irina Narov rejoignit alors votre équipe amazonienne, dans l'espoir que cet avion révèle une nouvelle piste, un indice qui nous aurait ramenés au *Gottvirus*.

« En fait, nous avons découvert un certain nombre de pistes intéressantes. Mais surtout, votre expédition a permis de faire sortir l'ennemi du bois, de l'obliger à se découvrir. Nous sommes persuadés que la force qui vous a pourchassés, et qui vous traque toujours, est placée sous les ordres de Hank Kammler en personne, le fils du général SS Kammler. Il occupe en ce moment le poste de directeur adjoint de la CIA, et nous craignons qu'il n'ait hérité de la mission de son père : ressusciter le *Gottvirus*. »

Miles marqua une pause. « Nous en étions là de nos conclusions il y a quelques semaines encore. Depuis, vous avez libéré Leticia Santos, qui était détenue par des sbires de Kammler, et au cours de ce raid, vous avez mis la main sur leurs ordinateurs. »

Clic. Une photo s'afficha sur un mur du bunker.

Kammler H.
BV222
Katavi
Choma Malaika

« Ces mots ont été repérés dans des mails provenant du gang des kidnappeurs de l'îlot au large de Cuba. Nous avons analysé leurs communications et nous sommes convaincus que ces messages étaient le fruit d'échanges entre le chef du gang, Vladimir, et Hank Kammler lui-même. »

Miles leva la main vers l'image. « Je commencerai avec le troisième mot de la liste. Parmi les documents que vous avez récupérés dans cet appareil en Amazonie figurait la mention d'un vol à destination d'un lieu nommé Katavi. La réserve animalière de Kammler est située près de la frontière occidentale de la Tanzanie, près d'un certain lac Katavi.

« Je pose la question : pourquoi un vol vers un abri sûr de l'époque nazie prévoyait-il d'atterrir près d'un lac ? Examinons maintenant la mention BV222 qui figure sur la liste. Durant la guerre, les Nazis avaient établi un centre de recherche secret sur les hydravions à Travemunde, sur la côte allemande. C'est là qu'ils ont mis au point le BV222 Blohm & Voss, le plus grand appareil de ce type qui ait volé pendant la guerre.

« Voici notre explication. À la fin de la guerre, la Tanzanie avait le statut de colonie britannique. Kammler avait promis aux Britanniques une manne de secrets nazis en échange de son immunité. Ils ont alors autorisé un vol de BV222 à destination d'un abri sûr ultime, le lac Katavi. Le général SS Hans Kammler avait pris place à bord de ce vol, ainsi que son précieux virus, soit congelé, soit sous forme de poudre séchée, bien que cette information ne fasse pas partie des secrets avouables aux Alliés.

«Lorsque les Britanniques ont décolonisé l'Afrique orientale, Kammler a perdu ses parrains, d'où sa décision d'acheter un vaste territoire autour du lac Katavi. C'est là qu'il a établi son laboratoire, un lieu pour développer le *Gottvirus* à l'abri des regards du monde.

«Bien sûr, nous ne possédons pas la preuve formelle que ce laboratoire biologique existe», poursuivit Miles. «S'il existe véritablement, on n'a jamais pu le repérer. Kammler dirige bel et bien une réserve naturelle. Tout y est : des gardes armés pour surveiller les animaux, une équipe en charge de la protection des espèces, un pavillon luxueux pour l'accueil des visiteurs amateurs de safaris, ainsi qu'une piste d'atterrissage pour les touristes. Mais il faut maintenant examiner les deux derniers mots de notre liste. Ils sont précieux.

«Choma Malaika, c'est du swahili, la langue d'Afrique orientale. Ces mots signifient "les Anges de feu". Il se trouve qu'il existe un pic des Anges de feu à l'intérieur de la réserve de Kammler. Il est situé dans la chaîne des monts Mbizi, au sud du lac Katavi. Les monts Mbizi sont couverts de forêts et presque totalement inexplorés.»

Une nouvelle image s'afficha sur le mur. Elle représentait une montagne aux pics en dents de scie dominant la savane. «Bien sûr, la présence de ces mots-clés dans l'échange de correspondance et l'existence d'une montagne du même nom pourrait relever d'une simple coïncidence. Mais ton grand-père m'a appris à ne jamais me fier aux coïncidences.»

Il pointa du doigt en direction de l'image. «Si Kammler a établi un laboratoire pour sa guerre bactériologique, nous sommes convaincus qu'il se cache sous le pic des Anges de feu.»

29

Peter Miles conclut son briefing en lançant une session de brainstorming, afin de mettre à profit l'immense expertise militaire des participants présents.

«Question peut-être idiote», attaqua Lewis Alonzo, «mais quel est le pire scénario compte tenu des circonstances?»

Miles lui jeta un regard interrogateur. «Vous voulez dire un scénario à la Armageddon? Si nous nous trouvons face à un fou?»

Alonzo afficha son grand sourire habituel. «Oui, un vrai cinglé. Complètement givré. Dites-nous le fond de votre pensée.»

«Je crains que nous nous trouvions face à un agent bactériologique qui détruirait toute l'humanité», répondit Miles sombrement. «Mais seulement si Kammler et ses associés ont réussi à le conditionner pour frapper. Ça, c'est le scénario catastrophe : que le virus se répande sur toute la planète, avec des épidémies simultanées, sans que les gouvernements aient le temps de développer un vaccin. On aurait affaire à une pandémie d'une virulence telle que jamais nous n'en avons connue. Un événement qui pourrait changer le monde, et même anéantir toute vie.»

Le silence glacé qui suivit étreignait chacun. «Mais ce que Kammler et ses sbires entendent faire de ce virus, ça, c'est autre chose. Un agent pathogène tel que celui-ci représente une valeur marchande inestimable, ne pensez-vous pas? Le vendraient-ils au plus offrant? Ou s'en serviraient-ils pour faire chanter les dirigeants de la planète? Nous l'ignorons totalement.»

«Il y a quelques années, on a fait des jeux de stratégie militaire sur un certain nombre de scénarios», remarqua Alonzo. «Il y avait toutes les huiles des renseignements américains. Ils ont dressé une liste des trois plus grandes menaces à la sécurité de la planète. En tête de liste, ils ont évoqué l'hypothèse d'une organisation terroriste mettant la main sur une arme de destruction massive parfaitement opérationnelle. Ils pourraient y arriver par trois moyens. Soit ils achètent cette arme à un État-voyou, probablement un pays de l'ancien bloc soviétique à l'économie précaire. Soit ils interceptent une arme chimique au cours de son transport d'un État à un autre, disons du gaz sarin promis à la destruction en Syrie. Ou bien ils acquièrent la technologie nécessaire pour fabriquer leur propre bombe nucléaire ou chimique.»

Il prit Miles à témoin. «Ces types savent de quoi ils parlent, et jamais personne n'a mentionné un enfoiré qui soit assez naze pour vendre une arme bactériologique prête à l'emploi au plus offrant.»

Miles approuva de la tête. «Il y a une bonne raison à cela. Le véritable défi, c'est de pouvoir la livrer. En assumant qu'ils ont perfectionné une version du virus transmise par l'air qu'on respire, rien de plus facile que de monter à bord d'un avion et de secouer son mouchoir imprégné d'une poudre séchée contenant une centaine de millions de virus cristallisés, soit l'équivalent des populations de l'Angleterre et de l'Espagne réunies.

«Une fois que notre homme aura secoué son mouchoir, le système de climatisation de l'appareil fera le reste. Au bout d'une heure, s'il s'agit par exemple d'un Airbus A380, vous vous retrouvez face à cinq cents individus infectés, et le plus beau, c'est que personne ne s'en est aperçu. Ils débarqueront à Heathrow, l'aéroport de Londres. Immense aérogare, noir de monde. Ils monteront à bord des autobus, des trains, du métro, répandant le virus par le simple fait de respirer. Certains passagers en transit rejoindront New York, Rio, Moscou, Tokyo, Sydney ou Berlin. En quarante-huit heures, le virus se sera répandu dans toutes les villes, tous les pays et tous les continents. Et le voilà, M. Alonzo, votre scénario "à la Armageddon"!»

«Combien de temps dure la période d'incubation? Combien de temps avant que les gens ne se rendent compte qu'ils sont malades?»

«C'est un détail que nous ignorons. Mais si le virus s'apparente à Ebola, la période est de vingt et un jours.»

Alonzo émit un sifflement admiratif. «Alors, on est vraiment dans la merde... On n'aurait pas pu fabriquer une plus belle saloperie.»

«En effet, c'est effrayant.» Peter Miles sourit. «Il existe pourtant un petit problème. Souvenez-vous de cet homme qui est monté à bord de l'Airbus A380 avec un mouchoir chargé de cent millions de virus? Il faut qu'il soit sacrément courageux. Car en infectant tous les passagers de l'appareil, il se contamine lui-même.» Un silence. «Mais évidemment, dans certains groupes terroristes, on n'est pas à court de kamikazes, prêts à mourir pour la cause.»

«L'État Islamique; Al-Qaïda; AQUIM; Boko Haram...» Jaeger dressait la liste des candidats potentiels. «On peut continuer longtemps; les fanatiques ne manquent pas.»

Miles acquiesça. «C'est la raison pour laquelle nous craignons que Kammler ne vende son virus au plus offrant. Certains de ces groupes possèdent un trésor de guerre pratiquement illimité, et ils n'ont qu'à claquer des doigts pour qu'un volontaire arrive en courant.»

Une voix féminine intervint. «Moi, je vois un problème avec cette théorie. Quelque chose qui ne colle pas.» Irina Narov. «Personne ne vendra un tel agent bactériologique à quelqu'un sans posséder l'antidote, le vaccin. Sinon, ce serait signer son propre arrêt de mort. Et si vous possédez le vaccin, l'homme qui agite le mouchoir ne risquerait pas la contamination; il survivrait.»

«C'est possible», concéda Miles. «Mais accepteriez-vous de tenir ce rôle? Vous contenteriez-vous de faire confiance au vaccin, qui selon toute probabilité n'aurait été testé que sur des souris, des rats ou des singes? Et où Kammler va-t-il recruter des volontaires humains pour tester son vaccin?»

En faisant allusion à des tests sur des êtres humains, le regard de Miles s'arrêta sur Jaeger, comme s'il était attiré irrésistiblement. Presque de manière coupable. Pourquoi ce sujet des tests sur des humains retenait-il ainsi l'attention du vieil homme? Jaeger ne parvenait pas à répondre à cette question.

C'était un petit événement récurrent qui commençait à l'inquiéter sérieusement.

30

Jaeger décida qu'il reviendrait sur le sujet des tests grandeur nature plus tard. «Bien, allons droit au but», annonça-t-il. «Quels que soient les plans de Kammler concernant le *Gottvirus*, on dirait que c'est dans la réserve de Katavi que nous avons le plus de chances de le coincer, n'est-ce pas?»

«Effectivement, nous sommes parvenus à cette conclusion», confirma Miles.

«Alors, quel est le plan?»

Miles se tourna vers Oncle Joe. «Disons que nous sommes ouverts à toutes les suggestions.»

«Pourquoi ne pas contacter les autorités?», risqua Alonzo. «Et envoyer le commando Six des SEAL pour botter le cul de Kammler?»

Miles étendit les mains. «Certes, nous avons des indices concordants, mais rien qui ressemble à une preuve. De plus, nous ne pouvons faire confiance à personne. Leur force est infiltrée partout, à l'échelon le plus élevé du pouvoir. Bien sûr, l'actuel directeur de la CIA, Dan Brooks, nous a contactés, et lui, c'est un homme intègre. Mais il a exprimé des doutes, y compris vis-à-vis de son propre Président. En bref, nous ne pouvons compter que sur nos propres forces; sur notre propre réseau.»

«Pouvez-vous nous en dire plus sur ce fameux réseau?», s'enquit Jaeger. «Quand vous parlez de "nous", à qui faites-vous référence?»

«Les Chasseurs clandestins», répliqua Miles. «Tels qu'ils ont été formés après la Seconde Guerre mondiale, et qu'ils ont survécu aujourd'hui.» Il tendit le bras vers Oncle Joe. «Malheureusement, le seul membre fondateur qui nous reste, c'est Joe Jaeger. Nous avons beaucoup de chance de le compter parmi nous aujourd'hui. D'autres ont relevé le gant. Irina Narov est de ceux-là.» Il sourit. «Et nous espérons compter six nouvelles recrues dans cette pièce aujourd'hui.»

«Mais qui fournit l'argent? Sur quelle aide comptez-vous? Qui vous soutient en haut lieu?», insista Jaeger.

Peter Miles esquissa une grimace. «Tu as raison de poser la question… Vous avez certainement tous entendu parler de ce train chargé d'or nazi qui vient d'être retrouvé par une équipe de chasseurs de trésors, dissimulé dans les entrailles d'une montagne en Pologne. Eh bien, il existe de nombreux convois ferroviaires semblables, qui proviennent surtout du pillage de la Reichsbank de Berlin.»

«Le fameux trésor d'Hitler?», intervint Jaeger.

«Le trésor du Reich de mille ans. À la fin de la guerre, cela représentait une fortune colossale. Tandis que le chaos s'installait à Berlin, on chargeait les lingots d'or dans des wagons, et les trains étaient dirigés vers des destinations secrètes. Un de ces convois a été repéré par les Chasseurs clandestins. La majeure partie de sa cargaison faisait partie d'un butin volé, mais une fois fondu, l'or devient intraçable. Nous avons décidé qu'il valait mieux le garder pour nous, pour nous constituer un capital, en quelque sorte.» Il haussa les épaules. «Nécessité fait loi, n'est-ce pas?…

«Quant à nos appuis en haut lieu, nous en comptons quelques-uns. À l'origine, les Chasseurs clandestins ont été établis sous l'égide du ministère de l'Économie de guerre. C'est Winston Churchill qui avait créé ce ministère; il avait pour mission de gérer les opérations les plus secrètes en temps de guerre. La paix revenue, il fut théoriquement dissous. En fait, une branche réduite de cadres existe toujours, abritée dans une demeure tout à fait ordinaire de l'époque géorgienne, sur Eaton Square, à Londres. Ce sont eux qui nous protègent. Ils supervisent et soutiennent toutes nos actions.»

«Je croyais que c'était le gouvernement allemand qui vous louait ce complexe?»

«Les gens d'Eaton Square jouissent d'un excellent réseau. Au plus haut niveau, évidemment.»

«Alors, qui représentez-vous réellement?», insistait Jaeger. «Qui sont les Chasseurs clandestins? Combien sont-ils? Combien de cadres? Combien d'opérationnels?»

«Nous sommes tous des volontaires. On nous appelle seulement lorsque c'est nécessaire. Pour vous donner à tous un exemple, les gens chargés des interrogatoires, même leur chef, appartiennent à notre réseau. Nous les appelons et ils jouent leur rôle. Aujourd'hui, ils sont repartis, jusqu'à ce que nous ayons de nouveau besoin de leurs compétences. Jusqu'à ce complexe souterrain: il ne sert que lorsque nous en avons l'utilité. Le reste du temps, il reste en réserve.»

«D'accord, vous pouvez compter sur nous», affirma Jaeger. «Alors, quel est le programme?»

Clic. Un cliché s'afficha sur le mur: une vue aérienne du pic des Anges de feu.

«Choma Malaika, photographie aérienne. Situé dans la réserve animalière de Kammler mais accès totalement interdit. L'endroit est répertorié comme un sanctuaire de reproduction des éléphants et des rhinocéros, où ne sont autorisés que les responsables de la réserve. Les ordres sont de tirer sur tous ceux qui tenteraient de s'y introduire.

«Ce qui nous intéresse en premier lieu, c'est ce qui se cache *sous* la montagne. Il existe un réseau d'immenses cavernes, d'anciennes rivières souterraines, mais élargies dans des périodes plus récentes par l'action des animaux. Apparemment, tous les grands mammifères ont besoin de sel. Les éléphants viennent en chercher dans les cavernes, et l'extraient à l'aide de leurs défenses. Ils ont ainsi creusé d'immenses salles.

«Vous aurez remarqué que la structure géologique principale est une caldera, une dépression issue de l'effondrement d'un ancien volcan. Elle présente une ligne de crête circulaire autour d'un vaste cratère central, là où s'est produite l'explosion du cône central. Une grande partie de la dépression est saturée d'eau en période de pluie et forme ainsi un lac peu profond. Importance cruciale, les grottes s'ouvrent au niveau de l'eau, et toutes se trouvent dans la zone interdite établie par Kammler.»

Le regard de Miles fit le tour de l'assistance. «Nous ne possédons aucune preuve tangible que ces grottes renferment quoi que ce soit de sinistre. Il nous faudrait aller les explorer pour dénicher cette preuve. Et c'est là où vous, vous pouvez intervenir. Après tout, vous êtes des professionnels.»

Jaeger examinait la photo aérienne depuis de longues secondes. «Il semble que la ligne de crête culmine vers huit cents mètres. Il faudrait donc effectuer un saut de haute altitude avec ouverture à basse altitude à l'intérieur même du cratère, en descendant près des pentes pour éviter d'être repérés. À l'atterrissage, on se replie discrètement vers l'entrée des grottes… Le problème, c'est qu'il faudra rester invisible une fois à pied d'œuvre. Ils doivent avoir disposé des détecteurs de mouvement à l'entrée des grottes. Si j'étais responsable de la sécurité, j'aurais aussi placé des caméras de surveillance, des caméras infrarouges, des projecteurs, des fusées éclairantes, la totale. Voilà le hic : il n'y a qu'une seule entrée dans ces grottes, ce qui rend sa surveillance facile.»

«Alors, c'est tout simple», intervint une voix. «On entre dans les grottes en sachant qu'on sera détectés. On accepte de se prendre dans la toile d'araignée. Au moins, ça risque de nous révéler ce qu'ils font là-dedans.»

Jaeger se tourna vers l'intervenante. Narov. «Super. Un problème : comment ressortira-t-on ?»

Narov eut un petit mouvement de tête dédaigneux. «Eh bien, on se battra. On y va lourdement armés. Dès qu'on a trouvé ce que l'on cherche, on tire sur tout ce qui bouge.»

«Ou bien on succombe sous les balles ennemies.» Jaeger secoua la tête. «Désolé. Il doit y avoir une meilleure façon…»

Il continua de fixer Irina Narov, un demi-sourire moqueur aux lèvres.

«Vous savez quoi? Je viens juste de penser à une solution à notre problème. Et vous savez quoi, encore? Je suis sûr que vous allez adorer!»

31

«Il s'agit d'une vraie réserve animalière, n'est-ce pas?», s'enquit Jaeger. «Avec safaris dans la brousse, bungalows pour les touristes, et tout le nécessaire?»

Peter Miles approuva de la tête. «Hébergement de première classe. Le Katavi Lodge, un établissement cinq étoiles.»

«Bon. Alors, disons que vous avez réservé un pavillon dans le lodge, mais que les choses ne se passent pas vraiment comme prévu… Sur la piste qui mène au lodge, vous décidez d'escalader le pic des Anges de feu, simplement parce que vous en avez envie. La cime de la chaîne est en dehors de la zone interdite, d'accord?»

«C'est vrai», confirma Miles.

«Vous êtes en route vers le lodge quand vous découvrez ce pic incroyable. Vous avez un peu de temps devant vous et vous vous dites "pourquoi pas?" La montée est plutôt raide, mais quand vous atteignez le sommet, vous découvrez un à-pic rocheux qui descend jusqu'au cratère. Vous devinez l'entrée d'une caverne, sombre, mystérieuse, attirante. Bien sûr, vous ignorez qu'elle se trouve en zone formellement interdite. Alors, qu'est-ce que vous faites? Vous décidez de descendre en rappel et d'aller y jeter un coup d'œil. Voilà comment on va pénétrer dans ces grottes, et au moins, on aura une bonne histoire à raconter.»

«Alors, que demander de plus?», intervint Narov.

«Souviens-toi, tu as décidé de ne pas être raisonnable. C'est la clé. Quel genre de personnes ne sont pas raisonnables? Sûrement pas une bande de durs à cuire expérimentés comme nous?» Jaeger secoua la tête. «Des jeunes mariés! Un jeune couple plein aux as, voilà le genre de personnes qui peuvent s'offrir une lune de miel dans un lodge cinq étoiles!»

Les yeux de Jaeger allaient de Narov à James, puis de nouveau à Narov.

«Je vous vois bien tous les deux. M. et Mme Bert Groves, au portefeuille bourré de cash, et dont le cerveau est altéré par l'amour!»

Narov écarquillait les yeux devant la silhouette massive et barbue de Joe James. «Moi, aux côtés de... lui? Mais pourquoi nous deux?»

«Toi, parce qu'aucun d'autre parmi nous ne se voit partir en lune de miel avec un autre homme», répondit Jaeger. «Et James, parce qu'une fois qu'il aura rasé sa barbe et coupé ses cheveux, il fera un mari tout à fait convenable.»

James secoua la tête en souriant. «Et toi, que comptes-tu faire lorsque la belle Irina et moi chevaucherons de concert vers un merveilleux coucher de soleil africain?»

«Je serai juste derrière vous», répliqua Jaeger. «Avec les armes et tout le matos.»

James gratta sa barbe imposante. «J'ai un problème, à part celui de raser tout ça... Peut-on me faire confiance pour ne pas poser mes pattes sur Irina? Enfin, je suis un homme et...»

«Ferme-la, Oussama Ben Lourdingue!», coupa Irina Narov. «Je suis assez grande pour me défendre.»

James haussa les épaules, bon enfant. «Non, sérieusement, il y a un os. Kamishi, Alonzo et moi, on n'est pas très en forme, rappelle-toi. On a chopé la leishmaniose cutanée; on doit éviter les activités stressantes. Et d'après ce que je vois, ça risque d'être physique comme mission.»

James ne plaisantait pas à propos de cette maladie. Vers la fin de leur expédition en Amazonie, Alonzo, Kamishi et lui avaient passé plusieurs semaines isolés dans la jungle. Au cours de leur retour mouvementé, ils s'étaient fait dévorer par des puces de mer, les chiques, des insectes tropicaux pas plus gros que des têtes d'épingle.

Les parasites avaient déposé leurs larves sous la peau des trois hommes, et celles-ci se nourrissaient de leur chair. Les piqûres s'étaient transformées en gros boutons purulents. Le seul traitement consiste en une série d'injections de Pentostam, un médicament toxique dangereux. Chaque injection donne l'impression de recevoir une dose d'acide dans les veines. Le Pentostam est tellement nocif qu'il affaiblit les systèmes circulatoire et respiratoire, d'où l'interdiction de faire des efforts trop prononcés.

«Il reste Raff», risqua Jaeger.

James secoua la tête. «Avec tout le respect que je te dois, Raff n'acceptera jamais. Désolé, mon pote, mais il y a les tatouages, et puis les cheveux. Personne n'y croirait. Si bien qu'il ne reste… que toi.»

Jaeger lança un regard en direction d'Irina. Elle ne semblait pas le moins du monde perturbée par cette proposition. Jaeger n'était pas vraiment surpris. Elle avait toujours donné l'impression d'être dénuée de la sensibilité que possèdent la plupart des gens et qui leur permet d'interagir de manière adéquate, surtout face au sexe opposé.

«Mais qu'est-ce qui se passera si les hommes de Kammler nous reconnaissent? Je suis certain qu'ils possèdent des photos de moi, au moins», objecta Jaeger. C'est d'ailleurs la raison pour laquelle il ne s'était pas proposé pour faire équipe avec Narov sur cette mission.

«Il y a deux options…» Peter Miles avait repris la parole. «Et si vous me permettez, je trouve que c'est une idée remarquable. Vous porterez un déguisement. L'option extrême, ce serait la chirurgie esthétique. L'option la moins radicale consisterait à transformer votre apparence autant que possible sans recourir au bistouri. Selon l'option choisie, nous avons sous la main les personnes qu'il vous faut.»

«Des chirurgiens esthétiques?», s'enquit Jaeger, incrédule.

«Ce n'est pas vraiment inhabituel. Irina Narov a déjà subi deux interventions. Chaque fois, nous soupçonnions que les gens qu'elle traquait connaissaient sa physionomie. En fait les Chasseurs clandestins ont souvent eu recours à de tels procédés.»

Jaeger leva les mains. «D'accord. Mais écoutez, si on pouvait juste éviter le petit lifting et de se faire refaire le nez…»

«Pas de problème. Dans ce cas, tu seras blond», annonça Miles. «Et pour équilibrer les choses, ton épouse se transformera en une ravissante brunette.»

«Et pourquoi pas en une rouquine provocante?», suggéra James. «Ce serait plus adapté à son tempérament.»

«La ferme, Oussama», siffla Narov.

«Non… Un grand blond et une brune.» Peter Miles souriait. «Croyez-moi, vous serez tout simplement parfaits.»

Une fois le plan adopté, le briefing s'acheva. Tous étaient exténués. Le confinement à des dizaines de mètres sous terre rendait Jaeger étrangement nerveux et irritable. Il rêvait d'aller respirer un peu d'air pur et de sentir le soleil sur sa peau.

Mais il lui fallait encore accomplir une formalité. Il s'attarda dans la salle de réunion après tout le monde avant de s'approcher de Peter Miles, qui s'affairait autour de son ordinateur portable.

«Ce serait possible d'avoir une petite conversation en privé?»

«Évidemment, jeune homme.» Le vieux Miles balaya la pièce du regard. «Ils sont tous partis, je crois.»

«Je suis curieux, tout simplement», commença Jaeger. «Pourquoi insistez-vous autant sur les tests sur des êtres humains? Comme si vous pensiez que ça me concerne personnellement?»

«Ah, c'est ça?… Je ne suis pas très doué quand il s'agit de cacher quelque chose, surtout quand cette chose me préoccupe…» Miles redémarra son ordinateur portable. «Laisse-moi te montrer ceci.»

Il ouvrit un dossier et cliqua sur une image. On y voyait un homme au crâne rasé, en pyjama rayé, effondré au pied d'un mur en carrelage blanc. Ses yeux étaient fermés, son front plissé, et sa bouche ouverte dans un cri muet.

Miles regarda Jaeger. «La chambre à gaz de Natzweiler. Comme pour le reste, les Nazis gardaient une trace de leurs expériences avec les gaz mortels, une trace très détaillée. Il existe quatre mille photos semblables à celle-ci. Certaines sont encore beaucoup plus effrayantes, parce qu'elles documentent les tests effectués sur des femmes ou des enfants.»

Jaeger pressentait que Miles avait des choses désagréables à lui dire.

«Allez-y. Soyez franc. J'ai besoin de savoir.»

Le vieil homme pâlissait. «Je n'aime pas avoir à dire ces choses. Et souviens-toi qu'il ne s'agit que de suppositions… Mais Hank Kammler détient ta femme et ton fils. Prisonniers. Lui ou ses acolytes t'ont fait parvenir la preuve qu'ils sont toujours vivants; ou du moins qu'ils l'étaient encore il n'y a pas si longtemps.»

Quelques semaines plus tôt, Jaeger avait reçu un mail, avec un document joint. En ouvrant celui-ci, il avait découvert la photo de Ruth et de Luke, à genoux et tenant la première page d'un journal: la preuve qu'ils étaient toujours en vie à cette date. Cela faisait partie d'une mise en scène pour prolonger la torture de Jaeger et le briser.

«Et moi, j'ai réfléchi; je me suis dit qu'il détenait ta famille, et qu'un jour il aurait besoin de tester son *Gottvirus* sur des humains, s'il voulait prouver réellement…»

Les derniers mots du vieil homme se perdirent dans l'écho de la grande salle vide. Son regard reflétait une sombre douleur. Inutile d'en dire plus. Jaeger comprenait parfaitement.

Miles observait Jaeger. «Pardon. Encore une fois, je suis désolé de t'avoir imposé toutes ces épreuves. L'interrogatoire…»

Jaeger ne releva pas. C'était le cadet de ses soucis, dorénavant.

32

Jaeger donna une impulsion avec ses bottes pour s'élancer dans l'espace et laisser jouer la gravité. La corde se dévida en sifflant à travers l'assureur-descendeur tandis qu'il plongeait en rappel vers le fond du cratère qui se rapprochait rapidement.

Une quinzaine de mètres plus bas, Narov s'accrochait à son matériel : un mousqueton rattaché à un piton plat enfoncé dans une fissure dans la paroi. Elle était parfaitement installée, attendant que Jaeger la rejoigne, avant de reprendre sa descente en rappel.

La paroi était pratiquement verticale sur une hauteur de quelque huit cents mètres, formant la face intérieure du cratère du pic des Anges de feu. Il fallait accomplir environ quatorze descentes en rappel à l'aide d'une corde de soixante mètres, la longueur maximum qui puisse se transporter facilement.

C'était déjà toute une expédition.

Trois jours plus tôt, Jaeger était resté cloué sur sa chaise, incapable d'émerger du silence. Le briefing de Peter Miles n'avait laissé aucune place à l'imagination. Il ne s'agissait plus maintenant seulement de Ruth et de Luke. L'avenir de l'humanité était en jeu.

Pour leur «lune de miel», Irina Narov et lui avaient pris un vol direct en classe club jusqu'à l'aéroport international le plus proche, avant de louer un 4x4 et de prendre la piste vers l'Ouest africain sous un soleil de plomb. À l'issue d'un voyage de dix-huit heures, ils étaient arrivés au pic des Anges de feu, avaient verrouillé le 4x4 et entamé leur escalade mémorable.

Les bottes de Jaeger heurtèrent de nouveau la paroi rocheuse, et il donna une impulsion pour s'écarter de la face abrupte. Mais de gros rocs se détachèrent alors et entamèrent leur chute exactement à l'aplomb de Narov, qui l'attendait plus bas.

« Chute de pierres ! », cria Jaeger. « Attention en dessous ! »

Narov n'eut même pas le temps de lever les yeux. Jaeger la vit agripper la paroi à mains nues et se coller le plus étroitement possible au rocher, le visage plaqué contre la pierre brûlante. Vue de haut, elle avait l'air minuscule et fragile, comme perdue dans cet immense cratère ; Jaeger retint son souffle tandis que la mini-avalanche pleuvait sur elle.

Au dernier moment, les rochers heurtèrent une étroite corniche à moins d'un mètre au-dessus d'elle, ricochant dans le vide et chutant à quelques centimètres de sa tête.

Elle s'en tirait bien. Si un seul de ces rocs l'avait touchée, c'était la fracture du crâne assurée ; Jaeger n'aurait pas été en mesure de l'amener assez rapidement vers un hôpital...

Il laissa la corde de son descendeur se dérouler en sifflant et stoppa brusquement à sa hauteur.

Elle lui lança un regard qui en disait long. « On risque suffisamment sa peau ici sans que tu t'y mettes à ton tour ! » Elle n'avait pas souffert. Même pas ébranlée par l'incident.

Jaeger accrocha un mousqueton au piton, se défit de sa corde et la tendit à Irina. « À toi de jouer. Ah, méfie-toi de certains rochers, certains sont plutôt instables... »

Comme il s'en était déjà aperçu plus d'une fois, Narov n'appréciait pas vraiment son sens de l'humour. La plupart du temps, elle l'ignorait, ce qui ajoutait à l'humour de la situation, généralement.

Elle maugréa. « *Schwachkopf !* »

Durant leur expédition épique en Amazonie, cette expression allemande était devenue son leitmotiv : *idiot !* Il supposait qu'elle l'avait adoptée lors de son passage chez les Chasseurs clandestins.

Narov se prépara à la prochaine étape de la descente en rappel. Jaeger en profita pour balayer du regard le fond nimbé de brume du cratère qui s'étendait vers l'ouest. Il repéra la vaste ouverture en arche qui s'ouvrait dans la paroi rocheuse du cratère. Cette immense grotte permettait au trop-plein du lac de s'écouler vers l'ouest pendant la saison des pluies, une période durant laquelle le lac lui-même recouvrait la majeure partie du cratère.

C'est ce qui rendait ce lieu particulièrement dangereux.

Le lac Tanganyika, la plus longue étendue d'eau douce de la planète, s'étend vers le nord sur plusieurs centaines de kilomètres à partir d'ici. Sa situation isolée et le fait qu'il remonte à quelque vingt millions d'années ont permis à cet écosystème unique d'évoluer à l'abri des grands bouleversements de la Terre. On trouve dans ses eaux des crocodiles géants, de gros crabes et des hippopotames impressionnants. Les forêts luxuriantes qui bordent le lac abritent des troupeaux d'éléphants sauvages. À l'approche de la saison des pluies, une grande partie de cette faune sauvage quitte les rives du lac pour rejoindre le cratère des Anges de feu.

Entre Jaeger et l'imposante entrée de la grotte s'étendait un des principaux points d'eau de la caldera. Il était presque invisible d'en haut, à cause de l'épaisse couverture végétale. Mais on l'entendait distinctement. Les hippopotames aspiraient l'eau, soufflaient et mugissaient, le museau humant l'air humide et brûlant.

Une centaine d'animaux étaient réunis là-bas, s'ébattant dans un immense et délicieux bain de boue. Le soleil africain écrasait et asséchait peu à peu le point d'eau, si bien que les hippopotames étaient obligés de converger vers les mares ; au fur et à mesure que celles-ci se raréfiaient, la tension montait au sein des animaux.

Sans aucun doute, il fallait passer le plus loin possible de ces marigots, et éviter les filets d'eau qui les reliaient entre eux : ils grouillaient de crocodiles, et après la rencontre de Jaeger et de Narov avec un de leurs plus coriaces représentants en Amazonie, il valait mieux ne pas tenter le diable.

Ils devraient absolument rester en terrain sec partout où c'était possible.

Mais là aussi, il faudrait compter avec d'autres dangers, toujours présents.

Vingt minutes après l'incident de l'éboulis, les bottes de randonnée de Jaeger atterrirent sur le sol volcanique du fond du cratère. Il se balança un moment au bout de la corde avant de reprendre l'équilibre sur la terre ferme, riche et noire.

Pour être franc, ils auraient dû choisir une corde statique, sans élasticité, pour cette série interminable de descentes en rappel. Mais il n'est pas recommandé de pratiquer l'escalade avec un tel matériel statique, à cause des chutes potentielles. L'élasticité de la corde sert à amortir la chute, comme lors d'un saut à l'élastique.

Mais une chute reste néanmoins dangereuse, et peut entraîner des blessures.

Jaeger se défit de son équipement et tira sur la corde pour la libérer du dernier point d'ancrage de sa descente en rappel. Elle tomba à ses pieds en sifflant. Puis, il s'en saisit à la moitié de sa longueur et entreprit de l'enrouler avant de la passer par-dessus l'épaule. Il prit un moment pour repérer le chemin à suivre. Il se croyait sur une autre planète : le terrain était radicalement différent de celui qu'ils avaient rencontré pour l'ascension.

En abordant leur progression le long des pentes extérieures du pic, le sol était remarquablement friable et périlleux. Les pluies saisonnières les avaient effritées peu à peu et précipitées dans des ravins profonds aux allures de pierriers.

L'ascension vers le sommet s'était révélée une succession d'efforts pénibles sous un soleil impitoyable. Plusieurs fois, ils s'étaient retrouvés au fond de crevasses où ils avaient du mal à s'orienter, sans voir le paysage et privés de repères. Il était parfois impossible de progresser sur cette surface caillouteuse et sèche, où l'on patinait à chaque pas, quand on ne redescendait pas deux mètres en arrière.

Une seule pensée forçait Jaeger à se dépasser : celle de Ruth et de Luke, prisonniers des galeries souterraines, sous la menace du destin terrible que Miles avait évoqué. Cette conversation remontait à quelques jours, mais il n'arrivait pas à chasser de son esprit l'image, l'horrible apparition.

S'il existait vraiment un laboratoire secret de guerre bactériologique enfoui sous cette montagne, et si la famille de Jaeger était enfermée dans des cages dans l'attente de la mise au point finale de l'arme mortelle absolue, il faudrait un raid de l'équipe des Chasseurs clandestins au complet pour le neutraliser. La mission qu'ils avaient entreprise aujourd'hui tentait simplement de prouver l'existence d'un tel laboratoire, par tous les moyens.

Pour l'instant, ils étaient séparés du reste de l'équipe, Raff, James, Kamishi, Alonzo et Dale, qui étaient restés à Falkenhagen pour les préparatifs de l'assaut. Ils devaient étudier toutes les options à leur disposition, réunir les armes et les équipements nécessaires.

Certes, Jaeger se sentait poussé par la perspective de retrouver sa femme et son fils, et celle de neutraliser définitivement Kammler, mais en même temps, il savait combien il était vital de bien se préparer pour ce qui les attendait. S'ils échouaient, ils succomberaient dès la première bataille, avant qu'ils n'aient la moindre chance de remporter la guerre ultime.

Durant ses années au sein des forces spéciales, une de ses maximes favorites consistait en une phrase : le succès d'une mission dépend de sa préparation. En d'autres termes : le manque de préparation conduit inéluctablement à l'échec. L'équipe en réserve à Falkenhagen avait pour objectif de s'assurer qu'une fois le laboratoire biologique de Kammler découvert, le raid sur celui-ci ne pouvait que réussir.

Pour Jaeger, l'arrivée la veille au soir au sommet du pic surmontant le cratère avait été un soulagement. Un pas de plus.

Un pas qui les rapprochait de la sombre vérité. De part et d'autre s'étendait la ligne de crête acérée, tout ce qui restait du volcan bouillonnant de lave et de feu, devenu cet arc de roche grise, affûté comme un rasoir, cuit par le soleil et balayé par le vent.

Ils avaient établi leur camp pour la nuit, non pas sur la crête elle-même, mais sur une corniche rocheuse, à une dizaine de mètres en dessous. Ils étaient parvenus sur cette étroite bande de roc dur et froid par une courte descente en rappel. Ils seraient ainsi à l'abri d'une attaque d'animaux sauvages. Ce n'étaient pas les prédateurs qui manquaient dans l'antre choisi par Hank Kammler. En plus des animaux qu'il fallait redouter, lions, léopards et hyènes, il fallait compter avec les énormes buffles du Cap et surtout les hippopotames, qui tuaient plus de gens chaque année que tous les carnivores.

Puissant, défendant son territoire, incroyablement agile malgré sa taille impressionnante, très protecteur envers sa progéniture, l'hippopotame est l'animal le plus dangereux en Afrique. Et les dernières étendues d'eau avant la saison sèche les attiraient en grand nombre dans la région, stressés et rendus nerveux par leur promiscuité même.

Si l'on place trop de rats dans une même cage, ils finissent par s'entredévorer. Trop d'hippopotames dans un marigot, c'est l'assurance d'une mêlée sanglante et générale.

Et si par hasard vous vous retrouviez au cœur d'une telle empoignade de poids lourds, vous vous retrouviez transformé rapidement en une purée sanglante sous les énormes pattes des hippos lancés à pleine charge.

Le réveil sur la mince corniche avait été un émerveillement à couper le souffle pour Jaeger : tout le fond de la caldera était recouvert comme par une écharpe blanchâtre. Lorsque les premiers rayons du soleil étaient parvenus à l'effleurer, la brume s'était transformée en une mer rose étincelante ; on avait l'impression de pouvoir marcher dessus comme sur un tapis de neige fraîche et rejoindre ainsi l'autre bord du cratère.

En fait, il s'agissait d'un phénomène naturel créé par la forêt qui tapissait le fond de la caldera. Maintenant qu'il avait pris pied dans ce nouvel environnement, le spectacle, auquel se mêlaient les sons et les odeurs, laissait Jaeger sans voix.

Une fois la corde enroulée et passée sur les épaules, Jaeger et Narov se mirent en route. Mais leur arrivée avait déjà semé l'alarme aux alentours. Une nuée de flamants roses du marigot le plus proche s'éleva dans les airs comme un gigantesque tapis volant rose, et leurs cris aigus, leurs caquètements, se répercutaient sans fin sur les parois du cratère. Le spectacle était extraordinaire, car on comptait des milliers d'oiseaux, qui s'assemblaient traditionnellement ici pour profiter des riches dépôts minéraux dans les eaux volcaniques du lac.

Çà et là, Jaeger et Narov repéraient un geyser, projetant un jet d'eau chaude et fumante à plusieurs mètres dans les airs. Jaeger prit une minute pour vérifier leur direction, puis fit signe à Narov de le suivre.

Ils se déplaçaient silencieusement dans un paysage extraterrestre, indiquant parfois d'un geste le chemin à suivre. Instinctivement, ils comprenaient chacun le silence de l'autre. Le paysage étrange leur coupait le souffle ; ils se sentaient en fait au cœur d'un monde perdu, comme s'ils étaient les premiers à en fouler le sol.

D'où leur désir de ne pas prononcer un mot, anxieux de se fondre dans le paysage pour ne pas risquer d'éveiller l'intérêt d'un prédateur potentiel.

34

Les bottes de randonnée de Jaeger s'enfoncèrent dans une croûte de boue cuite par le soleil.

Il marqua une pause devant l'eau transparente du marigot qui s'étalait devant lui. Pas assez profond pour abriter un crocodile. On était tenté de la boire, cette eau, quand on avait progressé sous un soleil brûlant, la gorge desséchée comme du papier de verre. Mais en y plongeant le doigt et en le portant à sa bouche, Jaeger confirma ce qu'il avait pensé immédiatement. *Cette eau pourrait te tuer.*

Remontée des profondeurs de la terre et chauffée presque à ébullition par le magma, on pouvait à peine la toucher sans se brûler. Mais surtout, elle était si salée qu'on ne pouvait l'avaler.

Le fond du cratère comptait une multitude de ces sources fumantes et volcaniques, où bouillonnaient des gaz toxiques. Là où le soleil avait évaporé l'eau, il restait une fine couche de sel cristallisé sur les bords, ce qui donnait l'impression que ces terres, pourtant si proches de l'équateur, étaient recouvertes de givre.

Il se tourna vers Narov. «De l'eau saline», avertit-il à voix basse. «Imbuvable. Mais on devrait trouver de l'eau potable à l'intérieur des grottes.» Il faisait une chaleur insoutenable. Il fallait boire à tout prix.

Elle approuva de la tête. «Allons-y.»

Lorsque Jaeger entra dans l'eau chaude et saumâtre, la croûte blanche craqua sous la semelle de ses bottes couvertes de boue. Ils s'apprêtaient à pénétrer dans un bosquet de baobabs, les arbres préférés de Jaeger. Leurs troncs lisses, massifs et trapus, affichaient des nuances du gris à l'argenté, qui rappelaient les flancs d'un grand éléphant mâle.

Il se dirigea vers le premier, au tronc si majestueux que si tous les membres de son équipe réunis s'étaient donné la main, ils ne seraient pas parvenus à en faire le tour. Enflé démesurément à la base, il s'élevait ensuite comme une statue aux bras bulbeux jusqu'à la cime, chacun pointant ses maigres branches comme des doigts noueux agrippant l'air.

Jaeger avait croisé son premier baobab quelques années auparavant, dans des circonstances vraiment mémorables. Sur la route du safari qu'ils avaient décidé de tenter avec Ruth et Luke, ils s'étaient arrêtés dans la province du Limpopo en Afrique du Sud, pour admirer l'immense baobab de Sunland, célèbre pour son grand âge, plus de mille ans, et la circonférence de son tronc, plus de quarante mètres.

Les baobabs commencent à s'évider naturellement dès qu'ils atteignent quelques centaines d'années. L'intérieur du tronc du baobab de Sunland était si vaste qu'on l'avait aménagé en café pour touristes. Jaeger, Ruth et Luke s'étaient assis dans cet antre, et avaient siroté du lait de coco avec des pailles ; ils s'étaient pris pour une famille de Hobbits.

Jaeger avait fini par poursuivre Luke autour du bar, adoptant la voix et la phrase immortelle de Gollum : *Mon précieux ! Mon précieux !* Ruth avait même prêté son alliance pour ajouter une touche d'authenticité à la scène. Un moment magique, infiniment drôle, et en y repensant, infiniment déchirant pour Jaeger.

Ils se retrouvaient aujourd'hui entourés de baobabs qui montaient la garde autour de l'entrée noire et béante de la tanière de Kammler, son royaume au fond de la montagne.

Jaeger croyait aux signes du destin. Les baobabs n'étaient pas là par hasard. Ils voulaient lui dire quelque chose : *tu es sur la bonne voie.*

Il s'agenouilla devant une dizaine de cosses tombées des arbres. Chacune était d'un jaune pâle et ressemblait à un œuf de dinosaure à moitié enfoui dans la poussière.

«Dans cette région, on l'appelle l'arbre à l'envers», souffla-t-il à Narov. «Comme s'il avait été déraciné par une main de géant et replongé à l'envers dans la terre.» Il connaissait cette légende depuis qu'il avait participé à des opérations commando en Afrique; c'est à cette époque qu'il avait appris quelques rudiments de la langue locale. «Ce fruit est riche en antioxydants, en vitamine C, en potassium et en calcium: ça en fait le fruit le plus nourrissant sur cette planète. Aucun autre n'est aussi riche.»

Il préleva plusieurs cosses qu'il déposa dans son sac à dos, et invita Irina à faire de même. Certes, ils avaient emporté des rations, mais il avait appris sous l'uniforme à ne jamais passer à côté d'une opportunité: les aliments frais apportent un complément non négligeable aux aliments déshydratés en sachets. Les rations sont idéales pour la longévité et le poids. Elles n'aident pas au bon travail des intestins.

Un craquement subit se répercuta dans le bosquet de baobabs. Jaeger fut immédiatement aux aguets. Narov était également sur le qui-vive, fouillant les broussailles du regard, le nez au vent.

Un nouveau craquement retentit. Il semblait provenir d'un bosquet proche constitué d'arbres malodorants, ainsi appelés à cause de l'odeur désagréable qui se dégageait lorsqu'une de leurs branches était brisée ou coupée. Jaeger reconnut ce son: c'était celui d'un troupeau d'éléphants en marche, se nourrissant en chemin, arrachant des filaments d'écorce et des branches feuillues, particulièrement savoureuses.

Il s'attendait à croiser des éléphants dans ce genre de paysage. Les grottes avaient été élargies en grande partie par l'action des troupeaux au fil des siècles. Impossible de déterminer si c'était pour la fraîcheur de l'ombre ou pour le sel qu'ils s'y étaient aventurés pour la première fois. Le fait est qu'ils avaient adopté l'habitude de passer des journées entières dans ces abris souterrains, sommeillant debout sur leurs pattes ou défonçant un peu plus les parois à l'aide de leurs puissantes défenses. Ils déblayaient les débris de rocher à l'aide de leur trompe, avant de les broyer entre leurs molaires pour en extraire le sel prisonnier des anciens sédiments.

Jaeger pensait que le troupeau qu'ils avaient entendu se dirigeait en ce moment vers l'entrée de la grotte ; Narov et lui devaient donc tâcher d'y parvenir avant eux.

Leurs regards se croisèrent. « On y va ! »

À grands pas sur le sol brûlant, ils traversèrent la dernière étendue d'herbes hautes au pied de la gigantesque paroi rocheuse du cratère, et rejoignirent l'ombre bienfaisante. L'entrée de l'immense grotte aux contours irréguliers béait devant eux ; elle devait faire une vingtaine de mètres de large, peut-être plus. Ils s'y engouffrèrent immédiatement, sentant le troupeau d'éléphants se rapprocher.

Jaeger se réserva un moment pour observer la disposition des lieux. Le meilleur endroit où placer un capteur de mouvement, c'était à l'étranglement que constituait l'entrée, mais il serait pratiquement inutile sans l'aide de caméras.

On trouve de nombreux types de capteurs de mouvement, mais le plus simple possède la taille et la forme d'une cartouche de fusil. Dans l'armée britannique, on utilise des kits composés de huit capteurs, et d'un émetteur-récepteur ressemblant à un transistor. On enterre les capteurs sous une mince couche de terre ; ils enregistrent ainsi toute activité sismique dans un rayon de vingt mètres et transmettent un signal au récepteur.

L'entrée de la grotte s'étendant sur une vingtaine de mètres, un kit de huit capteurs couvrirait toute la zone. Mais en raison des allées et venues incessantes d'un grand nombre d'animaux sauvages, l'utilisation d'une caméra s'imposait pour les personnes chargées de la surveillance, afin de déterminer si l'on avait affaire à des éléments hostiles ou à des éléphants en quête de sel.

Un capteur enterré étant pratiquement impossible à déceler, Jaeger se concentrait sur la recherche de caméras, ainsi que de câbles suspects. L'absence de ces signes ne signifiait pas qu'aucun dispositif n'était en place. Au cours de ses années dans les commandos, il était tombé sur des caméras maquillées en rocher, ou en crottes de chien, pour ne citer que quelques exemples.

Narov et Jaeger pénétrèrent plus avant dans la grotte qui se transforma bientôt en un édifice immense qui évoquait une cathédrale. Ils avaient quitté la pleine lumière et évoluaient maintenant dans la pénombre avant de se risquer dans l'obscurité totale des entrailles de la montagne. Ils tirèrent leurs lampes Petzl de leurs sacs à dos. Inutile d'utiliser leurs lunettes de vision nocturne vu les circonstances. Cette technologie repose sur l'utilisation de la lumière ambiante, celle de la lune et des étoiles, pour une bonne vision dans l'obscurité.

Là où ils allaient s'aventurer, ils ne pouvaient compter sur aucune lumière naturelle.

C'était le noir complet.

Ils auraient pu se servir d'un kit d'imagerie thermique, mais celui-ci était lourd et encombrant ; ils avaient besoin de se déplacer rapidement et libres de leurs mouvements. Et au cas où ils se feraient prendre, ils ne voulaient pas être en possession de quelque chose qui les distingue d'un couple de touristes aventureux et trop zélés.

Jaeger installa la Petzl autour de sa tête et tourna le verre de la lentille de sa main gantée. Un faisceau bleuté jaillit des deux ampoules jumelles au xénon de la torche, et balaya les parois de la caverne comme un laser, repérant sur le sol une couche de crottin desséché ; il se baissa pour l'étudier.

Le sol tout entier était recouvert d'excréments d'éléphants, parsemés de roc réduit en poudre. Le témoignage de la force brutale des animaux. Ils étaient capables de s'attaquer à des roches millénaires et de les réduire en poussière.

Le troupeau se rapprochait dangereusement derrière eux ; il entrait bruyamment dans la grotte.

Jaeger et Narov étaient pris au piège.

35

Jaeger vérifia d'une main la présence d'une bosse anguleuse au niveau de sa ceinture. Ils avaient longuement débattu de la nécessité de partir avec une arme, et dans l'affirmative, laquelle.

D'un côté, le port d'une arme ne cadrait pas avec l'image d'un couple en voyage de noces. D'un autre côté, descendre en rappel dans un endroit dangereux tel que celui-ci sans aucune protection relevait du suicide.

Ils avaient admis au bout de la discussion animée que renoncer à un moyen de défense paraîtrait tout aussi incongru. On était en Afrique, pays des animaux sauvages, où la menace est de tous les instants. Personne ne s'aventurait dans ce milieu sans protection.

Finalement, ils avaient opté pour un P228 accompagné de deux ou trois chargeurs. Pas de silencieux, ceux-ci étant l'apanage des tueurs professionnels et des assassins.

La sensation du pistolet contre ses reins était rassurante. Jaeger regarda Narov. Elle avait aussi vérifié son arme. Ils avaient beau jouer les jeunes mariés, il y avait des habitudes difficiles à perdre. Des années durant, ils avaient vécu en osmose avec des armes à feu, ils ne pouvaient oublier du jour au lendemain qu'ils étaient des combattants d'élite.

Voilà sept ans que Jaeger avait quitté les services spéciaux. Il avait pris sa retraite en partie pour fonder son entreprise d'éco-expéditions, Enduro Adventures, une activité qu'il avait plus ou moins abandonnée lorsque Ruth et Luke avaient été enlevés. Cela l'avait conduit à la mission qu'il venait d'entreprendre :

retrouver sa famille, et très probablement éviter une catastrophe aux conséquences incalculables.

La lumière baissait régulièrement, et l'on entendait un vacarme de cris et de barrissements dans l'entrée de la caverne. Les éléphants s'engouffraient dans la galerie qu'empruntaient Jaeger et Narov. Il était grand temps de s'aventurer plus avant.

Il fit signe à Narov de l'imiter : en se penchant, il saisit une poignée de fumier d'éléphant et en frotta les jambes de son treillis, puis son tee-shirt, avant de relever celui-ci pour appliquer les excréments sur son torse et son dos. Pour terminer, il s'en enduisit les cheveux, récemment teints en blond.

Les excréments sentaient légèrement l'urine et les feuilles fermentées, mais rien de trop déplaisant pour le nez. Pourtant, pour un éléphant, dont l'univers était régi avant tout par l'odorat, Jaeger semblerait être un pachyderme parmi les autres, un collègue de la brousse.

Il fallait l'espérer, du moins.

Jaeger avait appris cette ruse sur les pentes du mont Kilimandjaro, le plus haut sommet du continent africain. Il avait effectué des manœuvres avec un des anciens du régiment, devenu une légende, qui lui avait expliqué qu'on pouvait se mouvoir sans danger au milieu d'un troupeau de buffles du Cap à condition de s'être roulé auparavant dans de la bouse fraîche. Il l'avait prouvé de la manière la plus convaincante en faisant évoluer tous ses hommes, Jaeger compris, au milieu d'un troupeau de ces monstres.

À l'instar des buffles du Cap, les éléphants sont dotés d'une très mauvaise vue, sauf pour tout ce qui se trouve à portée de trompe. Le faisceau des torches de Jaeger et de Narov ne risquait pas de les inquiéter. Ils détectent la nourriture, les prédateurs, les abris et le danger grâce à leur odorat, qui n'a pas son pareil dans la nature animale. Leurs narines sont situées au bout de leur trompe ; elles sont si sensibles qu'un éléphant est capable de déceler un point d'eau éloigné d'une vingtaine de kilomètres.

Ils possèdent également un sens de l'ouïe très développé, et détectent des bruits hors de l'amplitude perçue par l'oreille humaine. En bref, si Jaeger et Narov réussissaient à adopter l'odeur d'un éléphant et à éviter tout bruit, le troupeau risquait de ne même pas s'apercevoir de leur présence.

Ils poursuivirent leur marche sur un sol plat recouvert de crottes séchées, que leurs bottes dispersaient à chaque pas. Çà et là, les tas d'excréments étaient striés de taches vert sombre, comme si quelqu'un les avait aspergés de peinture.

Du guano, s'étonna Jaeger.

Il leva la tête et sa torche balaya le plafond de la galerie. Effectivement, des grappes de formes allongées, maigres et noires, pendaient de la roche. Des chauves-souris. Des roussettes pour être plus précis, grandes dévoreuses de fruits. Des milliers, accrochées au-dessus de leur tête. Les déjections vertes, le guano, produit par la digestion des fruits, maculaient les parois de la galerie ainsi que le sol.

Superbe! se dit Jaeger. Ils s'enfonçaient dans une grotte barbouillée de merde du sol au plafond!

Deux petits yeux orange clignotèrent dans le faisceau de la torche que Jaeger portait sur le front. Une chauve-souris venait de s'éveiller brusquement. La lumière bleuâtre des Petzl créait un remue-ménage inquiétant parmi les roussettes pendant du plafond.

La plupart des chauves-souris utilisent un système d'écholocalisation à l'aide d'ultrasons qui se répercutent contre les obstacles, mais les roussettes, connues aussi sous le nom de mégachiroptères, sont dotées de deux gros yeux bulbeux qui leur permettent de se déplacer dans la pénombre des grottes. Elles sont donc sensibles à la lumière.

Une première roussette se décrocha de la minuscule anfractuosité où ses griffes s'étaient arrimées pour la nuit. Elle déplia ses ailes squelettiques jusque-là repliées autour du corps comme une cape et prit son envol. Elle plongea vers le rayon de la torche, persuadée qu'il s'agissait d'un rai de soleil provenant de l'entrée de la grotte.

Une seconde plus tard, un nuage de centaines d'ailes noires s'abattit sur Jaeger.

36

Bam! Bam! Bam! Bam! Bam!

Jaeger sentit les chauves-souris pleuvoir sur sa tête tandis que la nuée noire s'abattait sur la source de lumière. Le plafond était à une trentaine de mètres du sol, et les roussettes, minuscules à cette distance, paraissaient monstrueuses aux yeux de Jaeger quand elles fondaient sur lui.

Leur envergure dépasse souvent deux mètres, et elles atteignent jusqu'à deux kilos. Un tel poids lancé à pleine vitesse peut causer de sévères blessures. Leurs yeux bulbeux et brillants, rougis par la colère, leurs rangées de petites dents acérées, leurs museaux pointus, suffisent à les transformer en créatures démoniaques.

Il fut projeté au sol, heurté de tous côtés, mais il parvint à éteindre le faisceau de sa Petzl de sa main gantée, qu'il appliqua sur son visage pour éviter d'être blessé.

Dès qu'elles furent de nouveau plongées dans la pénombre, les roussettes s'envolèrent, attirées par les rayons du soleil qui filtraient par l'entrée de la grotte. Comme la nuée d'ailes noires dérivait bruyamment vers l'entrée, le plus grand des éléphants, qui menait le troupeau, lança un barrissement sauvage et agita les oreilles, visiblement irrité. De toute évidence, il haïssait les chauves-souris autant que Jaeger.

«Mégachiroptères», précisa Narov dans un souffle. «Souvent appelés renards volants. Tu as compris pourquoi.»

«Plutôt loups volants, si tu veux mon avis.» Jaeger avait du mal à se remettre de l'expérience. «Certainement pas mon animal préféré…»

Narov étouffa un rire. «Elles s'en remettent à leur vue et leur odorat pour détecter de la nourriture. Normalement, elles ne mangent que des fruits. De toute évidence, elles ont dû te prendre pour une poire bien mûre, ou quelque chose comme ça…» Elle renifla avec ostentation. «C'est ça que je ne comprends pas. Parce que, entre nous, blondinet, tu sentirais plutôt la merde…»

«Très drôle», grommela Jaeger. «Parce que toi, tu sens la rose, peut-être?»

Blondinet. Le surnom était inévitable. Les cheveux, les sourcils et jusqu'aux cils blonds peroxydés, la transformation ne cessait d'étonner Jaeger lui-même. Il se reconnaissait à peine sous ce déguisement.

Ils se relevèrent, brossèrent la poussière d'excréments sur leurs treillis et reprirent leur progression en silence. Au-dessus de leurs têtes, les dernières roussettes abandonnaient la place. Il ne restait plus que le piétinement inquiétant de la centaine d'éléphants qui s'amassaient dans l'entrée, sur leurs traces.

Sur un des côtés de la galerie coulait un ruisseau d'eau noire et boueuse qui s'évacuait par l'entrée de la grotte. Ils escaladèrent la roche jusqu'à un étroit sentier en surplomb, quelques mètres au-dessus de l'eau. Poursuivant leur ascension, ils débouchèrent au sommet de la paroi, pour découvrir une vision à couper le souffle.

Le cours d'eau s'était transformé en rivière souterraine, puis formait maintenant un vaste lac sous le pic des Anges de feu. Le faisceau de la torche de Jaeger n'atteignait même pas l'autre rive. Mais plus stupéfiantes encore étaient les formes stylisées qui émergeaient de l'eau en concrétions étranges, comme prises par les glaces.

Jaeger les observait, interdit, depuis quelques secondes lorsqu'il réalisa ce qu'ils venaient de découvrir. Il s'agissait d'une jungle pétrifiée, où l'on finissait par reconnaître ici les feuilles en dents de scie de palmiers géants jaillissant du lac dans des angles impossibles, là des rangées de troncs immenses de bois-dur ponctuant la surface comme les piliers d'un temple romain rayé de la mémoire des hommes.

Ils venaient de retrouver les fantômes de ce qui avait dû être dans des temps reculés une forêt dense et préhistorique. Un beau jour, une éruption volcanique avait fait pleuvoir des tonnes de cendres sur la végétation avant de l'enterrer sous la montagne naissante. Au fil du temps, les parois du cratère s'étaient élevées et la jungle s'était retrouvée prisonnière, pétrifiée. Le temps avait transformé les cadavres des arbres en des minéraux parmi les plus incroyables de beauté : en opale, à l'apparence rougeâtre striée de bleu et de vert fluorescent ; en malachite, une pierre précieuse aux circonvolutions cuivrées d'un vert éblouissant ; en nodules lisses, noirs d'encre et brillants, de calcédoine.

Jaeger avait parcouru le monde sous l'uniforme, posé le pied dans les régions les plus isolées de la planète, et chacune lui réservait toujours quelque surprise. Ce qu'il contemplait aujourd'hui dépassait en beauté beaucoup de ses découvertes précédentes. Dans ce lieu souterrain où il ne pensait trouver que le mal et la nuit, il contemplait avec Irina la splendeur cachée de la nature.

Il se tourna vers la jeune femme. « Que je ne t'entende jamais te plaindre de l'endroit où je t'ai emmenée pour notre lune de miel. »

Elle ne put s'empêcher de sourire.

Le lac mesurait bien une centaine de mètres de large, plus de trois terrains de football mis bout à bout. Quant à sa longueur, elle se perdait dans l'obscurité. Le sentier formait une corniche courant tout le long de la paroi au sud, et leur montrait la seule direction à prendre.

Au moment de repartir, une pensée traversa l'esprit de Jaeger. Si le terrible secret de Kammler, son laboratoire de la mort, se trouvait quelque part dans cette direction, on n'en décelait aucune trace de ce côté-ci. En fait, on ne relevait aucun indice d'une quelconque présence humaine, actuelle ou passée.

Pas de trace de pas, ou de bottes.

Pas de chemin emprunté par des hommes.

Aucun signe du passage d'un véhicule.

Mais le réseau des galeries était important; il devait exister d'autres entrées. Des passages creusés par la rivière menant à d'autres galeries.

Ils pressèrent le pas.

L'étroitesse de la corniche les forçait à frôler la paroi de la grande caverne. Celle-ci luisait çà et là sous les lampes au xénon des torches. La roche était parsemée d'une myriade de cristaux de quartz d'un bleu d'azur étincelant, leurs arêtes affûtées comme des rasoirs. Des araignées avaient tissé leurs toiles entre les cristaux, si bien que la paroi semblait entièrement recouverte d'un fin voile de soie transparent.

Momifiés dans ces toiles, d'innombrables insectes parsemaient le voile. Des phalènes noires; des papillons géants aux couleurs impossibles; d'énormes frelons africains, rayés de jaune et d'orange, de la taille d'un petit doigt; immobilisés pour l'éternité dans les fils de soie. De tous côtés, des araignées allaient et venaient, ou simplement festoyaient sur leur proie préférée.

L'eau étant synonyme de vie, Jaeger était certain que le lac attirait toute sorte d'animaux et d'insectes. Les chasseurs, en l'occurrence les araignées, étaient à l'affût. Elles n'étaient jamais pressées de tendre de nouveaux pièges, comme beaucoup d'autres prédateurs.

Tandis qu'ils reprenaient leur chemin périlleux, Jaeger jura de s'en souvenir.

37

Jaeger redoubla de vigilance. Il ne s'était pas attendu à cette profusion de vie animale aussi loin de l'entrée de la caverne.

Ils remarquèrent que la paroi ne renfermait pas seulement des cristaux étincelants et des toiles d'araignées chatoyantes : des sortes de branches émergeaient parfois, avec des angles surprenants. C'étaient les os pétrifiés des animaux qui avaient peuplé la jungle préhistorique, aujourd'hui figés dans la pierre : des crocodiles cuirassés géants ; des ancêtres massifs des éléphants ; ou ceux, énormes, des hippopotames d'aujourd'hui.

La corniche se rétrécissait de plus en plus.

Narov et Jaeger étaient contraints de progresser dos à la paroi rocheuse.

Une crevasse abrupte s'ouvrait entre la corniche et la paroi. Jaeger se baissa pour l'inspecter. *Quelque chose est là, tout au fond.*

En s'approchant plus près, il décela une masse brun clair enchevêtrée, disloquée, qui ressemblait à de la peau et des os provenant d'une créature antédiluvienne ; la peau momifiée rappelait la rigidité d'un cuir épais.

Jaeger sentit qu'Irina l'avait rejoint. « Un bébé éléphant », chuchota-t-elle en se penchant au-dessus de la crevasse béante. « Dans le noir, ils utilisent l'extrémité de leur trompe pour se diriger, et celui-ci a dû tomber accidentellement. »

« Oui, mais regarde ces marques. » Jaeger affina le faisceau de sa torche sur un os qui semblait à moitié dévoré. « C'est une bête sauvage qui a fait ça. Une bête puissante et immense. Un carnivore. »

Narov acquiesça. Quelque part dans ces galeries, il devait y avoir des prédateurs carnassiers.

Narov se retourna et éclaira l'autre rive du lac avec sa torche, vers l'arrière. «Regarde», murmura-t-elle. «Ils arrivent.»

Jaeger jeta un regard par-dessus son épaule. La colonne des pachydermes s'engageait dans les eaux du lac. Dès qu'ils parvenaient dans des eaux plus profondes, les plus petits d'entre eux disparaissaient entièrement. Ils soulevaient alors leur trompe à la verticale et l'on n'en voyait plus que le bout, les narines aspirant l'air goulûment comme à travers un tuba.

Narov se retourna pour vérifier le chemin qu'ils venaient de suivre tous les deux. Des petites formes grises s'y pressaient : les plus jeunes des éléphanteaux du troupeau. Trop petits pour s'aventurer en eau profonde, ils devaient prendre le chemin le plus long, en terrain sec.

«Il faut partir d'ici, et vite», murmura-t-elle, avec une nuance d'inquiétude dans la voix.

Ils repartirent au petit trot.

Ils avaient parcouru quelques mètres lorsque Jaeger entendit un son étrange.

Grave, spectral : entre le grognement d'un chien, le mugissement d'un taureau et le cri dément d'un singe.

Un autre cri répondit au premier.

Qui glaça instantanément le sang de Jaeger.

S'il n'avait entendu ce genre d'aboiement auparavant, il aurait été persuadé que les grottes abritaient une horde de démons. Mais en l'occurrence, il le reconnut pour ce qu'il était : *des hyènes*.

Devant eux, quelque part sur le chemin, il y avait une meute de hyènes, un animal que Jaeger ne connaissait que trop bien.

Sorte de croisement entre un léopard et un loup, les plus grandes peuvent peser plus qu'un homme adulte. Elles possèdent des mâchoires si puissantes qu'elles broient les os de leurs proies avant de les avaler. Les hyènes ne s'en prennent généralement qu'aux animaux affaiblis, malades ou en fin de vie. Mais si elles se sentent acculées, elles sont aussi dangereuses qu'une famille de lions.

Plus dangereuses, parfois.

Jaeger ne doutait plus qu'une meute attendait sur le chemin, guettant le premier éléphanteau qui se présenterait.

Comme pour confirmer ses craintes, ils entendirent derrière eux le plus grand des éléphants, le patriarche du troupeau, barrir à pleins poumons en réponse aux cris des hyènes. L'avertissement résonna dans la galerie comme un coup de tonnerre. Le grand éléphant agitait les oreilles et secouait la tête de droite et de gauche en direction de la menace.

Il quitta le troupeau, suivi de deux autres grands mâles. Tandis que le reste des pachydermes poursuivait la traversée du lac, les trois mâles se dirigeaient vers la corniche, d'où provenaient les aboiements.

Jaeger ne sous-estimait pas le danger. Les éléphants se rapprochaient de la meute de hyènes ; Narov et lui se retrouvaient pris en sandwich. Chaque seconde comptait désormais. Pas le temps de chercher un autre chemin pour contourner les hyènes, pas le temps de tergiverser, même s'il redoutait ce qu'ils s'apprêtaient à faire.

Jaeger lança la main dans son dos et arracha son P228 avant de fixer Narov dans les yeux. Elle avait déjà saisi son arme.

«On tire dans la tête!», siffla-t-il au moment où ils se mettaient à courir. «Dans la tête. Une hyène blessée est un danger mortel...»

Le faisceau de leurs torches bondissait et zigzaguait devant eux, projetant des ombres bizarres, fantomatiques sur les parois. Derrière eux, les mâles barrissaient toujours. Ils se rapprochaient rapidement.

C'est Jaeger qui aperçut la meute de leurs adversaires le premier. Une femelle tachetée à la taille impressionnante, qui venait à leur rencontre, appâtée par le son de leur course et la lueur des torches, les yeux brillants d'agressivité. Le train arrière plus bas que les pattes avant, elle avait des épaules massives, un cou ramassé et le museau en pointe ; une crinière hirsute courait au milieu de l'échine. La bête écartait déjà les mâchoires dans un rictus sauvage, les canines acérées pointant devant des prémolaires à toute épreuve.

Un loup gavé aux stéroïdes.

La hyène tachetée femelle est plus grande que le mâle et domine la meute. Celle-ci balançait la tête, près du sol, de droite à gauche ; derrière elle, Jaeger devinait des paires d'yeux menaçants. Il compta sept animaux en tout, tandis que dans son dos, les trois éléphants mâles sortaient de l'eau et s'élançaient vers eux.

Jaeger ne perdit pas son sang-froid. Le pistolet tendu à deux mains devant lui, il visa sans cesser de courir, et appuya sur la détente.

Pzzzt ! Pzzzt ! Pzzzt !

Trois balles de 9mm fracassèrent le crâne de la grande hyène. Elle s'effondra, le torse heurtant l'arête rocheuse, morte avant même de toucher le sol. Le reste de la meute chargea en hurlant.

Jaeger sentit Narov toute proche. Elle tirait sans même s'arrêter.

Ils n'étaient plus qu'à quelques mètres des hyènes en furie.

Jaeger fit un bond pour éviter les carcasses sanglantes, mais il ne s'arrêta pas de tirer.

Dès que ses bottes accrochèrent de nouveau le sol, il se rua en avant, tandis que les éléphants se rapprochaient dangereusement, les yeux fous, les oreilles battant l'air, la trompe relevée, flairant le danger.

Pour les grands mâles, il était clair qu'il y avait du sang, la mort, et le combat inévitable devant eux, sur le chemin que devaient emprunter leurs petits. Chez les pachydermes, l'instinct dominant est toujours de protéger les plus faibles de leur espèce. Le troupeau d'une centaine d'individus n'était qu'une grande famille étendue, et à cet instant, les éléphanteaux des grands mâles couraient un danger mortel.

Jaeger comprenait la rage désespérée des trois éléphants, il ne voulait simplement pas se trouver là quand leur charge tournerait au massacre.

Instinctivement, il se retourna, cherchant Irina Narov, mais il constata qu'elle avait disparu. Il stoppa, glacé d'horreur. Faisant volte-face, il la repéra enfin : elle tentait de tirer la carcasse d'une hyène hors de la corniche.

« BOUGE-TOI ! », hurla Jaeger. « TIRE-TOI DU CHEMIN ! VITE ! »

Pour toute réponse, Narov redoubla d'efforts pour écarter la hyène morte du passage. Jaeger n'hésita qu'une seconde. Il se rua vers elle, saisit les solides épaules de la hyène et à eux deux, ils réussirent à la faire basculer dans la crevasse qui longeait la corniche.

À peine y étaient-ils parvenus que le patriarche des éléphants déboulait devant eux. La puissance de son formidable barrissement frappa Jaeger en plein ventre; la rage du pachyderme semblait se concentrer sur les ennemis potentiels qui venaient de croiser son chemin. Deux secondes plus tard, il projetait ses défenses avec toute la violence dont il était capable. Irina Narov et Jaeger se retrouvaient piégés sur la partie la plus étroite de la corniche rocheuse.

Jaeger tira Narov vers le creux de rocher où le plafond de la grotte rejoignait la paroi. Ils s'aplatirent contre les toiles d'araignées et les cristaux pointus, voilèrent leurs torches avec la main, et restèrent totalement immobiles dans la poussière.

Le moindre mouvement pouvait attirer la colère folle des grands mâles. S'ils parvenaient à rester figés, silencieux, dans l'obscurité totale, peut-être échapperaient-ils au carnage général.

Le plus grand des éléphants transperça la première des hyènes, souleva sa carcasse et la projeta dans les eaux du lac.

Sa puissance était simplement phénoménale.

Un par un, les trois mâles soulevaient les corps des hyènes et les balançaient dans le lac. Lorsque le chemin fut totalement dégagé, le patriarche sembla se calmer quelque peu. Jaeger, fasciné tout autant qu'angoissé, observait le pachyderme, qui se servait de l'extrémité préhensile de sa trompe pour tout inspecter autour de lui.

Il pouvait voir les énormes narines se dilater quand il humait l'air à la recherche d'une odeur étrangère. Toutes les odeurs racontent une histoire. Il y avait le sang des hyènes, ce qui était bon signe. Mais l'animal détectait également des effluves qu'il ne reconnaissait pas: celles de la cordite. Des vapeurs issues des coups de feu flottaient encore dans l'air frais de l'immense grotte.

L'éléphant hésitait, oscillant d'un pied sur l'autre: *à quoi correspondait cette odeur étrange?*

La trompe s'abaissa vers le sol. Jaeger voyait son extrémité rose et mobile s'approcher de lui. Cette trompe, aussi épaisse qu'un tronc d'arbre, capable de soulever plus de deux cents kilos, pouvait s'enrouler autour d'une cuisse ou d'un torse et les broyer en une seconde avant de les réduire en bouillie contre la paroi rocheuse.

Un court instant, Jaeger songea à passer à l'offensive. La tête du pachyderme n'était qu'à trois mètres de lui : une cible facile.

Il distinguait parfaitement ses yeux, les cils délicats reflétant la faible lueur de sa torche.

Étrangement, il avait l'impression que le grand mâle pouvait lire en lui, même lorsque l'extrémité de sa trompe établit le premier contact avec sa peau. Il y avait quelque chose d'humain, de bienveillant dans son regard.

Jaeger abandonna l'idée d'ouvrir le feu. Même s'il pouvait rassembler le courage de le faire, ce dont il doutait, il savait qu'une balle de 9mm subsonique ne parviendrait jamais à transpercer le crâne d'un grand éléphant.

Il s'abandonna à la caresse du pachyderme.

Lorsque la trompe palpa la peau de son bras, il se figea. C'était une sensation de douceur absolue, qui lui faisait penser à une brise légère à travers les poils de son bras. Il sentait l'éléphant aspirer consciencieusement son odeur.

Que pouvait-il bien détecter, se demandait Jaeger. Il croisa les doigts pour que l'astuce des excréments d'éléphants fonctionne. Mais n'allait-il pas déceler sous celle-ci des relents d'odeur humaine ? Il devait bien y en avoir !

Peu à peu, l'odeur familière de sa propre espèce semblait calmer le grand mâle. Après quelques palpations supplémentaires, la trompe s'éloigna. Jaeger s'était couché sur Narov pour la protéger, si bien qu'elle fut à peine touchée par le pachyderme.

Apparemment rassuré, le patriarche se concentra sur sa tâche principale : mener ses petits à travers les restes sanglants de la meute de hyènes. Mais avant de s'éloigner, Jaeger surprit une expression dans ses yeux, ces yeux du passé, profonds, pénétrants.

Moment suspendu. C'était comme si le grand pachyderme avait compris. Il avait compris ce qui s'était passé ici. Mais il avait décidé de leur laisser la vie. Jaeger en était convaincu.

Le grand mâle s'éloigna vers l'endroit où les éléphanteaux s'étaient blottis sur la corniche, paralysés par la peur et l'incertitude. De sa trompe, il les calma, les rassura, avant de pousser doucement les premiers à reprendre leur progression.

Jaeger et Narov en profitèrent pour se relever et poursuivre leur marche rapide, loin des éléphanteaux, vers un lieu plus sûr.

C'est, du moins, ce qu'ils espéraient.

39

La course reprit, sur un rythme plus soutenu.

La corniche rocheuse s'élargit bientôt en une étendue plate, là où finissait le lac. C'est ici que le reste du troupeau s'était rassemblé. À en juger par le choc répété des défenses contre les parois, il était évident que c'était le lieu où se trouvait leur mine de sel.

C'était le but du voyage des pachydermes.

Jaeger s'accroupit à l'abri de la paroi. Il lui fallait reprendre son souffle et ralentir les battements de son cœur. Extirpant une bouteille d'eau de son sac, il but à longues gorgées.

Il fit un signe en direction du chemin qu'ils venaient de prendre. «C'était quoi cette idée de retirer la carcasse? La hyène? Quelle importance, elle était morte.»

«Les éléphanteaux; ils ne seraient jamais passés par-dessus la carcasse d'une hyène. Je voulais débarrasser le chemin.»

«D'accord. Mais les vingt tonnes du papa arrivaient à toute vitesse pour faire le ménage.»

Narov haussa les épaules. «Oui, je sais, mais… Les éléphants sont mes animaux fétiches. Jamais je n'aurais laissé les petits bloqués derrière le troupeau. De toute façon, le grand mâle ne t'a pas fait le moindre mal, n'est-ce pas?»

Jaeger écarquillait les yeux, incrédule. Que répondre à cela?

Narov se comportait avec les animaux d'une manière magique, presque enfantine. Jaeger s'en était rendu compte lors de leur expédition en Amazonie. Parfois, elle se conduisait comme si elle entretenait de meilleures relations avec les animaux qu'avec les hommes; comme si elle les comprenait mieux que ses semblables.

Peu importait l'espèce, d'ailleurs. Araignées venimeuses, serpents géants, poissons carnivores, par moments on aurait pu penser que c'étaient les seuls êtres qui comptaient sur cette planète. Des créatures de Dieu, tous, la taille importait peu. Lorsqu'elle devait se résoudre à en tuer un afin de protéger la vie d'un de ses équipiers, comme aujourd'hui les hyènes, elle était hantée par la culpabilité.

Jaeger vida sa bouteille et la rangea dans son sac à dos. Il s'apprêtait à en resserrer les sangles et à reprendre leur progression lorsque le faisceau bleuté de sa torche accrocha quelque chose tout en bas de leur promontoire.

La nature n'obéit que rarement aux lignes droites, aux angles, aux formes construites ou fabriquées, telles que les aiment les humains. Ce sont des phénomènes rares, des anathèmes dans la nature sauvage. C'est cette anomalie, cette différence antinaturelle en quelque sorte, que l'œil de Jaeger avait surprise.

Une rivière venait se jeter dans le lac au fond de l'immense grotte. Juste avant qu'elle ne rejoigne le lac, un étranglement. Un resserrement naturel du sol.

Et sur la rive la plus proche de ce point de jonction, un bâtiment.

Il ressemblait à un abri de la Seconde Guerre mondiale, un bunker, comme celui de Falkenhagen, plutôt qu'à un générateur électrique ou une station de pompage. Pourtant, construit si près de l'eau, Jaeger aurait parié que c'était bien là sa fonction.

Ils redescendirent rapidement et en silence jusqu'au bord de l'eau. L'oreille plaquée contre le béton, Jaeger décelait un ronronnement régulier, presque imperceptible, chuintant de l'intérieur. Il devina immédiatement de quoi il s'agissait.

Une petite centrale hydroélectrique, là où l'eau se précipitait dans le goulet d'étranglement. Une section de la rivière avait été détournée par le biais d'une canalisation ; à l'intérieur devait se trouver une turbine, forme moderne de la roue à aubes. La puissance du courant faisait tourner la turbine pour alimenter un générateur d'électricité. L'épaisseur des murs de béton s'expliquait par la nécessité de protéger le bâtiment du passage fréquent des troupeaux d'éléphants.

Le scepticisme de Jaeger s'était évanoui en un instant. Il y avait effectivement quelque chose de dissimulé dans l'antre de cette montagne, enterré profondément ; quelque chose qui nécessitait de l'électricité pour fonctionner.

Son doigt pointait devant eux, vers l'obscurité. «Il faut suivre le câble. Il nous mènera à l'endroit où ils ont besoin de courant. Et enfoui aussi profond…»

«Un laboratoire a toujours besoin d'électricité», coupa Irina Narov. «C'est là! On est tout près!»

Les yeux de Jaeger brillaient d'excitation. «Allez, en route!»

Revigorés, ils reprirent le chemin en suivant le câble qui les menait vers le fond de la grotte. Enchâssé dans un sarcophage d'acier, afin de le protéger des pachydermes, il serpentait de plus en plus loin dans les entrailles de la montagne. Pas à pas, ils se rapprochaient de leur objectif.

Le câble s'arrêta, bloqué par un mur.

Une véritable muraille construite d'une paroi à l'autre de la grotte, qui mesurait plusieurs mètres de hauteur, dépassant le plus grand des éléphants. C'était probablement pour arrêter leur progression plus avant dans la grotte qu'il avait été construit.

Là où le mur passait au-dessus de la rivière, on avait prévu des sortes de vannes dans la structure, afin de permettre l'écoulement du courant rapide. Il devait donc y avoir d'autres turbines en aval, celle en amont servant de source d'appoint si nécessaire.

Ils firent une pause dans la pénombre fraîche du mur. Jaeger se sentait plus déterminé que jamais : la montagne s'apprêtait à livrer son secret, quel qu'il soit.

Bientôt.

Il détailla le mur. Une paroi verticale lisse de béton armé.

Une frontière ; mais une frontière avec quoi ?

Qu'y avait-il de l'autre côté du mur ?

Qui ? L'image de Ruth et de Luke, enchaînés au fond d'une cage, traversa son esprit.

Avancer toujours. Toujours un peu plus loin. C'était un des mantras de Jaeger quand il servait au sein des Royal Marines. *Lors d'un combat, rapproche-toi.* Il n'avait jamais oublié cette règle dans sa quête pour retrouver sa famille, et il le prouvait aujourd'hui.

Il cherchait du regard des prises possibles. Il n'y en avait pas beaucoup. Impossible d'escalader cette muraille. À moins que…

Il suivit le mur jusqu'à sa jonction avec la paroi rocheuse. C'est là qu'il trouverait peut-être le point faible de toute la structure. Effectivement, là où le béton lisse rejoignait la paroi et ses cristaux pointus, ses os millénaires, il semblait possible de s'élever.

Certes, on distinguait nettement les endroits où les bâtisseurs avaient brisé les aspérités qui gênaient la construction.

Mais ils en avaient négligé un bon nombre, qui pouvaient servir aujourd'hui de prises pour les mains et les pieds.

«Ils n'ont pas bâti ce truc pour empêcher les hommes de passer», murmura Jaeger, tout en repérant les endroits qui pourraient leur servir durant l'escalade. «Le mur sert à stopper l'avancée des éléphants avides de sel. À protéger ce qui se trouve de l'autre côté.»

«À protéger ce qui a besoin d'une alimentation électrique», souffla Narov, les yeux brillants. «On est tout près. C'est juste là.»

Jaeger se débarrassa de son sac à dos et le déposa à ses pieds. «Je vais essayer en premier. Attache les sacs ensemble et quand je serai sur la crête du mur, je les hisserai. Tu te charges du reste?»

«Vas-y. Après tout, tu es un peu, comment dirais-je? Une légende du roc…»

Depuis son plus jeune âge, l'escalade était la passion de Jaeger. Au collège, après un pari avec un copain, il avait grimpé en haut de la tour de l'horloge, à mains nues et sans cordes. Au sein des SAS, il avait servi dans les troupes de montagne, celles qui se spécialisaient dans les combats en altitude. Et au cours de leur récente expédition, il avait réussi un certain nombre d'escalades et de descentes spectaculaires.

En bref, s'il rencontrait un obstacle à grimper, c'était le premier à tenter sa chance.

Il fit plusieurs tentatives, en attachant une grosse pierre au bout de sa corde, et finalement Jaeger réussit à l'enrouler autour d'un os massif qui dépassait de la paroi. C'était un bon point d'ancrage ; il pouvait entreprendre l'ascension avec une certaine assurance de sécurité.

Il se défit de ses vêtements les plus encombrants, même son pistolet, et les enfourna dans son sac à dos. De la main gauche, il saisit une aspérité à sa hauteur. La mâchoire fossilisée d'une hyène géante ? Pour le moment, Jaeger s'en fichait bien.

Ses pieds allèrent chercher des aspérités similaires, et il commença de s'élever grâce aux restes d'une faune préhistorique et disparue pointant le long de la paroi rocheuse. Saisissant la corde, il progressa encore de quelques mètres.

Il s'élevait sans trop d'effort, le cœur battant la chamade.

Une seule chose l'obsédait maintenant : atteindre la crête de cette muraille et découvrir la raison pour laquelle elle avait été construite, et ce qui se cachait derrière.

Jaeger lança la main et agrippa l'arête supérieure du mur. Il maintint sa prise et, faisant appel à tous ses muscles, effectua un rétablissement, d'abord sur le ventre, puis à l'aide des genoux, jusqu'à ce qu'il se stabilise.

Il fit une pause pour calmer sa respiration qui s'affolait. Le sommet du mur était large et plat, témoin de l'immense effort qui avait présidé à sa construction. Comme il l'avait deviné, il n'avait pas été bâti à cet endroit pour arrêter des êtres humains : pas la moindre trace de rouleaux de barbelés acérés sur la crête. De toute évidence, on ne s'attendait pas à ce genre d'intrusion inopinée d'un homme, et encore moins un homme doué pour l'escalade.

L'idée de sa découverte n'avait jamais effleuré celui qui était à l'origine de la construction du mur, et Jaeger ne doutait pas un instant qu'il s'agissait de Kammler. Il l'avait jugé indétectable, et donc sûr.

Jaeger risqua un œil de l'autre côté. Le double faisceau de sa torche frontale lui renvoya l'image d'une surface noire, plate comme un miroir, sans une ride. Il y avait un second lac à partir du mur, tapi au fond d'une vaste caverne circulaire.

L'endroit paraissait totalement désert, mais ce n'est pas ce qui coupa le souffle de Jaeger.

Au milieu du lac surgit dans la lumière bleue de la torche une vision extraordinaire. Une apparition totalement inattendue, flottant à la surface de l'eau noire, et pourtant étrangement familière.

Le pouls battant à cent à l'heure, Jaeger tentait de contrôler ses émotions et son excitation.

Il détacha la corde enroulée de manière précaire et la fixa sur une aspérité plus solide et plus sûre avant de la laisser pendre vers Irina Narov. Elle attacha le premier sac qu'il hissa sur la crête du mur, et ils firent de même pour le second. Puis, ce fut au tour de Narov d'escalader la muraille ; Jaeger, à califourchon au sommet du mur, assurait son ascension.

Une fois qu'elle l'eut rejoint, Jaeger dirigea sa torche frontale vers le milieu du lac. «Ouvre grand tes yeux», souffla-t-il. «Et régale-toi.»

Narov écarquilla les yeux. Jaeger l'avait rarement vue à court de mots. Elle était muette de stupéfaction.

«Au début, j'ai cru que je rêvais», ajouta Jaeger. «Pince-moi. Dis-moi que c'est bien réel.»

Narov ne parvenait pas à détacher les yeux de cette vision. «Il n'y a pas de doute, on ne rêve pas. Mais bon sang, explique-moi comment il a pu arriver ici?»

Jaeger haussa les épaules. «Je n'en ai pas la moindre idée.»

Ils firent descendre leurs sacs à dos de l'autre côté avant de les rejoindre en rappel jusqu'au sol. Ils s'accroupirent dans l'immobilité la plus totale, explorant dans leur tête leur prochain défi, à première vue impossible à relever. À moins de nager, et qui sait ce qui pouvait hanter ces eaux, comment pourraient-ils rejoindre le centre du lac? Et s'ils y parvenaient, comment monter à bord de ce qui était amarré là?

Jaeger se disait qu'ils auraient dû s'y attendre. Ils avaient été avertis lors du briefing de Falkenhagen. Néanmoins, se retrouver nez à nez avec ceci, dans un état de conservation si parfait, intact, relevait presque du miracle.

Au milieu du lac, au fond des entrailles de la montagne, un hydravion BV222 Blohm & Voss flottait, amarré à une bouée.

Même à cette distance, la vision coupait le souffle : un monstre doté de six hélices, au nez en forme de bec d'aigle, relié par une corde à une balise. La dimension incroyable de l'appareil contrastait avec le petit canot à moteur attaché à un de ses flotteurs, d'autant plus minuscule en comparaison de l'aile gracieuse, immense, qui le surplombait.

Mais peut-être plus encore que la taille et la présence de l'hydravion de guerre, ce qui décontenançait Jaeger, c'était son état de parfaite conservation. On ne décelait pas la moindre trace de guano sur la carlingue du BV222, qui était revêtu de sa peinture originale, un beau vert camouflage. Toute la partie en contact avec l'eau, d'un bleu très clair, et dont l'étrave en V rappelait celle de puissants hors-bords, était dénuée d'algues ou de toute végétation aquatique.

Au sommet de l'appareil, on apercevait une forêt de tourelles de mitrailleuses : le BV222 était censé voler sans escorte. Il possédait en fait une énorme coupole entre les deux ailes abritant les mitrailleuses, destinées à abattre les avions alliés.

Le Perspex entourant cette coupole semblait aussi net et propre que le jour de son premier vol. Une rangée de hublots courait sur les flancs, terminée à l'avant par l'insigne de la Luftwaffe : une croix noire sur une croix blanche.

L'insigne aurait pu avoir été peint la veille.

Ce BV222 reposait ici depuis plus de soixante-dix ans, et durant tout ce temps on l'avait bichonné avec soin comme s'il devait redécoller le lendemain. Le plus grand mystère, cependant, et Jaeger se creusait la tête en vain, était de savoir comment il avait abouti au milieu de ce lac souterrain.

Avec ses quarante-cinq mètres d'envergure, il était trop large pour être passé par l'entrée de la grotte.

C'était assurément l'œuvre de Kammler. Il devait y avoir une explication rationnelle.

Mais pourquoi vouloir le dissimuler ici ?

Dans quel objectif précis ?

Pendant un instant, il se demanda si Kammler n'avait pas abrité son laboratoire biologique à l'intérieur de l'énorme appareil, lui-même protégé par la montagne toute entière. Mais l'idée ne tenait pas. S'ils n'avaient pas utilisé leurs torches frontales, le BV222 serait resté dans l'obscurité complète.

Jaeger conclut qu'il devait être abandonné.

Tout en réfléchissant, il prit conscience de la profonde tranquillité du lieu. La structure massive du mur de béton bloquait pratiquement tous les sons en provenance de la galerie d'où ils étaient arrivés : chocs des défenses des éléphants, rumination rythmique des mâchoires ; mugissements de satisfaction, piétinements.

De ce côté, tout était calme, limpide, serein. Sans vie. Fantomatique. Déserté.

Apparemment, la vie semblait s'être éteinte autour du lac.

41

Jaeger leva le bras en direction de l'hydravion. «Il va falloir nager; je ne vois pas d'autre moyen.»

Narov acquiesça en silence. Ils se défirent de la plupart de leurs vêtements. C'était l'affaire d'une cinquantaine de mètres en eau froide, et ils ne voulaient surtout pas être ralentis par les sacs à dos, sacoches, armes et munitions. Ils n'emmèneraient que le strict nécessaire, vêtements et chaussures, et laisseraient le reste au bord du lac.

Jaeger hésita une seconde à propos du pistolet. Il n'aimait pas du tout l'idée de s'aventurer sans armes. Certes, la plupart des pistolets supportaient un court séjour dans l'eau, mais ils savaient qu'ils devraient nager le plus rapidement possible dans l'eau glacée.

Il déposa son P228 près de celui de Narov sous une grosse pierre à côté de leur matériel.

Sans surprise, Narov avait conservé une arme sur elle. Il avait appris lors de leur expédition en Amazonie qu'elle ne se séparait jamais de son poignard de combat Fairbairn-Sykes. Il avait valeur de talisman à ses yeux, puisque c'était d'après elle un cadeau du grand-père de Jaeger.

Il se tourna vers la jeune Russe. «Prête?»

Ses yeux brillaient. «On fait la course?»

Jaeger repéra la position de l'hydravion de guerre avant d'éteindre sa torche frontale. Narov fit de même. Ils tâtonnèrent pour placer leur torche dans leur sacoche étanche. Ils étaient maintenant dans le noir le plus total.

La main levée devant les yeux, Jaeger ne distinguait plus rien, même quand il toucha son nez de la paume. L'obscurité était complète, ils étaient dans l'antre de la terre.

«Ne t'éloigne pas», murmura-t-il. «Ah, il y a encore un truc que je voulais te dire…»

Il ne finit pas sa phrase, mais plongea dans l'eau froide du lac, certain d'avoir embrouillé Irina et d'avoir pris une bonne longueur d'avance. Il l'entendit plonger à son tour, agitant les bras comme une forcenée pour le rattraper.

Jaeger crawlait puissamment pour se détacher, ne sortant la tête de l'eau que pour de brèves inspirations. Ancien Royal Marine, il se sentait à l'aise dans l'élément liquide. L'hydravion l'attirait irrésistiblement, mais l'obscurité totale le désorientait.

Il était tout près de penser qu'il avait dévié de sa course quand sa main heurta quelque chose. L'objet lui paraissait aussi dur que de l'acier : probablement un des flotteurs de l'appareil. Il se hissa hors de l'eau et rencontra une surface plane où il put se redresser.

Il sortit sa torche frontale, l'éclaira, balayant la surface du lac. Narov n'avait que quelques secondes de retard, et il la guida pour qu'elle le rejoigne sur le flotteur.

«Perdu!», chuchota-t-il pour la taquiner en la tirant hors de l'eau.

Elle grogna. «Tu as triché!»

Il haussa les épaules. «En amour comme à la guerre, tous les coups sont permis…»

Ils s'accroupirent et prirent quelques secondes pour retrouver leur souffle. Jaeger éclaira l'hydravion de sa torche, surtout la superbe et massive courbe de l'aile au-dessus d'eux. Il se rappela qu'au cours du briefing de Falkenhagen, ils avaient évoqué les deux ponts du BV222, le pont supérieur pour les passagers et le pont inférieur pour le service des mitrailleuses alignées le long du fuselage, qui servaient à la défense de l'appareil.

Ils avaient maintenant tout loisir d'apprécier au plus près l'envergure de l'appareil, sa taille, et malgré cela son élégance et sa présence incroyables. Ils n'avaient plus qu'un seul désir : pénétrer à l'intérieur.

Il se releva, aida Narov à se remettre sur ses pieds, et fit un pas ou deux en avant. Mais à peine avait-il bougé qu'un cri strident déchira le silence. Une plainte répétée, assourdissante, retentit sur toute la surface du lac, répercutée par les parois rocheuses de tous côtés.

Jaeger se figea. Il comprit immédiatement ce qui s'était passé. Le BV222 était équipé de capteurs à infrarouges. Dès qu'ils avaient bougé, ils avaient franchi les faisceaux invisibles des capteurs, déclenchant la sirène et l'alarme.

«Éteins ta torche», souffla-t-il.

Quelques instants plus tard, ils se retrouvèrent plongés dans le noir, mais pas pour longtemps.

Un projecteur puissant s'alluma sur la rive sud du lac, fouillant la pénombre. Il balaya la surface et stoppa sur l'hydravion, manquant d'aveugler Jaeger et Narov.

Jaeger lutta contre l'envie de se mettre à l'abri pour se préparer au combat, mais il se couvrit simplement les yeux pour éviter le faisceau, sans bouger.

«Souviens-toi», souffla-t-il, «on est un couple de jeunes mariés. Des touristes, bon sang. Qui que ce soit, on n'est pas là pour se battre.»

Narov ne répondit pas. Ses yeux semblaient hypnotisés par la vision du décor qui venait de s'éclairer autour d'eau. Le projecteur avait illuminé un vaste espace de la galerie, mettant en valeur l'extraordinaire beauté du BV222.

Comme s'il avait été l'objet de prix d'une exposition dans un musée.

Bizarrement, il paraissait paré pour le décollage.

42

Quelqu'un hurla depuis la rive la plus éloignée du lac. «Ne bougez plus! Pas un geste!»

Jaeger se raidit. L'accent rappelait l'Europe. Pas un anglophone, c'était certain. Allemand peut-être? Le mot «bougez» avait sonné un peu comme «bouchez», ce qui évoquait la langue allemande.

Se pouvait-il que ce soit Kammler en personne? Non. Impossible. Les amis de Falkenhagen le suivaient à la trace, grâce à leurs contacts au sein de la CIA. De plus, la voix avait l'air beaucoup trop jeune.

Il y avait aussi le ton qui ne collait pas. Il manquait l'arrogance à laquelle on pouvait s'attendre de la part de Hank Kammler.

«Surtout, restez là où vous êtes», ordonna la voix avec un soupçon de menace. «Nous allons arriver immédiatement.»

On entendit le rugissement d'un moteur puissant; Jaeger et Narov virent un zodiac émerger d'un ponton caché. Il traversa le lac rapidement et stoppa aux pieds des deux intrus.

L'homme qui se tenait à la proue du zodiac arborait une tignasse blonde en bataille, une barbe hirsute. C'était un blanc, de près d'un mètre quatre-vingt-dix, tandis que les autres hommes à bord de l'embarcation étaient des Africains, sans doute des locaux. Il portait un treillis vert, et un fusil d'assaut dans le creux du bras.

Les autres hommes étaient armés et en treillis eux aussi, fusil pointé vers Narov et Jaeger.

Le blond fixait les deux intrus d'un regard interrogateur. «Que faites-vous ici? Vous ne devriez pas être là, il me semble?»

Jaeger décida de jouer les naïfs. Il avança la main dans un geste de bonne volonté. L'autre ne la saisit pas.

«Qui êtes-vous?», demanda-t-il d'un ton empreint de froideur. «S'il vous plaît, expliquez-moi ce que vous faites ici?»

«Bert Groves, et voici mon épouse, Andrea. Nous sommes Anglais. Des touristes. Ou plutôt, des mordus d'aventure, si on peut dire. On n'a pas pu résister à l'attraction de ce cratère. Il fallait qu'on vienne le visiter. C'est la grotte qui nous a menés jusqu'ici.» Il fit un geste vers l'hydravion. «Et puis, cet avion incroyable… On a eu envie de le voir de plus près. C'est tellement stupéfiant!»

L'homme blond fronça les sourcils, son front se rembrunit; il ne semblait pas convaincu. «Votre présence dans ce lieu est plutôt… insolite pour des touristes, c'est le moins qu'on puisse dire. C'est également très dangereux, pour plusieurs raisons.» Il fit signe à ses hommes. «Mes gardes m'ont signalé que vous étiez des braconniers.»

«Des braconniers? Jamais de la vie.» Jaeger se tournait vers Irina Narov. «Vous voyez, nous sommes en voyage de noces. Je crois qu'on s'est laissé un peu emporter par notre aventure africaine, peut-être qu'on a un peu perdu la tête. L'excitation de notre lune de miel…» Il haussa les épaules, comme pour s'excuser. «Nous sommes désolés d'avoir provoqué cet incident.»

L'homme n'avait pas relâché son fusil. «M. et Mme Groves. Le nom me dit quelque chose… Vous avez réservé au Katavi Lodge, avec comme date d'arrivée prévue demain matin, c'est cela?»

Jaeger afficha un large sourire. «Tout à fait! C'est nous. Demain matin à onze heures. Pour cinq jours.» Il s'efforça de jeter sur Irina un regard fou d'amour. «Jeunes mariés et déterminés à profiter de la vie au maximum!»

Les yeux de l'homme blond restaient impavides. «Évidemment, si vous n'êtes pas des braconniers, vous êtes les bienvenus.» Le ton de sa voix affirmait le contraire. «Je m'appelle Falk Konig, directeur de la réserve naturelle de Katavi. Mais ceci n'est pas l'itinéraire recommandé pour entamer un safari de voyage de noces ni pour parvenir à notre lodge.»

Jaeger se força à rire. «Vous avez raison, on en est parfaitement conscients. Mais comme je vous l'ai dit, nous n'avons pas pu résister à l'attraction magique du pic des Anges de feu. Et quand vous avez conquis le sommet, c'est difficile de laisser tomber. On se croirait dans le vrai Monde perdu, ici. Et puis on a vu les éléphants qui se dirigeaient vers les grottes. Ouah, quel spectacle!» Il haussa les épaules. «Impossible de rater ça. Il fallait qu'on les suive…»

Konig approuva avec une certaine raideur. «C'est vrai, la caldera abrite un écosystème très riche en espèces animales. C'est un habitat unique. Une réserve propice pour la reproduction des éléphants et des rhinocéros. C'est la raison pour laquelle nous en interdisons l'accès à *tous nos visiteurs*.» Il marqua une pause. «Je dois vous avertir que nous avons le droit de tirer à vue à l'intérieur de la réserve. Un droit qui s'applique à tous les intrus.»

«Nous avons bien compris», répliqua Jaeger, se tournant vers Narov. «Et nous sommes vraiment désolés d'avoir causé ce petit incident.»

Konig les observait, visiblement toujours soupçonneux. «M. et Mme Groves, vous avez agi de manière tout à fait inconsidérée. La prochaine fois, vous êtes priés d'utiliser l'itinéraire conseillé, ce qui vous évitera un comité de réception comme celui-ci.»

Irina Narov se pencha, la main tendue, vers Konig. «Mon mari, tout est de sa faute. Il a une tête de cochon, et il veut toujours avoir raison. J'ai bien essayé de l'en dissuader…» Elle afficha un sourire béat. «Mais c'est aussi pour ça que je l'aime.»

Konig parut se détendre légèrement. Jaeger évita d'émettre un quelconque commentaire ironique. Narov jouait son rôle à merveille. Trop bien, peut-être, car il lui semblait presque qu'elle y trouvait un certain plaisir.

«Bien sûr.» Konig tendit une main timide et serra mollement celle d'Irina Narov. «Mais, dites-moi, Mme Groves, il me semble que vous n'êtes pas née en Angleterre…»

« Je m'appelle Andrea », répliqua Narov. « Vous savez, de nos jours, on rencontre beaucoup d'Anglais qui viennent d'ailleurs. Et puisque vous le mentionnez, vous-même, M. Konig, votre accent ne me semble pas vraiment tanzanien ? »

« À la vérité, je suis Allemand. » Konig observait l'hydravion au-dessus d'eux, arrimé à sa bouée. « Je suis un Allemand, dirige une réserve d'animaux sauvages, je vis en Afrique, travaille avec du personnel local tanzanien, et une partie de notre mission consiste aussi à préserver cet appareil. »

« Il date de la Seconde Guerre mondiale, n'est-ce pas ? », demanda Jaeger, feignant l'ignorance. « C'est tellement… ahurissant. Comment diable est-il arrivé jusqu'ici, au fond de ces grottes ? Il n'aurait jamais pu passer par l'entrée de la galerie. »

« Mais si », confirma Konig. Son regard se fit méfiant. « Ils ont démonté les ailes et tiré l'hydravion jusqu'ici durant les inondations, en 1947, il me semble. Puis ils ont fait appel à de la main-d'œuvre locale pour apporter les ailes, en plusieurs morceaux. »

« Absolument fantastique. Mais que faisait-il en Afrique ? Comment en est-il venu à atterrir ici ? Pourquoi ? »

Pendant une fraction de seconde, une ombre obscurcit les traits de Konig. « Ça, je l'ignore. Cette histoire s'est passée bien avant mon époque. »

Jaeger décela instantanément que l'homme blond lui mentait.

43

Konig fit un mouvement sec du cou vers l'hydravion. «Vous devez être curieux, n'est-ce pas?»

«De jeter un coup d'œil à l'intérieur? Ça, c'est sûr!», s'exclama Jaeger.

Konig secoua la tête. «Malheureusement, c'est une zone strictement interdite. L'accès est totalement prohibé, tout comme l'accès dans toute cette zone. Mais je crois que vous avez compris cela, maintenant?»

«On a compris, rassurez-vous», confirma Jaeger. «Néanmoins, c'est regrettable. C'est interdit par qui, au fait?»

«Par le propriétaire de cette réserve. Katavi est un sanctuaire naturel qui appartient à un Américain d'origine allemande. C'est ce qui fait un des attraits de cet endroit pour les étrangers. Au contraire des parcs nationaux administrés par le gouvernement, Katavi est géré avec une certaine efficacité germanique.»

«C'est une réserve animale qui fonctionne bien, c'est ce que vous voulez dire?», s'enquit Narov.

«C'est à peu près cela. Il faut savoir qu'une guerre a été déclarée contre la faune sauvage de l'Afrique. Malheureusement, ce sont les braconniers qui la gagnent en ce moment. D'où le règlement strict que nous appliquons ici. Le tir à vue est un dernier recours pour nous aider à gagner cette guerre.» Konig s'adressait aux deux jeunes gens à la fois. «Un règlement dont vous avez bien failli être les victimes aujourd'hui.»

Jaeger se garda bien de répliquer à cette dernière remarque. «Nous adhérons totalement à votre vision des choses», admit-il sincèrement. «Tuer un éléphant pour ses défenses, ou un rhino-céros pour sa corne, c'est un gâchis tragique.»

Konig acquiesça de la tête. «Je suis d'accord avec vous. Nous perdons en moyenne un éléphant ou un rhino tous les jours. Un massacre épouvantable.» Un silence. «Mais pour le moment, M. et Mme Groves, nous allons arrêter les questions, n'est-ce pas?»

Il les invita à bord du zodiac. Sans vraiment les menacer de son arme, mais il était évident qu'ils étaient obligés d'obéir. L'embarcation s'éloigna de l'hydravion, et le sillage de sa proue fit osciller l'immense appareil de guerre. Pour sa taille, le BV222 possédait une grâce et une beauté indéniables; Jaeger se promit de trouver un moyen de revenir, et de découvrir ses secrets.

Le zodiac les mena à une passe sous un petit tunnel qui débou-chait sur un système de galeries. Konig actionna un interrupteur fiché dans la paroi rocheuse, et le passage creusé dans le roc s'illumina, grâce aux luminaires fixés au plafond.

«Vous allez attendre ici», ordonna l'homme blond. «Nous allons récupérer vos affaires.»

«Merci. Vous savez où elles se trouvent?», s'enquit Jaeger, vaguement inquiet.

«Bien sûr. Mes hommes vous observaient depuis un certain temps.»

«Vraiment? Super. Comment faisaient-ils?»

«À vrai dire, nous avons des capteurs un peu partout dans les galeries. Mais comme vous l'imaginez bien, les animaux les déclenchent tout le temps. De toute façon, personne ne s'aventure jamais aussi loin sous cette montagne.» Il fixa Irina Narov, puis Jaeger. «Ou du moins, pas tous les jours… Aujourd'hui, quelque chose a alerté mes gardes. Un son que l'on n'a pas l'habitude d'entendre ici. Une série de coups de feu…»

«Nous avons tué des hyènes», intervint Narov, sur ses gardes. «Toute une meute. Nous avons dû le faire pour protéger les éléphants. Il y avait des petits.»

Konig leva la main pour l'interrompre. «Je suis tout à fait conscient du fait que vous avez abattu les hyènes. Oui, c'est vrai, elles représentent un danger. Elles viennent ici pour récupérer les éléphanteaux. Et elles sont responsables de paniques incontrôlables dans les troupeaux, les jeunes se font piétiner, et nous n'en avons déjà pas beaucoup. Les hyènes, nous sommes obligés d'en abattre un certain nombre régulièrement, pour limiter le danger.»

«Vous disiez que vos gardes ont entendu les coups de feu?», risqua Jaeger.

«C'est exact. Ils m'ont prévenu immédiatement, car ils étaient inquiets. Ils craignaient d'avoir affaire à des braconniers qui auraient réussi à pénétrer dans les grottes. Alors, je suis venu immédiatement et qui est-ce que je trouve?… *Vous*.» Un silence. «Un couple en pleine lune de miel qui escalade des montagnes, visite des grottes, extermine une meute de hyènes tachetées. C'est tout à fait insolite, Mme Groves, vous ne trouvez pas?»

Narov ne cilla même pas. «Est-ce que vous vous risqueriez à descendre en rappel dans cet endroit sans être armé? Ce serait de la folie!»

Le visage de Konig restait impassible. «C'est possible. Mais je regrette de devoir confisquer vos armes. Pour deux raisons. La première, c'est que vous avez pénétré dans une zone strictement interdite. Personne, à l'exception de mes hommes et de moi, n'est autorisé à porter une arme dans cette enceinte.»

L'homme blond toisa Narov et Jaeger. «La seconde raison, c'est que le propriétaire de cette réserve a ordonné que toute personne trouvée en ce lieu soit appréhendée. Je pense que cette deuxième raison ne peut s'appliquer à des clients du lodge. Néanmoins, je réserve ma décision, et je garderai vos armes, du moins jusqu'à ce que j'aie pu communiquer avec le propriétaire.»

Jaeger haussa les épaules. «Ça nous convient très bien ainsi. Là où nous allons, nous n'en aurons pas besoin.»

Konig afficha un sourire forcé. «Vous avez raison, au Katavi Lodge, il n'est pas nécessaire d'être armé.»

Deux gardes rebroussaient déjà chemin pour aller récupérer le matériel que Narov avait déposé sur la rive du lac.

«Les pistolets se trouvent sous une pierre, à côté de nos affaires!», lança Jaeger en direction des gardes. Il se tourna vers Konig. «Je suppose que ce n'est pas très malin de notre part d'avoir pénétré armés dans une zone interdite comme celle-ci?»

«Vous avez raison, M. Groves», répliqua Konig. «C'est même un très mauvais point pour vous.»

44

Jaeger s'apprêtait à emplir une nouvelle fois le verre de Narov, mais elle avait à peine touché au premier. Il tâchait de préserver les apparences.

Narov fronça les sourcils. «Je n'aime pas le goût de l'alcool.»

Jaeger soupira. «Ce soir, il faut qu'on ait l'air de se détendre. Il faut que tu joues le jeu…»

Il avait choisi une bouteille de Saumur bien glacé, une option un peu moins onéreuse que le champagne. Il avait voulu commander un vin de classe pour célébrer leur statut de jeunes mariés, mais qui ne fasse pas trop tourner la tête. Il estimait que le Saumur, avec son label royal bleu discrètement lisible en lettres blanches et dorées, convenait parfaitement.

Il y avait maintenant trente-six heures qu'ils étaient arrivés au Katavi Lodge. Un lieu exceptionnel. Il abritait un essaim de bungalows de safari blanchis à la chaux, à la façade décorée de courbes harmonieuses contrastant avec la verticalité des murs, tous disposés sur les pentes des collines qui formaient ici une sorte de cuvette au pied des monts Mbizi. Chacun des bungalows était de construction traditionnelle avec de hauts plafonds, auxquels étaient accrochés des ventilateurs qui maintenaient une certaine fraîcheur tout au long de la journée.

Des ventilateurs similaires tournaient mollement au-dessus des tables du restaurant du lodge, brassant l'air tiède de la soirée. La véranda dominait un point d'eau et permettait de jouir d'une vue à couper le souffle. Aux pieds des convives s'ébattaient bruyamment des hippopotames, et les conversations étaient ponctuées de barrissements.

Au fil des heures passées au lodge, Jaeger et Narov s'étaient rendu compte qu'il leur serait de plus en plus difficile de retourner sur le lac où reposait l'hydravion. Au Katavi Lodge, il était impossible de faire quelque chose soi-même ; la cuisine, la lessive, le ménage, les lits, les sorties en 4x4, tout était pris en charge et strictement programmé, tout comme l'itinéraire des safaris quotidiens. Le personnel gérait l'organisation de la réserve de main de maître, ce qui ne laissait que peu de place à l'initiative personnelle, *a fortiori* s'il s'agissait de retourner à la grotte.

Jaeger n'arrivait pas à chasser l'idée déprimante que Ruth et Luke étaient peut-être prisonniers des entrailles de la montagne. Se pouvait-il qu'ils soient retenus au fond d'un laboratoire, comme des rats, des cobayes, à qui on allait bientôt inoculer le virus le plus mortel qui soit ?

Bien sûr, il fallait continuer à jouer le jeu de la lune de miel avec Narov, mais Jaeger bouillait d'impatience et de frustration. Il voulait passer à l'action, obtenir des résultats. Konig, de son côté, continuait de nourrir des soupçons à leur égard ; il ne fallait rien tenter qui risque de renforcer ses doutes.

Il sirota une gorgée de Saumur. La bouteille reposait dans un seau à glace, à portée de main, la température était parfaite, et le vin délicieux.

« Tu ne trouves pas cela un peu… étrange ? », demanda-t-il, baissant la voix pour éviter d'être entendu.

« Comment ça, "étrange" ? »

« M. et Mme Groves ? La prétendue lune de miel ? »

Narov lui lança un regard dénué de toute expression. « Pourquoi ? Nous jouons un rôle. Pourquoi cela serait-il étrange ? »

Soit elle était dans le déni, soit sa réaction faisait vraiment partie de sa nature. Cette fille était décidément bizarre. Jaeger avait passé des mois à tenter de cerner sa personnalité, de la connaître vraiment. Mais il n'avait pas réussi à s'en rapprocher.

Grâce à la transformation qu'elle avait subie à Falkenhagen, elle arborait maintenant une chevelure d'un noir corbeau très seyant, qui lui donnait l'allure d'une beauté irlandaise, ou du moins celtique. En fait, Jaeger fut soudain frappé par le fait qu'elle lui rappelait un peu son épouse, Ruth.

Une idée qui le perturba instantanément.

Comment cette idée avait-elle surgi dans son cerveau?

Il mit cela sur le compte du Saumur.

Une voix interrompit ses pensées. «M. et Mme Groves. Comment se passe votre séjour? Le dîner vous convient?»

Konig s'était approché de leur table. Le directeur de la réserve faisait le tour des tables tous les soirs, vérifiant que tout était en ordre. Certes, son ton n'était pas vraiment chaleureux, mais au moins, il ne les avait pas appréhendés pour avoir violé les règles en s'aventurant dans la grotte.

«Tout est absolument parfait», répliqua Jaeger. «En tous points.»

Konig désignait la vue qui s'offrait à leur regard. «Étonnant, n'est-ce pas?»

«C'est époustouflant.» Jaeger souleva la bouteille de Saumur. «Puis-je vous offrir le verre de l'amitié?»

«Je vous remercie, mais non. Vous êtes jeunes mariés, je m'en voudrais de vous déranger.»

«S'il vous plaît, ça nous ferait vraiment plaisir», intervint Narov. «Vous connaissez si bien la réserve. Nous sommes fascinés par tout ce que nous découvrons, ensorcelés, n'est-ce pas, Spotty?»

Elle avait posé la question à une chatte qui s'était allongée sous sa chaise. Le lodge accueillait un certain nombre de ces matous. Fidèle à son image, Irina Narov avait adopté le plus moche, celui que les autres convives chassaient de leur table.

Spotty était une chatte de race indéfinissable, d'un blanc tacheté de noir, squelettique, et qui marchait sur trois pattes. La moitié de la perche du Nil grillée de l'assiette de Narov avait fini sous sa chaise durant la soirée, et elle avait apparemment apprécié ce poisson local.

« Je vois que vous avez apprivoisé notre Paca », remarqua Falk Konig, qui semblait s'amadouer quelque peu.

« Paca ? », s'étonna Narov.

« Le mot swahili pour désigner les chats. » Il haussa les épaules. « Pas très original ; le personnel l'a trouvée dans un des villages des environs, à moitié morte. Elle avait été heurtée par un véhicule. Je l'ai adoptée, et comme personne ne connaissait son vrai nom, on a pris l'habitude de l'appeler Paca. »

« Paca… » Narov savourait ce nouveau nom. Elle posa son assiette et le reste du poisson devant la chatte. « Tiens, ma vieille, ne fais pas trop de bruit en mâchant, il y a encore des gens en train de dîner. »

La chatte tendit une patte, renifla les restes et se mit à table.

Konig afficha un sourire timide. « Vous, Mme Groves, vous me semblez aimer beaucoup les animaux. »

« Ah, les animaux… », commenta Narov, soudain rêveuse. « Tellement plus simples et plus honnêtes que les hommes. Soit ils veulent vous manger, soit ils veulent que vous les caressiez, que vous les nourrissiez, que vous leur accordiez loyauté et amour, qu'ils vous rendent d'ailleurs au centuple. Et ils ne décident jamais de vous quitter sur un coup de tête. »

Konig étouffa un petit rire. « Je crois que vous devriez être inquiet, M. Groves. Et puis après tout, je crois que je vais accepter votre invitation. Mais juste un verre : je dois me lever tôt demain matin. »

Il fit un signe en direction d'un serveur pour un troisième verre. Apparemment, c'était l'amour manifesté par Narov pour le plus rejeté des chats de Katavi Lodge qui avait fait fondre Konig.

Jaeger emplit les verres de Saumur. « Le personnel est impeccable, si je puis me permettre. Et vous transmettrez nos compliments au chef pour ce magnifique dîner. » Un silence. « Mais dites-moi, comment fonctionne la réserve ? Vous arrivez à vous en tirer ? »

« Sur un certain plan, oui », répondit Konig. « Ce lodge est une affaire très rentable financièrement. Mais moi je m'intéresse avant tout à la faune, et à sa préservation. Pour moi, le plus important, c'est la protection des animaux. Et dans ce domaine… je dois avouer que c'est en grande partie un échec.»

«Comment cela, un échec?»

«En fait, ce n'est pas vraiment un sujet de conversation pour une lune de miel… Je ne voudrais pas vous contrarier, surtout vous, Mme Groves.»

Narov se pencha vers Jaeger. «J'ai épousé un type qui me fait escalader le pic des Anges de feu pour s'amuser. Je crois que je peux tout entendre.»

Konig haussa les épaules. «Très bien, alors. Mais je vous aurais prévenue: il s'agit d'une guerre terrible et sanglante qui nous est imposée ici.»

45

«Très peu de nos hôtes arrivent au lodge en voiture, comme vous l'avez fait», continua Konig. «La plupart ont un programme très serré en Afrique. Ils débarquent à l'aéroport international Kilimandjaro, où ils prennent immédiatement un vol en avion de tourisme jusqu'ici.

«Dès leur arrivée, ils ne pensent qu'à cocher leur liste d'animaux sauvages. Les sept plus grands d'abord : lion, guépard, rhino, éléphant, girafe, buffle du Cap et hippopotame. Une fois qu'ils en ont vu un ou deux exemplaires de chaque, ils prennent l'avion vers la station balnéaire d'Amani Beach. Un endroit vraiment magique sur les plages de l'océan Indien. Amani signifie "paix" en swahili, et croyez-moi, c'est le lieu idéal pour s'évader en toute intimité.»

Son visage s'assombrit. «Quant à moi, je passe mes journées de manière bien différente. Je fais de mon mieux pour assurer qu'un nombre suffisant de ces grands animaux survive assez longtemps pour satisfaire nos visiteurs. Je suis pilote, et j'effectue des missions de surveillance aérienne contre le braconnage. Bon, quand je dis "missions de surveillance", c'est peut-être un grand mot. Ce n'est pas comme si nous pouvions nous opposer réellement aux braconniers, car ils sont lourdement armés.»

Il produisit une carte qui avait certainement connu des jours meilleurs. «Toute la journée, je survole des sections du territoire qui sont enregistrées par vidéo, puis transférées sur un système de mappage informatisé. Ainsi, nous obtenons une carte en temps réel de tous les incidents de braconnage, localisés sur leur lieu exact. Un système très sophistiqué, et croyez-moi, ce n'est que grâce au soutien de notre patron, M. Kammler, que nous pouvons nous le payer. Le gouvernement ne nous donne que des miettes de subventions.»

Kammler. Il avait répété le nom. Jaeger n'avait jamais douté que c'était cet homme qui tirait les ficelles ici, mais cela faisait du bien d'en avoir la confirmation.

Konig baissa la voix. «L'an dernier, nous comptions trois mille deux cents éléphants sur la réserve. Un joli nombre, n'est-ce pas? Ce qu'il faut savoir, c'est que durant les douze derniers mois, nous en avons perdu sept cents. Presque deux éléphants tués par jour. Les braconniers les abattent au fusil d'assaut, coupent leurs défenses à la tronçonneuse et laissent pourrir les carcasses au soleil.»

Narov semblait horrifiée. «Mais si ça continue à ce rythme, dans cinq ans, il n'en restera pas un seul!»

Konig secoua la tête d'un air découragé. «C'est pire que ça. Nous avons commencé l'année il y a seulement quatre mois et je n'ai pas survolé une section sans tomber sur un massacre… En quatre mois, nous avons perdu près de huit cents éléphants. *En quatre mois seulement!* Une véritable catastrophe.»

Narov avait blêmi. «Mais c'est *criminel*! Après avoir vu ce troupeau dans la grotte… Tous, ils vont mourir, et beaucoup d'autres encore, abattus par des lâches! Je n'arrive pas à le croire. Mais pourquoi cette augmentation subite récemment? Si vous ne savez pas d'où vient la menace, c'est difficile de la contrer.»

«L'un des avantages de notre système de mappage, c'est qu'il nous permet de faire des déductions, comme par exemple de trouver la source des activités de braconnage. Nous l'avons circonscrite à un village en particulier, et plus encore à un certain individu. Il s'agit d'un commerçant libanais, acheteur d'ivoire. C'est depuis son arrivée que le braconnage s'est intensifié.»

«Pourquoi ne transmettez-vous pas vos découvertes à la police?», suggéra Jaeger. «Ou aux autorités chargées de la faune sauvage. Il doit y avoir des gens qui s'occupent de la répression de ces activités.»

Konig émit un rire chargé d'amertume. «M. Groves, nous sommes en Afrique. Les sommes en jeu, car chacun touche sa part à tous les niveaux, vous n'avez pas idée. Les chances de voir quelqu'un lever le petit doigt contre ce commerçant libanais sont proches du zéro absolu.»

«Mais que fait un Libanais dans ce coin?», s'enquit Jaeger.

Konig haussa les épaules. «Il existe des rackets montés par des commerçants libanais véreux dans toute l'Afrique. J'imagine que ce type a décidé de devenir le Pablo Escobar du commerce illégal de l'ivoire.»

«Et que savez-vous des rhinos?» La mascotte de la famille Jaeger, un animal magnifique auquel il se sentait personnellement très attaché.

«En ce qui concerne les rhinocéros, c'est encore pire. Le sanctuaire de reproduction dans lequel nous nous réservons le droit de tirer à vue est principalement fréquenté par les rhinos. Avec quelques milliers d'éléphants, nos troupeaux sont encore viables sans assistance. Mais avec les rhinos, il nous faut amener des mâles adultes pour renforcer les troupeaux. Pour qu'ils puissent encore se reproduire en autosuffisance.»

Konig saisit son verre et le vida d'un trait. Le sujet de conversation l'affectait visiblement. Sans demander, Jaeger lui versa un nouveau verre de Saumur.

«Si les braconniers sont si lourdement armés, vous devez être dans la ligne de mire, non?», s'enquit-il.

Konig afficha un sourire déterminé. «Je considère cela comme un compliment. Je vole toujours à basse altitude et très vite. Juste au-dessus de la cime des arbres. Le temps qu'ils m'aperçoivent et préparent leurs armes, j'ai déjà disparu. Une fois ou deux, j'ai eu des impacts de balles sur ma carlingue.» Il haussa les épaules. «Un modeste prix à payer...»

«Donc, vous survolez la savane, vous localisez les braconniers, et que se passe-t-il ensuite?», insista Jaeger.

«Dès que nous repérons des signes d'activité, nous envoyons un message radio aux équipes terrestres et nous tâchons d'intercepter les bandes, en utilisant nos 4x4. Le problème, c'est le temps de réactivité, le personnel, le niveau de compétence, et la simple immensité du territoire, sans même parler de la supériorité de leurs armes. En résumé, lorsque nous arrivons sur les lieux, les défenses ou les cornes, et les braconniers bien sûr, ont disparu depuis longtemps…»

«Je comprends que cela fasse très peur», risqua Narov. «Vous êtes menacé, et les grands animaux le sont aussi. Vous ressentez de la peur et de la rage en même temps.»

Sa voix traduisait la sincérité de ses sentiments, tandis que ses yeux trahissaient une certaine admiration. Jaeger comprit qu'il ne devait pas s'en inquiéter. Narov et ce guerrier allemand qui luttait pour la protection de la faune sauvage possédaient un lien évident : l'amour des animaux. Un lien qui les rapprochait, et dont, curieusement, il se sentait presque exclu.

«Parfois, c'est vrai, je l'avoue», répliqua Konig. «Mais la colère l'emporte plus souvent que la peur. C'est la colère, à l'échelle de ce massacre, qui me fait vivre tous les jours.»

«Si j'étais à votre place, ce ne serait pas de la colère, mais de la rage», affirma Narov. Elle le fixa au fond des yeux. «Falk, j'aimerais me rendre compte de la situation par moi-même. Pouvons-nous effectuer le vol de demain avec vous ? Nous joindre à la patrouille ?»

Il fallut quelques secondes pour que Konig réagisse. «Eh bien, je ne crois pas. Je n'ai jamais emmené un hôte à bord de mon vieux coucou. Vous voyez, je vole très bas et très vite, c'est un peu comme les montagnes russes, pire peut-être. Je ne crois pas que vous aimeriez ça. Sans parler des risques de se faire tirer dessus.»

«Indépendamment de tout cela, êtes-vous prêt à nous emmener ?», insista Narov.

«Je ne pense pas que ce soit une bonne idée. Je ne peux pas emmener n'importe qui… Et sur le plan des assurances, ce n'est pas…»

«Nous ne sommes pas n'importe qui», coupa Narov, «vous avez pu vous en rendre compte dans cette grotte. Je pense également que nous pouvons vous aider. Franchement, nous pouvons vous aider à mettre un terme au massacre. Faites une petite exception, Falk. Juste pour nous. Faites-le pour vos animaux.»

«Ma femme a raison, vous savez», ajouta Jaeger. «On pourrait vous aider à faire face à la situation.»

«M'aider? Mais comment?» Konig semblait visiblement intéressé. «Comment pourriez-vous nous aider à combattre un massacre d'une telle envergure?»

Jaeger fixa longuement Narov. Un plan commençait à se dessiner dans son cerveau, un plan qui pouvait peut-être réussir, après tout.

46

Jaeger observait le grand homme blond. Il avait l'air d'être en forme, et aurait pu faire un excellent commando d'élite, si sa vie avait pris un autre tour. En tout cas, il n'avait pas montré le moindre signe d'inquiétude lors de leur première rencontre.

« Falk, nous allons vous faire un aveu, que vous devrez garder pour vous. Nous sommes d'anciens militaires. Services spéciaux. Il y a quelques mois, nous avons pris notre retraite de l'armée et nous nous sommes mariés. J'imagine que nous étions à la recherche de quelque chose : une cause qui nous mobilise et nous dépasse… »

« Je crois que nous venons de la trouver », ajouta Narov. « Aujourd'hui, en vous rencontrant à Katavi. Si nous pouvons aider à mettre un terme au braconnage, ça représentera plus pour nous que tout un mois de safaris. »

Le regard de Konig allait de l'un à l'autre. Il paraissait hésiter encore, incertain de pouvoir leur faire confiance.

« Qu'avez-vous à perdre ? », renchérit Narov. « Je vous promets que nous pourrons vous aider. Laissez-nous survoler le territoire pour que nous reconnaissions le terrain. » Elle se tourna vers Jaeger. « Faites-moi confiance, mon mari et moi avons eu affaire à des voyous pires que des braconniers dans le passé. »

Le débat semblait clos, désormais. Konig avait de plus en plus de mal à dissimuler son attirance pour la belle Russe. Il était prêt à faire une entorse au règlement, et à les impressionner par ses prouesses dans les airs. Mais le déclic avait été cette chance de pouvoir poursuivre sa mission : la préservation de ses chers animaux.

Il se leva pour prendre congé. «J'accepte, mais vous vous présenterez en indépendants. Pas en tant qu'hôtes de Katavi. C'est bien clair?»

«Naturellement.»

Il leur serra la main à tous les deux. «Ce n'est pas très orthodoxe, alors gardez cela pour vous. On se retrouve à sept heures tapantes sur la piste d'atterrissage. On prendra le petit déjeuner en l'air. Si vous n'avez pas l'estomac trop barbouillé.»

C'est le moment que choisit Jaeger pour poser une dernière question à Konig, comme s'il venait juste d'y penser.

«Falk, excusez ma curiosité, mais… êtes-vous déjà monté à bord de cet hydravion sur le lac? Avez-vous pu voir ce qu'il y avait à l'intérieur?»

Pris de court, Konig ne parvint pas à masquer son embarras. «L'avion de guerre? À l'intérieur? Mais pourquoi serais-je monté à bord? Ça ne m'intéresse pas vraiment, pour être franc.»

Sur ce, il leur souhaita bonne nuit et s'effaça.

«Il ment», assura Jaeger à Narov, une fois l'homme blond à bonne distance. «À propos de l'hydravion. Il sait ce qu'il y a à l'intérieur.»

«J'en suis aussi convaincue que toi», confirma Narov. «Quand une personne vous dit "pour être franc", tu peux être sûr qu'elle ment.»

Jaeger sourit. Du Narov dans le texte. «La question, c'est: pourquoi? Sur tous les autres sujets, il semblait sincère. Alors, pourquoi cacher la vérité là-dessus?»

«À mon avis, il a peur. Peur de Kammler. Et si l'expérience nous a appris quelque chose, c'est qu'il a raison de ne pas être rassuré.»

«Alors on va se joindre à la patrouille de surveillance de la réserve», reprit Jaeger, l'air songeur. «Comment cela peut-il nous aider à retourner dans la grotte, à résoudre le mystère de l'hydravion?»

«Si on n'y arrive pas, le mieux c'est de parler à quelqu'un qui y a été, en l'occurrence Konig. Konig est au courant de tout ce qui se passe ici. Il sait combien une façade brillante peut cacher de noirceur. Lui possède tous les secrets. Mais il a peur de parler. Il faut l'attirer dans notre camp. »

« Gagner les cœurs et les esprits ? », proposa Jaeger.

« D'abord son cœur, et puis son cerveau. Il faut l'amener dans une position où il se sentira suffisamment protégé pour parler. En fait, où il se sentira *obligé* de parler. En l'aidant à préserver sa faune sauvage, on y parviendra certainement. »

Ils reprirent le chemin qui descendait vers leur bungalow blanc, passant sous un manguier géant. Une famille de singes se mit à pousser des cris stridents depuis les hautes branches avant de leur jeter des mangues à moitié mâchouillées.

Bande d'effrontés, pensa Jaeger.

En arrivant au lodge, on avait remis à Jaeger et à Narov une brochure concernant la manière de se comporter en présence de singes. Si l'on se retrouvait face à l'un d'eux, il fallait éviter de le regarder dans les yeux. Ce serait interprété comme un signe de défi, et il se mettrait en colère. Il fallait reculer lentement. Si un singe approchait pour voler un peu de nourriture ou autre chose, il fallait lui donner volontairement, et signaler le vol à l'un des gardes de la réserve.

Jaeger n'était pas tout à fait d'accord. Son expérience lui avait appris qu'une capitulation menait invariablement à un regain d'agressivité. Ils atteignirent leur bungalow et firent coulisser le lourd panneau de bois qui servait de volet aux grandes portes vitrées. Jaeger fut immédiatement en alerte. Il aurait juré avoir laissé le volet ouvert.

Dès qu'ils pénétrèrent à l'intérieur, il devint évident que quelqu'un était passé avant eux. L'immense lit était maintenant protégé tout autour par la moustiquaire descendant du plafond. Il faisait frais : quelqu'un avait branché la clim. Et des poignées de pétales de roses parsemaient leurs oreillers d'un blanc immaculé.

Jaeger se souvint alors que cela faisait partie du service. Tandis qu'ils dînaient, une des femmes de chambre était venue ajouter une touche de lune de miel à leur bungalow. C'est ce qui s'était passé lors de leur première nuit.

Il débrancha la climatisation. Tous deux détestaient les nuits trop froides.

«Tu n'as qu'à prendre le lit», lança Narov en se dirigeant vers la salle de bains. «Je dormirai sur le canapé.»

La nuit précédente, Jaeger s'était attribué d'office le canapé. Il n'avait pas envie de discuter. Il se déshabilla, ne gardant que son caleçon, et passa un peignoir. Dès qu'Irina émergea de la salle de bain, il alla se brosser les dents.

Quand il eut terminé, il s'aperçut qu'elle s'était enroulée dans le drap blanc qui couvrait le lit. Il devinait les contours de son corps au travers du fin tissu. Elle avait déjà les yeux fermés. L'alcool faisait son œuvre, songea-t-il, elle doit dormir.

«Je croyais t'avoir entendu dire que tu prenais le canapé ce soir», marmonna-t-il, tout en se préparant à passer une seconde nuit à la dure…

47

La seule indication qui trahissait le fait que Narov avait un peu trop bu, nota Jaeger, c'est qu'elle portait des lunettes de soleil. Le jour n'était pas encore levé sur la savane africaine. Ou peut-être les portait-elle pour protéger ses yeux de la poussière soulevée par l'antique hélicoptère qui les attendait.

Konig avait décidé d'emprunter le Mi-17 HIP de fabrication soviétique de la réserve de Katavi plutôt que le petit bimoteur Otter. Ce choix avait pour objectif d'éviter le mal de l'air à ses passagers, l'hélicoptère étant plus stable que l'avion de tourisme. Il avait également ménagé une petite surprise à ses hôtes, qui n'était possible qu'en hélicoptère.

Cette surprise, Jaeger et Narov l'ignoraient encore, mais ils s'attendaient néanmoins à une part de risque durant l'excursion, car Konig leur avait restitué leur P228 SIG Sauer.

«On est en Afrique», avait-il indiqué en leur remettant leurs pistolets. «Tout peut arriver. Mais je fais une nouvelle entorse au règlement: essayez de les dissimuler sur vous. Et vous me les rendrez à la fin de notre expédition.»

Le HIP ressemblait à une grosse bulle grise et laide, mais Jaeger n'était pas inquiet. Il avait souvent effectué des missions sur ce type d'appareils; il savait que la rusticité de ses commandes s'adaptait parfaitement au terrain.

Il était blindé, et méritait bien son surnom hérité des forces de l'OTAN: l'autobus du ciel. Théoriquement, les militaires américains et britanniques n'utilisaient pas ce genre de matériel de l'ère soviétique, mais en pratique, ils ne se gênaient pas pour le faire. Le HIP s'avérait idéal pour les vols clandestins, les opérations secrètes, d'où le fait que Jaeger le connaissait parfaitement.

Konig mit les gaz et les cinq pales prirent de la vitesse. Il était crucial de décoller dès que possible, le HIP profiterait ainsi de la fraîcheur de l'air matinal. La chaleur raréfiant l'air, il était plus difficile de voler en pleine journée.

Dans le cockpit, Konig leva le pouce. Ils avaient le feu vert pour grimper à bord par la porte latérale, aspirant au passage de grandes goulées de fumée de kérosène.

L'odeur forte des gaz d'échappement était grisante, et Jaeger revivait des souvenirs d'innombrables anciennes missions. Il affichait un sourire rêveur. La poussière soulevée par le rotor était imprégnée de l'odeur familière de l'Afrique : la chaleur ; la terre brûlée par le soleil, depuis des millénaires ; une histoire remontant du fond de la préhistoire.

Afrique, creuset de l'évolution, berceau choisi par l'humanité pour commencer sa longue marche, depuis le premier singe devenu homme. Le HIP s'élevait dans le ciel, et Jaeger contemplait cette terre impressionnante, éternelle, comme un tapis merveilleux se déroulant sous leurs pieds.

Sur la gauche, à bâbord, les collines arrondies, au pied des monts Mbizi, ressemblaient à des gâteaux fourrés un peu effondrés, couleur de boue dans la pénombre du matin. Dans le lointain, au nord-ouest, les deux arêtes du pic des Anges de feu, dont Jaeger et Narov avaient escaladé puis descendu en rappel celle qui se trouvait le plus à l'est, légèrement plus élevée que sa jumelle.

Sur la droite, à tribord, des zones de forêt tropicale s'étendaient vers l'est avant de céder la place à un paysage brun, brumeux, de savane parsemée de grands acacias à la cime aplatie. Des rivières à sec serpentaient jusqu'aux confins de l'horizon.

Konig abaissa le nez de l'hélico et il bondit avec une agilité surprenante pour un appareil aussi peu aérodynamique. En quelques instants, ils quittèrent la zone de la piste et survolèrent la végétation plus dense des fourrés, frôlant la cime des plus grands arbres.

La porte latérale était ouverte et bloquée, offrant aux passagers une vue à couper le souffle.

Avant le décollage, Konig avait précisé l'objectif de la mission du jour : survoler une série de sections transversales au-dessus de la plaine du lac Rukwa, inondée durant la saison des pluies, où les grands animaux convergeaient autour des points d'eau les plus étendus. La zone du lac constituait le territoire d'élection des braconniers. Konig avait averti ses passagers qu'il devrait voler pratiquement au ras du sol, et qu'ils devraient être prêts à décamper au plus vite s'ils essuyaient des tirs.

Jaeger tâtonna dans son dos, appréciant la présence de son P228. Après l'avoir extrait de son étui de ceinture, il abaissa du pouce de la main droite le petit levier libérant le magasin. Jaeger était gaucher, mais il avait appris à tirer de la main droite, la plupart des armes de poing étant conçues pour les droitiers.

Il retira le chargeur qu'il avait quasiment vidé sur la meute de hyènes, et le glissa dans la grande poche latérale de son pantalon de treillis, un compartiment idéal pour ce genre d'objet. Il chercha dans la poche de son blouson en laine polaire un chargeur plein et l'engagea dans le manche du P228. Un geste qu'il avait accompli des milliers de fois dans le passé, durant les entraînements et en opération, et qui était devenu un véritable réflexe.

Une fois paré, il se brancha sur l'interphone de l'hélico grâce aux écouteurs qui le reliaient directement au cockpit. Il entendit Konig communiquer avec son copilote, un Tanzanien nommé Urio, détaillant le plan de vol et les points de repère au sol.

« Une épingle à cheveux sur la piste », signala Konig. « À bâbord, quatre cents mètres. »

Copilote : « OK. Cinquante kilomètres de Rukwa. »

Un silence. Puis Konig intervint. « Vitesse : quatre-vingt-quinze nœuds. Direction : 085 degrés. »

Copilote : « OK. Quinze minutes avant allumage caméras. »

S'ils maintenaient leur vitesse actuelle, un peu plus de 150 kilomètres/heure, ils atteindraient la plaine du lac Rukwa dans peu de temps, et commenceraient l'enregistrement vidéo du sol défilant sous l'hélico.

Copilote : «Point d'eau ETA Zulu Alpha Mike Bravo Echo Zulu Echo dans quinze minutes. Je répète : point d'eau Zambèze dans quinze. »

Konig : «Bien reçu. »

Par la porte latérale ouverte, Jaeger voyait défiler de temps en temps un acacia. Il pouvait presque tendre le bras pour attraper une branche haute ; Konig zigzaguait entre les arbres en épousant le relief du terrain.

C'était un excellent pilote. S'il diminuait un tant soit peu l'altitude, le rotor risquait de raboter la cime des acacias.

Ils se rapprochaient de leur objectif, le bruit empêchant les échanges par interphone.

Le vacarme des turbines fatiguées du HIP et du vieux moteur était assourdissant. Trois autres personnes avaient pris place dans la cabine derrière Jaeger et Narov. Deux gardes de la réserve, armés de fusils d'assaut AK-47, et un responsable du chargement et des passagers.

Celui-ci faisait la navette entre les deux portes latérales, le nez en l'air. Jaeger savait ce qu'il cherchait : il vérifiait qu'aucune fumée ou aucune huile ne sortait des turbines, et que le rotor ne donnait pas des signes de grosse fatigue. Il se rassit au bout d'un moment et profita du voyage. Ce n'était pas son premier vol à bord d'un HIP.

L'engin pouvait bien avoir l'allure d'un fer à repasser, Jaeger n'en avait jamais connu un qui s'écrase au sol.

48

Jaeger saisit un sac en papier kraft, qu'on nommait le «sac-à-bouffe» dans l'armée, contenant généralement de quoi se restaurer. Il y en avait plusieurs empilés dans une glacière sanglée au sol du HIP.

Quand on servait sous le drapeau britannique, on pouvait au mieux s'attendre à trouver un sandwich jambon-fromage plus très frais, une canette de soda bon marché, un paquet de chips à la crevette et un Kit Kat. Le traiteur de la RAF veillait à ce qu'il n'y ait jamais d'exception au menu.

Jaeger ouvrit le sac : des œufs durs enveloppés dans du papier alu, encore chauds ; des crêpes du jour, nappées de sirop d'érable ; des saucisses grillées et du bacon entre deux toasts beurrés ; deux croissants, ainsi qu'un petit sachet de fruits frais et juteux : ananas, pastèque et mangue.

On trouvait également un thermos de café frais, de l'eau chaude pour le thé, et des sodas enfouis dans la glace. Il aurait dû s'y attendre, étant donné l'attention constante dont les cuisiniers du Katavi Lodge faisaient preuve, aussi bien vis-à-vis de leurs hôtes que du staff.

Il attaqua ce petit déjeuner princier, et constata que Narov, gueule de bois ou pas, avait entamé le sien avec tout autant d'ardeur.

Ils avaient terminé depuis quelques minutes lorsque les premiers ennuis s'annoncèrent. On approchait de dix heures, et Konig avait déjà effectué une série de survols sur les sections prévues de la région du lac Rukwa sans rien détecter d'inhabituel.

Brusquement, il fut contraint d'engager le HIP dans une série de manœuvres inquiétantes, le vacarme assourdissant des turbines réverbéré par le sol : l'hélico plongea et frôla la poussière de la savane.

Le responsable du chargement se pencha par la porte ouverte et pointa du pouce vers l'arrière du HIP.

«Braconniers!», cria-t-il.

Jaeger se pencha à son tour dans le sillage. Il eut le temps de distinguer un groupe de silhouettes minuscules vite avalées par les nuages de poussière. Il surprit le canon d'une arme pointé vers l'hélico, mais même si le braconnier parvenait à tirer, il serait trop tard. Le HIP s'éloignait trop rapidement.

C'était la raison pour laquelle il volait si près du sol : même s'il était la cible d'attaques, il disparaissait aussi vite qu'il était venu.

«Les caméras sont branchées?» La voix de Konig intervenait par le biais de l'interphone.

«Opérationnelles», confirma le copilote.

«Comme vous avez pu vous en rendre compte», annonça Konig, «nous venons de survoler un gang de braconniers. Plus d'une dizaine, armés d'AK47, et d'après ce qu'il m'a semblé voir, de lance-roquettes. Plus qu'il n'en faudrait pour nous transformer en chaleur et en lumière. J'espère que vous avez bien digéré votre petit déjeuner...»

Jaeger s'étonnait de la qualité de l'armement des braconniers. Des fusils d'assaut du type AK47 pouvaient abattre un hélico comme le HIP. Quant à un tir de lance-roquettes, c'était la désintégration en plein ciel assurée.

«Nous avons retracé leur parcours, et il semble qu'ils reviennent d'un... massacre.» Même déformée par l'interphone, la tension dans la voix de Konig était palpable. «Il m'a semblé apercevoir qu'ils transportaient des défenses. Mais vous pouvez constater combien nous sommes impuissants. Ils sont plus nombreux que nous, mieux armés, et quand ils se montrent agressifs comme aujourd'hui, on n'a pratiquement aucune chance de les arrêter, ou de saisir l'ivoire.»

«Nous nous approchons rapidement de la zone la plus fréquentée, un point d'eau. Nous y serons dans quelques secondes», ajouta-t-il. «Vous feriez mieux de vous préparer.»

Quelques instants plus tard, l'hélico ralentit brusquement et Konig lui imprima une manœuvre tournante afin de survoler le périmètre du point d'eau. Jaeger se pencha au hublot situé à tribord; il avait une vue presque verticale de la zone.

À une dizaine de mètres de la limite boueuse de l'eau, il repéra deux formes grises et massives.

Les éléphants avaient perdu l'imposante majesté, la grâce magique que Jaeger et Narov avaient admirée au fond de la grotte des Anges de feu; ceux-ci ne bougeaient plus, géants devenus pathétiques.

«Comme vous pouvez le voir, ils ont capturé un éléphanteau et l'ont entravé», annonça Konig, la voix tendue par l'émotion. «Ils agissent ainsi pour attirer les parents. Le mâle et la femelle ont été abattus et découpés. Les défenses ont disparu.

«Je connais beaucoup de ces animaux par leur nom», poursuivit l'Allemand. «Il me semble que le grand mâle, c'est Kubwa-Kubwa, ce qui signifie "Grand-Grand" en swahili. La plupart des éléphants ne dépassent pas l'âge de soixante-dix ans. Kubwa-Kubwa avait quatre-vingt-un ans. C'était le doyen du troupeau, l'un des plus âgés de la réserve.

«Le bébé éléphant est encore vivant, mais il est extrêmement traumatisé. Si l'on arrive à l'approcher et à le calmer, il se peut qu'il survive. Avec un peu de chance, les autres femelles de la famille s'occuperont de lui…»

La voix de Konig était étonnamment calme. Mais Jaeger savait bien qu'une telle pression, un tel choc subi jour après jour, avait des conséquences néfastes sur un individu.

«C'est le moment de votre surprise», annonça Konig sombrement. «Vous m'avez dit que vous vouliez vous rendre compte par vous-même de ces crimes… Je vais atterrir. Quelques minutes seulement. Les gardes vous escorteront.»

Presque immédiatement, Jaeger s'aperçut que l'hélicoptère perdait le peu d'altitude qu'il avait encore. La queue de l'appareil s'abaissa vers une zone dépourvue de végétation et le responsable du chargement se pencha par la porte latérale pour s'assurer que l'hélice principale et l'hélice de queue ne risquaient pas de heurter les acacias.

Il y eut un choc lorsque les roues établirent le contact avec le sol brûlant, et le responsable hocha la tête, pouce en l'air.

«On est arrivés!», cria-t-il. «Tout le monde dehors!»

Jaeger et Narov émergèrent de la cabine. Pliés en deux et au pas de course, ils s'éloignèrent vers la brousse, jusqu'à ce qu'ils soient à bonne distance du rotor, qui soulevait des nuées de poussière rouge et de branches mortes. Ils mirent un genou à terre, pistolet au poing, au cas où il resterait des braconniers dans les environs. Les deux gardes de la réserve les rejoignirent en courant. L'un des deux leva le pouce en direction du cockpit, Konig répondit de la même façon, et un instant plus tard, le HIP s'éleva à la verticale avant de disparaître.

Les secondes défilaient.

Le rugissement des turbines s'estompa.

Bientôt, il disparut tout à fait.

Les gardes expliquèrent rapidement que Konig retournait à Katavi pour chercher un harnais. S'ils parvenaient à anesthésier l'éléphanteau à l'aide d'une fléchette, ils pourraient peut-être l'hélitreuiller jusqu'à la réserve. Une fois là-bas, ils s'occuperaient du bébé aussi longtemps qu'il le faudrait pour qu'il surmonte le choc, avant de le ramener au sein de sa famille.

Certes, Jaeger comprenait le sens de cette opération, mais il n'appréciait pas particulièrement la situation dans laquelle ils se trouvaient maintenant: entourés par les carcasses des parents du bébé, armés de leurs seuls pistolets. Les gardes semblaient plutôt détendus, mais il n'était pas certain de leur attitude au cas où les choses dégénéreraient.

Il se releva et jeta un regard inquiet en direction de Narov.

Tandis qu'ils s'approchaient de la scène du carnage, il croisa le regard de la jeune Russe. Il exprimait une détresse profonde, mêlée d'une rage inextinguible.

49

Avec une lenteur calculée, il s'approchaient de l'éléphanteau qui était en proie à une agitation incontrôlée. Dans son regard affolé, ils lisaient la peur et l'horreur; son corps était agité de tremblements. Il était couché sur le côté, trop épuisé pour tenir sur ses pattes. Tout autour, les traces de la lutte à mort qui s'était déroulée sous ses yeux: le filin qui l'attachait à un tronc d'arbre avait pénétré profondément dans la chair, tandis qu'il se débattait pour retrouver la liberté.

Narov s'agenouilla près de l'animal effrayé. Elle s'approcha encore, baissant la tête pour murmurer des paroles réconfortantes dans l'oreille du bébé éléphant. Ses petits yeux, de la taille de ceux d'un homme, roulaient dans tous les sens, mais bientôt il sembla que les paroles l'apaisaient. Narov resta penchée sur l'animal un long moment.

Finalement, elle se releva. Les larmes coulaient de ses yeux. «On va se mettre en chasse pour les retrouver. Les salauds qui ont fait ça!»

Jaeger secoua la tête. «Mais enfin… On n'a que deux pistolets. Ce ne serait pas du courage, ce serait de la folie pure.»

Narov ne tenait plus en place. Elle fixait Jaeger d'un regard de défiance. «Alors, j'irai seule!»

«Mais tu oublies…» Jaeger regardait le bébé éléphant. «Il a besoin qu'on le protège. Qu'on préserve sa vie.»

Narov montra les gardes. «Et eux, alors? Ils sont mieux armés que nous.» Elle se tourna vers l'ouest, dans la direction prise par les braconniers. «Si personne ne les pourchasse, le massacre

se perpétuera jusqu'à ce que le dernier éléphant soit exterminé.»
Une fureur froide et déterminée s'était emparée d'elle. «Il faut
les frapper durement, de manière impitoyable, avec la sauvagerie
dont ils ont fait preuve.»

«Irina, bien sûr, je te comprends. Mais réfléchissons au moins
à la manière dont on va le faire. Konig est parti depuis vingt
minutes. Ils avaient des AK47 sous les sièges du HIP. Au moins,
armons-nous en conséquence. Et puis, l'hélico renferme assez
de vivres et d'eau. Sans équipement, on est foutus avant même
de commencer.»

Narov restait murée dans le silence, mais il se rendait compte
qu'elle hésitait.

Jaeger consulta sa montre. «Il est 1300 heures. On pourra se
lancer à 1330. Les braconniers auront deux heures d'avance.
Si on fait le forcing, on peut y arriver; on peut les coincer.»

Elle ne pouvait qu'accepter ces paroles de sagesse.

Jaeger décida d'aller inspecter les carcasses des éléphants
abattus. Il ne savait pas ce qu'il s'attendait à trouver, mais l'envie
était trop forte. Il tentait de rester objectif, d'observer la scène du
massacre comme l'aurait fait un soldat. Mais une vague d'émotion
le submergeait, sans qu'il puisse la contrôler.

Il ne s'agissait pas d'un assassinat professionnel, précis et froid.
Jaeger comprenait que les éléphants avaient dû charger pour
protéger leur petit; les braconniers avaient paniqué. Ils avaient
arrosé de balles les grands animaux, presque sans viser, à l'aide
de leurs fusils d'assaut et de leurs mitraillettes, jusqu'à ce que le
mâle et la femelle s'effondrent.

Il était évident que les deux éléphants n'étaient pas morts
instantanément. Ils avaient flairé le danger; peut-être même
avaient-ils compris qu'ils étaient en train de tomber dans un piège.
Mais ils avaient avancé et, en chargeant, s'étaient sacrifiés pour
leur progéniture.

Voilà trois ans que Luke avait disparu, et Jaeger ne pouvait
s'empêcher de faire le rapprochement. Il luttait pour ne pas
craquer, retenant ses émotions et ses larmes.

Il s'apprêtait à faire demi-tour lorsque son regard accrocha quelque chose. Un mouvement. Il vérifia de nouveau, rempli d'appréhension. C'était bien ce qu'il avait craint : un des parents respirait encore.

Cette vision lui fit l'effet d'un coup de poing dans le ventre. Les braconniers avaient abattu le grand mâle, scié ses défenses à la tronçonneuse et l'avaient abandonné dans une mare de sang. Le corps truffé de balles, il vivait encore, une agonie atroce sous le soleil impitoyable d'Afrique.

Un sentiment de rage s'empara de Jaeger. Le grand pachyderme ne pouvait pas être sauvé.

Il sentait la nausée monter en lui, mais il savait ce qu'il avait à faire.

Il retourna vers un des gardes, à qui il emprunta son AK47. Puis, les mains tremblantes de colère et d'émotion, il revint vers le grand mâle, pointa son arme vers sa magnifique tête. Pendant une fraction de seconde, il crut voir ses yeux s'ouvrir.

Aveuglé par ses propres larmes, Jaeger appuya sur la détente et mit un terme aux souffrances du majestueux animal.

Dans un brouillard, il rejoignit Narov. Elle était toujours penchée sur l'éléphanteau. Il lut sur son visage défait qu'elle avait compris ce qu'il avait été contraint de faire. Leur détermination à tous deux était désormais totale.

Il s'accroupit à son côté. « Tu avais raison. Il faut les rattraper. Dès que nous aurons récupéré des vivres à bord du HIP, on se mettra en route. »

Quelques minutes plus tard, le bruit du rotor déchira l'air brûlant. Konig avait fait plus vite que prévu. Il fit atterrir l'hélico dans la clairière, dans un nuage de poussière et de débris. Les roues touchèrent le sol et Konig réduisit les gaz. Jaeger s'apprêtait à foncer pour aider au déchargement lorsque son cœur fit un bond dans sa poitrine.

Il venait de repérer un éclair dans le fouillis de la brousse ; le reflet du soleil sur une surface métallique. Il vit une silhouette se lever, abritée par la végétation, un lance-roquettes bien calé sur l'épaule. Il était à environ trois cent mètres, et son pistolet ne lui était d'aucune utilité devant le danger.

Il hurla. «LANCE-ROQUETTES! COUCHEZ-VOUS!»

Un instant plus tard, il entendit la détonation caractéristique du départ d'un projectile destiné à percer les blindages. Normalement, la précision n'est pas le fort des lance-roquettes, à moins d'être proche de la cible. Pourtant le projectile meurtrier jaillit de la brousse et se rapprocha du HIP comme une fusée, suivi par un panache de feu et de fumée.

Jaeger crut qu'il allait manquer sa cible, mais à la dernière seconde, il heurta l'arrière de l'hélicoptère, un peu avant l'hélice de queue. L'impact fut suivi d'une explosion aveuglante qui arracha l'arrière du HIP et le fit pivoter d'un bon quart de tour.

Jaeger n'hésita pas une seconde. Il se releva et se rua en avant, hurlant des ordres en direction de Narov et des gardes : il fallait à tout prix former un cordon de sécurité entre eux et les assaillants. Déjà, une fusillade nourrie éclatait, et il était certain que les braconniers étaient déterminés à les abattre tous.

Les flammes commençaient à envelopper l'arrière dévasté de l'hélico, mais Jaeger fonça à l'intérieur de la cabine, parmi le métal tordu et brûlant, et l'épaisse fumée âcre, à la recherche de survivants. Konig avait pris quatre gardes supplémentaires, et Jaeger ne put que constater que trois d'entre eux étaient lardés de shrapnel ; ils n'avaient pas survécu à la roquette.

Il tira le quatrième vers l'extérieur, il était blessé, mais vivant, et Jaeger l'extirpa de l'appareil avant de le déposer sur le sol. Puis il retourna dans le brasier à la recherche de Konig et de son copilote. D'immenses flammes jaillissaient maintenant de la cabine et menaçaient l'appareil tout entier. Il fallait faire vite, sinon Konig et Urio laisseraient leur vie dans l'embrasement général.

Il se débarrassa de son sac, pénétra dans le brasier et s'empara d'un extincteur sur une des parois intérieures ; une étiquette précisait *COLDFIRE* sur un des côtés. Il dévissa l'embout, s'arrosa de la tête aux pieds avant de retourner dans l'habitacle, extincteur au poing. Le Coldfire est particulièrement efficace. Il avait vu des soldats en vaporiser sur leurs mains avant de les passer dans les flammes sans ressentir la moindre brûlure.

Il prit une profonde inspiration et se jeta de nouveau dans le tourbillon des flammes. Incroyable : il ne sentait plus leur chaleur, leur brûlure. Il entreprit d'arroser de mousse tout ce qui se présentait autour de lui en progressant vers le cockpit, et en quelques secondes, la fureur de l'incendie se calma.

Enfin, il parvint au cockpit, déboucla la ceinture de Konig, affaissé sur son siège, inconscient, et le tira vers l'extérieur. Il lui semblait que Konig avait reçu un coup à la tête, mais en dehors de cela il paraissait indemne. Jaeger dégoulinait de sueur maintenant, il toussait horriblement à cause de la fumée, mais il retourna une nouvelle fois vers le HIP, saisit la poignée de l'autre porte du cockpit avant de l'ouvrir en grand.

Au prix d'un formidable sursaut d'énergie, il agrippa le corps du copilote et le traîna à bonne distance de l'hélicoptère qui achevait de s'embraser.

50

Jaeger et Irina Narov forçaient l'allure depuis trois bonnes heures maintenant. Progressant à l'abri du lit asséché d'une rivière, un wadi, ils étaient parvenus à dépasser le gang des braconniers, sans relever le moindre signe laissant penser qu'ils avaient été repérés.

Ils pressèrent le pas vers un épais bosquet d'acacias de façon à voir passer les braconniers. Il fallait qu'ils connaissent le nombre de leurs ennemis, leur armement, leurs forces et leurs faiblesses, afin de déterminer la meilleure tactique pour les frapper.

Près de la carcasse encore fumante de l'hélicoptère, les braconniers avaient abandonné le combat face à la résistance acharnée qu'ils avaient rencontrée, et les blessés avaient pu être soignés. Un hélico de secours avait été immédiatement dépêché par le personnel du Katavi Lodge sitôt celui-ci prévenu. L'éléphanteau serait hélitreuillé en même temps que les blessés seraient rapatriés au lodge.

Mais Jaeger et Narov s'étaient mis en chasse bien avant que l'opération ne soit effectuée, et ils s'étaient rapidement rapprochés des braconniers.

Bien dissimulés derrière les branches basses des acacias, ils observaient le groupe qui approchait. Ils comptèrent dix hommes armés. Celui qui avait déclenché le lance-roquettes et son porteur arriveraient plus tard, ce qui faisait douze hommes au total. L'œil aguerri de Jaeger nota que les hommes étaient très lourdement armés. Ils portaient de longues bandes de munitions sur le torse, et leurs poches débordaient de chargeurs, sans compter des réserves de grenades pour les lance-roquettes.

Douze braconniers armés jusqu'aux dents. Pas le genre de challenge qu'il fallait prendre à la légère.

Au passage, ils repérèrent l'ivoire : quatre énormes défenses tachées de sang, que les braconniers portaient chacun leur tour. Les porteurs croulaient sous le poids, en équilibre sur leur épaule, avant de passer leur trophée au suivant.

Jaeger mesurait l'énergie nécessitée par ces efforts. Narov et lui avaient évité de se charger pour la marche, et pourtant ils étaient trempés de sueur. Sa chemise légère en coton collait à son dos. Ils avaient récupéré quelques bouteilles d'eau à bord de l'épave du HIP, mais celles-ci étaient déjà presque toutes vides.

Chacune des défenses, estimait Jaeger, devait peser dans les quarante kilos, le poids d'un jeune homme adulte. Il jugeait que les hommes n'allaient pas tarder à faire une halte et à établir leur campement. Ils y étaient contraints. Le crépuscule n'allait pas tarder, il leur faudrait boire, se restaurer et se reposer.

D'où le plan qui commençait à prendre forme dans son cerveau. C'était jouable, après tout.

Il se replia à l'abri du wadi et conseilla à Narov de faire de même. «Tu en as vu assez?», demanda-t-il à voix basse.

«Assez pour vouloir les tuer tous», souffla-t-elle.

«Exactement ce que je ressens. Le problème, c'est que si on les attaque de front, on n'a aucune chance.»

«Tu as quelque chose de mieux à proposer?»

«Peut-être.» Jaeger fouilla dans son sac à dos et en extirpa son téléphone-satellite. «D'après ce que nous a appris Konig, l'ivoire est une matière solide, comme une immense dent. Mais comme toutes les dents, du côté de la racine, il existe un cône plus ou moins creux : la cavité où est logée la pulpe. Là, les tissus sont mous, emplis de chair tendre et de vaisseaux sanguins.»

«Je t'écoute», grommela Narov. Jaeger sentait qu'elle aurait préféré se ruer tout de suite sur les braconniers et les anéantir sur place.

« Tôt ou tard, la bande va devoir faire une halte. Ils établiront leur camp et on leur rendra visite. Mais on ne les neutralise pas. Pas encore. » Il montra le téléphone. « On planque ça bien profond dans la cavité pulpeuse. Ensuite, on demande à Falkenhagen de les suivre à la trace. Comme ça, on pourra localiser leur base. Entretemps, on commande du matos adapté. Et on fonce sur eux à l'heure et à l'endroit qu'on aura choisis. »

« Comment va-t-on faire pour s'approcher suffisamment ? », s'enquit Narov. « Pour planquer le téléphone-satellite ? »

« Je l'ignore encore. Mais on fait ce qu'on sait le mieux faire : on observe ; on étudie l'ennemi. On trouvera bien un moyen. »

Les yeux d'Irina brillaient. « Et si quelqu'un nous appelle sur le téléphone ? »

« On le règlera sur le mode vibreur. Silencieux. »

« Et si la vibration le fait sortir de la cavité ? S'il tombe ? »

Jaeger soupira. « Là, tu compliques vraiment pour le plaisir. »

« C'est le doute qui m'a permis de survivre jusqu'ici. » Narov farfouilla dans son sac à dos et en tira un petit objet, pas plus épais qu'une grosse pièce de monnaie. « Qu'est-ce que tu penses de ça ? Un traceur GPS Retrievor à batterie solaire. Précis jusqu'à un mètre cinquante. Je pensais qu'on pourrait en avoir besoin pour suivre à la trace les sbires de Kammler… »

Jaeger tendit la main. Un jeu d'enfant de glisser ça au fond de la cavité d'une défense d'éléphant. Si du moins ils parvenaient à s'approcher suffisamment.

Narov s'abstint de lui donner le traceur GPS. « Il y a une condition : c'est moi qui le mettrai en place moi-même. »

Jaeger la détailla un instant. Elle était mince, agile et intelligente, il avait eu le temps de s'en rendre compte depuis qu'il la connaissait ; il ne doutait pas qu'elle réussisse à poser le capteur sans faire le moindre bruit.

Il sourit. « D'accord. On fera comme tu veux. »

Ils progressèrent pendant encore trois heures exténuantes. Finalement, le gang décida qu'il était temps de faire une pause. L'énorme soleil rouge rejoignait rapidement l'horizon. Jaeger et

Narov se rapprochèrent, avançant prudemment à plat ventre le long d'un étroit ravin qui déboucha sur une zone de boue sombre et puante, en bordure d'un marigot.

Les braconniers établissaient leur camp sur l'autre rive, ce qui ne surprenait pas Jaeger. Après une journée de marche, ils auraient besoin d'eau. Le marigot, cependant, n'était qu'un tas de boue humide. La chaleur se dissipait peu à peu, mais restait insupportable, et tout ce qui rampait, voletait, bourdonnait et piquait semblait s'être donné rendez-vous dans la boue environnante. Des mouches aussi grosses que des souris, des rats aussi gros que des chats, sans parler des moustiques, l'endroit revivait avec la nuit tombante.

Mais rien ne perturbait Jaeger plus que la peur de la déshydratation. Voilà près d'une heure qu'ils progressaient sans la moindre goutte de fluide dans le corps. Il sentait la migraine s'installer. Même en restant allongé sans bouger, observant les braconniers, la soif devenait intolérable.

Il fallait qu'ils se réhydratent rapidement tous les deux.

La pénombre s'installait peu à peu sur le paysage. Une brise légère se leva, faisant évaporer les dernières gouttes de sueur de la peau de Jaeger. Il était allongé dans la boue, plus immobile qu'un tronc d'arbre, les yeux fixés sur l'objectif, Narov à son côté.

Au-dessus de leurs têtes, les premières étoiles tremblotaient à travers le feuillage des acacias ; on devinait la faible clarté de la lune naissante. Une luciole traversa l'obscurité tout près d'eux, sa lueur se refléta à la surface de l'eau noire, créant un instant de magie.

C'était bon d'être dans l'obscurité totale. Dans une mission telle que celle-ci, elle constituait leur meilleure alliée.

Plus il la contemplait, plus Jaeger pensait que l'eau, même si c'était un magma infâme, offrait un chemin idéal pour s'approcher de l'ennemi.

51

Ni Jaeger ni Narov n'étaient en mesure d'évaluer la profondeur du marigot, mais c'était le chemin le plus court qui les mènerait au cœur du campement des braconniers. Sur l'autre rive, juste en face, la lueur du feu cuisant le repas de la bande se reflétait à la surface de l'eau stagnante.

«Prête à aller bosser?», murmura Jaeger, sa botte effleurant celle de la jeune femme.

Elle hocha la tête. «On y va!»

Il était près de minuit, et le campement était silencieux depuis trois heures. Durant toutes ces heures de surveillance, ils n'avaient décelé aucun signe de la présence d'éventuels crocodiles.

Le moment était venu.

Jaeger pivota pour se relever en glissant, cherchant du pied une terre plus ferme. Il avança en s'enfonçant de plus en plus dans l'eau épaisse, prenant appui sur le fond gluant, visqueux, du marigot. Il avait de l'eau jusqu'à la ceinture, mais au moins, il ne pouvait être vu depuis l'autre rive.

De chaque côté, des créatures invisibles et sans nom grouillaient et serpentaient autour de lui. Comme il s'y attendait, il n'y avait pas le moindre courant; c'était de l'eau stagnante, fétide, à l'odeur nauséabonde. Elle puait les excréments animaux, la maladie et la mort.

En résumé, c'était un environnement idéal : les braconniers ne songeraient jamais à regarder de ce côté en cas d'attaque.

Durant ses années au sein des SAS, Jaeger avait appris à apprivoiser ce qui effrayait la plupart des gens; à habiter la nuit;

à révérer l'obscurité. C'était la couverture parfaite pour dissimuler les mouvements de ses frères d'armes et de lui-même aux yeux de ses ennemis, exactement comme cela se passait cette nuit-là.

Toutes ses années d'entraînement l'avaient amené à rechercher des environnements extrêmes, déserts écrasés de soleil, brousses isolées, hostiles, marais nauséabonds, que le commun des mortels tendait à fuir. Les gens doués d'un semblant de raison ne s'aventuraient jamais en ces lieux, ce qui entraînait qu'un groupe réduit de soldats d'élite pouvait s'y risquer sans se faire repérer.

Aucun des braconniers ne rejoindrait Jaeger ni Narov au cœur de ce marigot puant et repoussant, d'où le fait que ce choix, malgré les désagréments, s'avérait parfait.

Jaeger s'agenouilla ; pistolet au poing, il avait de l'eau jusqu'au nez, seuls les yeux affleuraient à la surface. Il adoptait ainsi le profil le plus bas, tout en avançant lentement vers l'autre rive, et en maintenant son P228 hors de l'eau. Certes, la plupart des armes de poing fonctionnaient même mouillées, mais il valait mieux les garder au sec, surtout quand le milieu aquatique était du genre putride.

Il jeta un coup d'œil en direction de Narov. « Ça va pour toi ? »

Elle acquiesça, les yeux étincelant dans un rayon de lune.

Du bout des doigts, Jaeger tentait d'écarter les amas gluants qui gênaient sa progression. Sa main s'enfonçait régulièrement dans de la végétation pourrie et visqueuse.

Il priait pour qu'elle n'abrite pas de serpents, mais chassa rapidement cette pensée.

Il avança pendant trois bonnes minutes, comptant chacun de ses pas, tâchant d'estimer la distance parcourue. Narov et lui progressaient en aveugles, et il fallait à tout prix évaluer la position du campement des braconniers. Quand il jugea qu'ils avaient couvert un peu plus de soixante-dix mètres, il donna le signal de s'arrêter.

Il s'approcha de la rive et tendit le cou, sa tête émergeant au-dessus de la berge. Narov le suivait de près, il sentait sa tête qui touchait son épaule. Ils sortirent ensemble du marigot, arme au poing. Chacun explora une moitié de terrain, se passant à voix basse les détails de l'environnement proche afin de dresser le plus rapidement possible un plan précis du campement.

«Feu de camp», chuchota Jaeger. «Deux types assis devant. Montent la garde.»

«Dans quelle direction?»

«Sud-est. À l'opposé du marigot.»

«D'autres lumières?»

«Aucune autre.»

«Des armes?»

«Des AK. Et puis je vois des types à gauche et à droite du feu. Endormis. J'en compte… huit.»

«Ça fait dix en tout. Deux invisibles.»

Narov balayait le camp et ses environs.

«J'ai repéré les défenses. Un type monte la garde à côté.»

«Armé?»

«Fusil d'assaut en bandoulière.»

«Il n'en reste plus qu'un à repérer. Un manquant à l'appel.»

Tous deux voulaient aller le plus vite possible, mais il fallait trouver le braconnier manquant. Ils poursuivirent l'observation pendant quelques minutes, mais sans succès.

«Des mesures de sécurité supplémentaires? Fils de détente cachés? Objets piégés? Détecteurs de mouvement?»

Narov secoua la tête. «Rien que je puisse voir. Avançons, trente degrés. On va se rapprocher des défenses.»

Jaeger recula dans l'eau sale et reprit sa progression. Au même moment, il surprit des bruits suspects dans l'obscurité. Des animaux, mais lesquels? Ses yeux affleuraient la surface, et il sentait des mouvements inquiétants tout autour de lui. Pire encore, des choses s'insinuaient dans ses vêtements.

Sous sa chemise, autour du cou, à l'intérieur des cuisses même. Il ressentait une légère piqûre chaque fois qu'une sangsue insérait ses mâchoires dans sa peau et commençait à sucer goulûment, se gorgeant de son sang.

L'idée même soulevait le cœur; c'était une sensation répugnante.

Mais il ne pouvait rien y faire pour le moment.

Pour une raison qu'il ne s'expliquait pas, certainement la poussée d'adrénaline provoquée par la situation, Jaeger éprouvait également une formidable envie d'uriner. Mais il lui fallait la combattre. Il y a une règle d'or lorsqu'on traverse un milieu aquatique, c'est de se retenir de pisser. Si vous cédez à la tentation, l'ouverture de l'urètre permet à une foule de microbes, de bactéries et de parasites de remonter le canal urinaire.

Il existe même un poisson minuscule, le candiru, ou poisson-cure-dent, qui adore remonter le flux d'urine et s'insérer dans le pénis avant de déployer ses piques de telle manière qu'on ne puisse plus l'en extraire. Jaeger frissonnait à cette simple idée. Pas question de se soulager la vessie dans ces conditions. Il attendrait la fin de la mission.

Ils stoppèrent leur progression au bout d'un moment et balayèrent les environs du regard.

Juste à leur droite, à une trentaine de mètres, les quatre énormes défenses luisaient sous la lune. L'unique sentinelle leur tournait le dos, face à la brousse, seule direction par où elle imaginait surgir une éventuelle menace.

Narov sortit le dispositif de localisation GPS de sa poche. «J'y vais!», murmura-t-elle.

Il était trop tard pour discuter. D'autant plus qu'elle s'acquitterait de la mission mieux que lui. «Je reste derrière toi. Je te couvre.»

Narov s'immobilisa une seconde, avant de puiser une poignée de boue visqueuse sur la rive. Elle l'appliqua soigneusement sur son visage et ses cheveux.

Elle se tourna vers Jaeger. «Je te plais?»

«Tu es ravissante.»

Elle se glissa alors sur la rive, rampant comme un serpent fantomatique, avant de disparaître.

52

Jaeger comptait les secondes. Il estima qu'il s'était écoulé six ou sept minutes depuis le départ de Narov. Elle n'était toujours pas revenue. Il s'attendait à la voir réapparaître d'un instant à l'autre. Il fixait toujours intensément les guetteurs autour du feu, mais ne détectait aucun signe de danger.

Pourtant, il régnait une tension insoutenable.

Soudain, il détecta un bruit bizarre, un gargouillement provenant de la zone où étaient empilées les défenses d'ivoire. Il tourna les yeux, fouillant la nuit. La sentinelle solitaire avait disparu.

Les guetteurs autour du feu se raidirent. Le cœur cognant à tout rompre, il les mit en joue au bout de son SIG.

«Hussein?», cria un des gardes. «Hussein!»

Ils avaient entendu le même bruit, de toute évidence. Le silence répondit à leur appel; Jaeger se doutait bien de la raison de ce silence.

Un des gardes se leva. Jaeger l'entendit parler en swahili. «Je vais aller voir. Il a probablement été pisser.» Il prit la direction du tas d'ivoire; la direction d'Irina Narov.

Jaeger s'apprêtait à remonter sur la berge et à se ruer au secours de la jeune femme quand il détecta un mouvement. Une silhouette rampait vers lui dans des fourrés en bordure de la brousse. C'était bien Narov, mais elle se déplaçait bizarrement.

Comme elle se rapprochait, Jaeger réalisa ce qui se passait: elle traînait une défense derrière elle. Avec une telle charge, elle ne parviendrait jamais jusqu'à lui. Jaeger, plié en deux, se rua vers elle, saisit la lourde défense d'ivoire et revint sur la rive en chancelant sous le poids.

Il se laissa couler dans l'eau saumâtre, glissant la défense près de lui, et Narov le rejoignit presque immédiatement. Il n'arrivait pas à croire que personne ne les avait repérés.

Sans échanger une parole, ils commencèrent à reculer silencieusement. Il n'y avait rien à dire. Si Narov n'avait pas réussi sa mission, elle l'aurait mis au courant. Mais pourquoi diable s'était-elle embarrassée d'une défense?

Soudain, des détonations claquèrent. Trois fois.

Jaeger et Narov se figèrent. Trois tirs d'AK, provenant de l'endroit où étaient empilées les défenses. Il était évident qu'on venait de découvrir le travail d'Irina Narov.

«Des tirs de semonce», murmura Jaeger. «Pour donner l'alerte.»

On entendait maintenant des vociférations, tandis que des silhouettes émergeaient du sommeil autour du feu. Jaeger et Narov se laissèrent glisser jusqu'aux yeux dans le marigot, les visages noirs de boue. Rien d'autre à faire que garder le silence, dans une immobilité totale, tout en tâchant de saisir ce qui se disait sur la berge.

Des voix s'interpellaient, mêlées de bruits de bottes sur la terre sèche. Les braconniers braillaient en tous sens, dans la confusion la plus complète. Jaeger sentit qu'une silhouette s'approchait à quelques mètres du lieu où ils s'étaient allongés.

Les yeux de l'homme armé scannaient la surface de l'eau; il ne pouvait manquer de les voir. Jaeger se raidit, dans l'attente d'un cri d'alarme, d'une détonation, d'un tir qui ferait mouche et déchirerait sa chair, brisant les os.

Puis une voix, la voix d'un chef, retentit: «Il n'y a personne dans ce trou de merde, crétin! Viens chercher par ici!»

La silhouette sur la berge fit volte-face et se précipita vers la brousse autour du campement. L'orientation des recherches avait brusquement changé; les braconniers se concentraient sur les alentours, fouillant la végétation. Se fondre le plus intimement possible dans ce marigot gluant et puant, grouillant d'infâmes bestioles, leur avait sauvé la vie.

Ils s'éloignèrent en nageant lentement, silencieusement, jusqu'à ce qu'ils reprennent pied sur la rive d'où ils étaient partis. Ils s'assurèrent qu'aucun braconnier ne s'était aventuré dans les parages, retrouvèrent la terre ferme et récupérèrent les sacs à dos là où ils les avaient cachés.

Irina Narov marqua une pause pour souffler. Elle sortit son poignard et entreprit de nettoyer la lame dans l'eau sombre.

« Il fallait qu'un d'entre eux y passe... » Elle pointa le doigt vers la défense. « C'était notre couverture. Pour qu'ils croient à des voleurs. »

Jaeger approuva de la tête. « Bien vu. »

Ils entendaient encore des appels, des cris, et de temps en temps une rafale qui se perdait dans l'obscurité. Les recherches se dirigeaient vers l'est et le sud, s'éloignant du marigot. Les braconniers semblaient surtout effrayés par l'événement, pourchassant des fantômes, des ombres dans la nuit.

Jaeger et Narov abandonnèrent la défense près du bord, au fond de l'eau, et reprirent leur marche à travers la brousse. Il leur restait un long chemin à parcourir, et la déshydratation se faisait cruellement sentir maintenant. Mais Jaeger avait une priorité absolue, avant même de boire.

Lorsqu'il estima être assez éloigné de la bande de braconniers, il s'arrêta. « Il faut que je pisse. Et il faudrait vérifier si l'on n'est pas en train de nourrir une colonie de sangsues... »

Narov hocha la tête.

Ce n'était pas le moment de faire des manières. Jaeger se détourna de la jeune femme et baissa son pantalon. Il ne s'était pas trompé : son bas-ventre grouillait de ces gros vers voraces.

Il avait toujours détesté ces satanées sangsues. C'était même de la haine. Plus que les chauves-souris ; il n'abhorrait aucune autre créature vivante autant que ces vampires. Il y avait plus d'une heure qu'elles se gavaient de son sang, chacune d'elles avait grossi jusqu'à trois fois sa taille originelle. Il les saisissait une à une, tirait dessus avant de les jeter dans la poussière ; de longs filets de sang dégoulinaient le long de ses jambes.

Une fois débarrassé de ce côté-là, il retira sa chemise et répéta son manège sur le cou et la poitrine. Les sangsues injectent un anticoagulant qui provoque des saignements pendant un certain temps. Son corps n'était plus qu'un ruisseau de sang à la fin de l'opération.

Narov se retourna à son tour, et laissa tomber son pantalon.

«Tu veux un coup de main ?», s'enquit Jaeger avec un sourire rêveur.

Elle grogna. «Non mais tu rêves ou quoi ? Je suis entourée de sangsues toute la journée. Toi inclus.»

Il haussa les épaules. «Pas de problème. Saigne tant que tu veux.»

Une fois qu'ils furent débarrassés de leurs parasites, ils prirent quelques minutes pour nettoyer leurs armes. Il était crucial de vérifier que la boue ou l'humidité n'avaient pas pénétré dans le mécanisme. Enfin, ils prirent la direction de l'est d'une allure soutenue.

Ils étaient à court de vivres, sans la moindre goutte d'eau, mais ils en trouveraient certainement dans l'épave de l'hélico.

Du moins s'ils parvenaient jusque-là.

La petite flasque faisait la navette entre Jaeger et Narov. Ils se réjouissaient de l'avoir retrouvée parmi les débris du HIP. Narov ne buvait pratiquement pas d'alcool, mais ils étaient tous deux exténués, et le whisky leur fournissait un précieux soutien psychologique.

À leur arrivée, l'endroit était totalement désert. Même l'éléphanteau avait disparu, ce qui les réconfortait un peu. Au moins, ils auraient concouru à sauver un animal. Ils avaient dévoré tout ce qu'ils avaient trouvé dans l'épave : eau, soda, rations, apaisant ainsi leur faim et leur soif.

Une fois rassasié, Jaeger avait passé quelques appels sur son téléphone satellite. Le premier à destination de Katavi, et il avait été soulagé de communiquer directement avec Konig. Le directeur de la réserve était costaud, il venait de le prouver. Il avait repris conscience et désirait se rendre utile.

Jaeger lui avait résumé ce que Narov et lui-même avaient mis au point. Il avait demandé à ce qu'un appareil vienne les récupérer, et Konig avait promis de prendre l'air dès l'aube. Il l'avait également prévenu qu'ils allaient recevoir du matériel par le prochain vol en provenance d'Europe, en lui demandant de ne pas ouvrir les caisses qui arriveraient.

Son second appel avait été pour Raff, toujours en poste à Falkenhagen, pour lui transmettre une liste d'équipements et d'armes. Raff avait promis d'envoyer le tout sur Katavi dans les vingt-quatre heures, par le biais de la valise diplomatique britannique. Jaeger avait ensuite expliqué à Raff qu'il devait traquer les signaux envoyés par le dispositif GPS. Dès qu'ils cesseraient de se déplacer, Narov et lui auraient besoin de connaître les coordonnées de la base où se seront réfugiés les braconniers.

Une fois les appels terminés, ils s'étaient installés sous un acacia et avaient entamé la flasque. Durant une bonne heure, ils avaient siroté le scotch en élaborant des plans pour la suite.

Il était très tard lorsque, secouant la flasque, il s'aperçut que celle-ci était désormais presque vide. «Un dernier pour la route, ma chère camarade? De quoi veux-tu parler maintenant?»

«Pourquoi veux-tu toujours parler? Écoute la brousse. C'est beau comme une symphonie. Et regarde ce ciel! Magique, non?»

Elle s'allongea, imitée par Jaeger. Les stridulations rythmiques des insectes nocturnes constituaient une présence hypnotique, tandis que l'extraordinaire espace au-dessus de leurs têtes étirait le ciel comme un voile de soie infini.

«C'est un moment rare», risqua Jaeger. «Toi et moi; personne d'autre à des kilomètres à la ronde…»

«Alors, qu'est-ce que ça te suggère?», murmura la jeune Russe.

«Tu sais quoi? On devrait parler de toi.» Jaeger avait en réserve des tonnes de questions qu'il n'avait encore jamais posées à Irina Narov. C'était peut-être le moment idéal pour commencer.

Narov haussa les épaules. «Je ne vois pas ce qui pourrait t'intéresser. Qu'y a-t-il à apprendre?»

«Tu pourrais commencer par me raconter comment tu as rencontré mon grand-père… S'il était vraiment comme un grand-père pour toi, qu'est-ce qu'on devient tous les deux, des sortes de cousins, non?»

Narov éclata de rire. «Mais pas du tout! C'est une vieille et longue histoire, je vais essayer de faire court.» Elle avait repris son sérieux. «À l'été 1944, une jeune femme russe, Sonia Olschanevsky, a été faite prisonnière en France. Elle se battait alors avec les partisans et leur servait de liaison radio avec Londres.

«Les Allemands l'ont envoyée dans un camp de concentration, dont nous avons déjà parlé: Natzweiler. Le camp où l'on envoyait les prisonniers de *Nacht und Nebel*, ceux dont Hitler avait décrété qu'ils devaient disparaître dans la nuit et le brouillard. Si les Allemands s'étaient aperçus que Sonia Olschanevsky était un agent des SOE, les forces spéciales britanniques, ils l'auraient torturée avant de l'exécuter, le sort réservé à tous les agents capturés. Heureusement pour elle, ils ne s'en étaient pas doutés.

« Ils la mirent au travail dans le camp. Un véritable esclavage. Un officier supérieur SS visita le camp un jour, et tomba sur Sonia. C'était une très belle femme. Il en fit sa maîtresse. » Un silence. « Quelque temps plus tard, elle découvrit un moyen de s'évader. Elle était parvenue à arracher des planches dans un poulailler pour se construire une échelle.

« À l'aide de cette échelle, elle s'échappa en compagnie de deux autres femmes en passant par-dessus une clôture électrifiée. Sonia réussit à rejoindre les lignes américaines. Là, elle rencontra deux officiers britanniques, des membres des SOE qui accompagnaient l'armée américaine. Elle leur parla de Natzweiler et lorsque les forces alliées percèrent les défenses allemandes, c'est elle qui les conduisit jusqu'au camp.

« Natzweiler fut le premier camp de concentration découvert par les Alliés. Personne n'avait jamais imaginé que de telles horreurs pouvaient exister. L'impact de sa libération fut considérable pour ces deux officiers britanniques. » Le visage de Narov s'assombrit. « Mais à cette époque, Sonia était enceinte de quatre mois. Elle portait l'enfant de l'officier SS qui l'avait violée. »

Irina Narov se tut un instant, les yeux perdus dans la voûte céleste infinie qui s'étalait au-dessus d'eux. « Sonia, c'était ma grand-mère. L'un des deux officiers britanniques s'appelait Ted, c'était ton grand-père. Il était si bouleversé par ce qu'il avait vu, et par la force d'âme de Sonia, qu'il proposa d'être le parrain de l'enfant à naître. Cet enfant allait devenir ma mère. Et c'est comme ça que j'ai connu Grand-Père Ted.

« Je suis la petite-fille issue d'un viol nazi », annonça calmement Irina. « Alors, tu comprendras pourquoi toute cette histoire me touche personnellement. Ton grand-père a tout de suite vu quelque chose en moi. Il m'a préparée, il m'a formée, afin que je puisse reprendre le flambeau.» Elle tourna les yeux vers Jaeger. «Il m'a élevée pour que je devienne un agent d'élite des Chasseurs clandestins.»

Le silence se prolongea un long moment. Jaeger avait une foule de questions qui se pressait encore dans sa tête, il ne savait par où commencer. Avait-elle bien connu son grand-père? Lui avait-elle rendu visite dans la grande maison familiale des Jaeger? S'était-elle entraînée avec lui? Et pourquoi cette histoire était-elle restée secrète pour le reste de la famille, et donc pour lui-même?

Il avait été très proche de son grand-père. Il l'admirait, et son exemple l'avait inspiré au point de vouloir rejoindre les forces armées. Mais il ne pouvait se cacher qu'il était blessé d'avoir été maintenu dans l'ignorance.

Le froid de la nuit les gagnait peu à peu. Narov se rapprocha de Jaeger. «Pur instinct de survie, bien sûr», murmura-t-elle.

Jaeger hocha la tête. «Nous sommes des adultes responsables. On a déjà vu pire, n'est-ce pas?»

Il était sur le point de s'endormir lorsqu'il sentit qu'Irina posait sa tête contre son épaule; ses bras enlaçaient sa poitrine. Elle se pelotonnait contre lui.

«J'ai vraiment froid», murmura-t-elle d'une voix somnolente.

L'haleine de la jeune femme sentait le whisky. Mais il ressentait aussi la saveur tiède, odorante, épicée de son corps collé au sien, et la tête lui tournait un peu.

«On est en Afrique. Il ne fait pas si froid que ça», remarqua-t-il doucement, refermant les bras autour de ses épaules. «Ça va mieux comme ça?»

«Un peu.» Narov s'était lovée un peu plus contre lui. «Mais tu ne dois jamais oublier que je suis froide de nature. Glacée, et glaçante.»

Jaeger eut un rire étouffé. C'était tellement tentant de se laisser aller; de s'abandonner au désir de rapprochement, d'intimité, à la vague qui les grisait tous les deux.

Il ressentait une tension qui l'agaçait au plus haut point: il fallait à tout prix retrouver Ruth et Luke, et les sauver.

Mais une moitié de son cerveau chauffé par l'alcool se souvenait du plaisir, de la caresse bienfaisante d'une femme.

Après tout, Irina était superbe. À la clarté de la lune, elle devenait irrésistible.

«Vous savez, M. Bert Groves, à force de jouer un rôle, on finit par croire que c'est la réalité», reprit-elle. «Surtout quand on a passé tant de temps si près de ce qu'on désire vraiment, mais en sachant qu'on ne l'obtiendrait pas.»

«Il ne faut pas céder à la tentation.» Jaeger faisait son possible pour résister encore. «Ruth et Luke sont là, tout proches, quelque part sous cette montagne. Ils sont vivants, je le sais maintenant. On va les retrouver bientôt…»

Narov s'ébroua. «Alors il vaut mieux mourir de froid? *Schwachkopf.*»

Malgré le dépit qu'elle venait d'exprimer par son juron favori, elle ne desserra pas son étreinte. Jaeger non plus.

54

Les événements s'étaient précipités au cours des dernières vingt-quatre heures. Le matériel commandé par l'intermédiaire de Raff était arrivé, et avait été entassé au fond des sacs à dos.

Une chose avait cependant été oubliée sur la liste : deux cagoules en soie noire pour masquer les visages. Jaeger et Narov avaient été obligés d'improviser. Afin de parfaire l'image d'une lune de miel inoubliable, Irina s'était procuré des bas noirs avant de partir. Enfilés sur la tête, avec deux trous pratiqués pour les yeux, ils faisaient à peu près l'affaire.

Dès que Raff les avait avertis que le dispositif GPS était désormais stationnaire, ils eurent la certitude d'avoir localisé leur cible. Le bâtiment qui abritait maintenant les défenses était bien connu de Konig. Il faisait partie de la base choisie par le trafiquant libanais, qui disposait là-bas d'un contingent de soldats aguerris et solidement armés.

Konig leur avait expliqué que le Libanais représentait le premier maillon d'un réseau mondial de trafic d'ivoire. Les braconniers lui vendaient les défenses, et une fois le marché conclu, les marchandises étaient transportées clandestinement sur un itinéraire qui aboutissait invariablement en Asie, premier marché du commerce illicite de l'ivoire.

Jaeger et Narov avaient quitté Katavi à bord d'un Land Rover Defender, loué sur place sous un nom d'emprunt. Le nom de la société de location, Wild Africa Safari, s'affichait sur les portes du 4x4 ; les Toyota du Katavi Lodge portaient eux le logo distinctif de la réserve.

Comme ils auraient besoin d'une personne de confiance pour garder le véhicule lorsqu'ils s'engageraient à pied dans l'opération, le choix s'était porté sur la seule personne qu'ils connaissaient bien : Konig. Dès qu'il fut mis au courant de leur plan, et qu'il eut reçu l'assurance qu'il serait impossible de relier l'opération au Katavi Lodge, il leur accorda sa collaboration sans réserve.

Le crépuscule était tombé lorsqu'ils quittèrent Konig et le Land Rover, dissimulé dans un wadi. Ils se fondirent dans le clair-obscur plat et fantomatique de la savane desséchée, avançant rapidement à l'aide du GPS et d'une boussole. Ils s'étaient équipés chacun d'un petit émetteur-récepteur personnel muni de micros-casques. D'une portée d'environ cinq kilomètres, ces radios miniaturisées leur permettraient de communiquer entre eux et avec Konig.

Ils n'avaient pas eu l'opportunité de tester leur armement, mais ils avaient l'assurance qu'il était réglé sur une distance d'environ deux cent cinquante mètres, ce qui conviendrait parfaitement pour cette nuit.

Jaeger et Narov marquèrent une pause à trois cent cinquante mètres du bâtiment localisé avec précision par le traceur GPS. Ils passèrent une vingtaine de minutes allongés au sommet d'une butte, surveillant l'objectif en silence. Jaeger ressentait sur son ventre la chaleur que la terre avait emmagasinée durant la journée.

Le soleil était couché depuis longtemps, mais les fenêtres du bâtiment étaient illuminées comme un sapin de Noël. Tant pis pour la sécurité ! Les braconniers et les trafiquants n'imaginaient visiblement pas être dérangés, encore moins faire face à une quelconque menace. Ils se sentaient au-dessus des lois. Ils penseraient différemment demain matin.

Cette mission relevait uniquement de la volonté de Jaeger et Narov, ils n'étaient couverts par personne : totalement clandestins.

Jaeger examina attentivement le bâtiment, comptabilisant six gardes à l'extérieur, armés de fusils d'assaut. Ils étaient assis près de la porte, autour d'une table où ils jouaient aux cartes, les armes appuyées contre le mur ou bien passées en bandoulière.

Leurs visages étaient illuminés par la chaude clarté d'une lampe-tempête.

Une lueur bien suffisante pour tuer.

Dans l'un des angles du toit plat, Jaeger repéra ce qu'il pensait être une mitrailleuse légère, recouverte par des couvertures pour ne pas attirer la curiosité du commun des mortels. Il songea que si tout se passait bien, ils seraient tous morts avant même de pouvoir atteindre cette arme.

Il chaussa sa lunette de vision thermique et balaya le local une fois de plus, notant mentalement la position des hommes qui se trouvaient à l'intérieur. Ils apparaissaient sous la forme de taches jaunes brillantes, la chaleur de leurs corps donnant l'impression qu'ils étaient en feu sur l'écran noir du viseur.

De la musique leur parvenait du bâtiment.

Un ghetto blaster trônait sur un côté de la table de jeu. Il diffusait un genre de musique pop arabe à la fois mélancolique et rythmée, qui rappelait à Jaeger que la plupart des hommes présents devaient être des trafiquants libanais. Quand l'heure serait venue, il ne faudrait pas les sous-estimer : ils savaient manier les armes.

«J'en ai repéré douze», murmura Jaeger dans le petit microphone de son émetteur.

«Douze hommes», confirma Narov. «Auxquels il faut ajouter six chèvres, quelques poules et deux chiens.»

Information très utile. Il lui faudrait redoubler de prudence : ces animaux étaient peut-être domestiques, mais s'ils repéraient une présence inhabituelle, ils ne manqueraient pas de donner l'alerte.

«Tu te sens capable de neutraliser les six types à l'extérieur?», s'enquit-il.

«Pas de problème.»

«Bon. Une fois que je serai en place, ouvre le feu quand je te donne le top. Fais-moi savoir quand tu es prête à me suivre à l'intérieur.»

«Compris.»

Jaeger sortit de son sac à dos un long attaché-case noir, dont il rabattit le couvercle ; il contenait en pièces détachées un fusil de précision compact VSS Vintorez. Près de lui, Narov avait déjà entrepris d'assembler l'exacte réplique de ce Vintorez Thread Cutter.

Ils avaient arrêté leur choix sur cette arme de fabrication soviétique en raison de son poids très léger, qui ne gênerait en rien leur progression silencieuse. Un fusil d'une précision diabolique jusqu'à cinq cents mètres, donc deux fois moins performant que la plupart des fusils de précision, mais ne pesant que deux kilos six cents ; il possède un chargeur de vingt cartouches, quand la plupart des fusils équivalents sont à répétition, nécessitant un rechargement à chaque coup.

Armé du Thread Cutter, on peut donc abattre plusieurs cibles en succession rapide.

Tout aussi crucial, c'est une arme spécifiquement équipée d'un silencieux ; impossible de l'utiliser sans ce prolongateur. Tout comme le P228, il tire des munitions lourdes subsoniques de 9mm. Inutile de recourir à un fusil équipé d'un silencieux si chaque fois qu'on tire une balle, elle produit une détonation assourdissante en passant le mur du son.

Les balles de 9mm sont munies de pointes en tungstène, capables de percer un blindage léger ou un mur. Leur vitesse initiale étant faible, elles perdent moins vite leur énergie cinétique. D'où l'éventail très complet de son utilisation et la puissance de cette arme, pour un poids et un encombrement restreints.

Jaeger s'éloigna de Narov et effectua rapidement un arc de cercle vers l'est, courbé en deux. Il s'efforçait de rester sous le vent par rapport au local, afin que les animaux ne repèrent pas son odeur et ne paniquent pas. Il se tenait à bonne distance des zones pouvant recéler des capteurs de sécurité, déclenchés par le moindre mouvement, et tâchait de progresser à couvert, près du sol.

Comme une ombre, il se figea à une soixantaine de mètres de la cible. Il examina de nouveau le bâtiment avec sa lunette de vision thermique, repérant les mouvements des hommes à l'intérieur. Il s'allongea ensuite sur le ventre dans la poussière, la crosse de son VSS au creux de l'épaule, le canon posé sur un bras replié, coude au sol.

Peu de fusils peuvent se comparer au VSS pour abattre un ennemi en pleine nuit. Mais un fusil de précision ne vaut que par ce que vaut le tireur. Et peu de tireurs pouvaient rivaliser avec Jaeger, surtout lorsqu'il effectuait une mission secrète, et qu'il chassait ses proies dans la nuit.

Et cette nuit-là, justement, il s'apprêtait à passer à l'action.

55

Un léger vent d'ouest soufflait sur les monts Mbizi. Le viseur de l'arme de Jaeger lui permettait de compenser la décélération et la vitesse du vent. Il estima celle-ci à cinq nœuds et ajusta le viseur pour qu'il tire un cran à gauche de sa cible.

Sur la butte, Narov devait avoir ajusté le sien à deux crans à gauche et un chevron au-dessus, étant donné qu'elle utilisait l'arme près de la limite de son rayon d'action.

Jaeger ralentit sa respiration, adoptant l'attitude de calme et de concentration absolue du sniper solitaire. Il ne se faisait pas d'illusion sur la difficulté de la mission en cours. Narov et lui devaient absolument neutraliser un grand nombre de cibles en succession rapide. Tout homme simplement blessé pourrait réduire à néant l'effet de surprise.

Mais l'objectif principal restait un homme, le gros bonnet libanais, que Jaeger comptait bien capturer vivant.

Les balles s'échappent du canon du VSS sans le moindre flash ; elles surgissent de l'obscurité, privant l'ennemi de la possibilité d'une riposte ciblée. Mais en cette nuit africaine, un seul cri d'alerte et l'assaut serait un échec.

« Bon, je suis en train de scanner le bâtiment », murmura Jaeger. « Je repère sept hommes assis à l'extérieur maintenant ; six à l'intérieur. Cela fait treize en tout. Treize cibles vivantes. »

« Compris. Je me charge des sept. »

La voix d'Irina Narov avait retrouvé le calme froid de la vraie professionnelle. S'il existait un tireur que Jaeger jugeait meilleur que lui-même, c'était peut-être la jeune Russe. En Amazonie, son arme d'élection avait été le fusil de précision, et elle avait vraiment fait ses preuves, en ce qui le concernait.

«On ne voit que la tête et les épaules des cibles assises à l'extérieur autour de la table», commenta Jaeger. «Il faudra bien viser la tête. Ça te va?»

«Quand on est mort, on est mort.»

«Au cas où ça t'aurait échappé, les types qui jouent aux cartes sont en train de fumer», ajouta Jaeger.

Le bout de leurs cigarettes s'allumait chaque fois qu'ils tiraient une bouffée. Leurs visages s'illuminaient alors, délimitant précisément la cible.

«On aurait dû les avertir: fumer tue!», ironisa Narov.

Jaeger profita des dernières secondes pour répéter l'enchaînement de gestes qu'il devrait accomplir pour abattre les hommes à l'intérieur. De là où il se trouvait, il pourrait en neutraliser trois sur les six en tirant à travers les murs.

Il étudia les trois cibles une à une: les hommes devaient être en train de regarder la télévision. Ils étaient assis sur des sièges, tournés vers un rectangle brillant qui devait être un écran plat.

Que regardaient-ils? Un match de foot? Un film de guerre?

De toute façon, pour eux, le spectacle était bientôt terminé.

Il décida de viser la tête. Il était plus facile de tirer dans un corps, la cible était plus large, mais les blessures n'entraînaient pas immédiatement la mort. Jaeger possédait en lui la mentalité du sniper professionnel. Ce qui était crucial, c'est que chaque balle s'enchaîne sur la suivante, sans que la visée soit perturbée.

Il l'avait souvent conseillé à Luke sous forme de plaisanterie quand son fils se rendait aux toilettes.

Jaeger ébaucha un sourire amer. Il prit une profonde inspiration puis expira longuement, calmement. «C'est parti!»

Il entendit un faible sifflement. *Fuzzt!* Immédiatement, il pivota le fusil d'assaut d'un millimètre vers la droite, tira de nouveau, revint légèrement à gauche et appuya une troisième fois sur la détente.

Il lui avait fallu à peine deux secondes pour déchaîner la foudre.

Les trois silhouettes avaient sursauté, s'étaient tordues sur leur siège sous l'impact de chaque balle avant de s'effondrer par terre. Son œil vérifia les dégâts de ses tirs dans la lunette, en silence, comme un chat évaluant froidement sa proie.

Il avait entendu un très faible *tzzsing* tandis que la troisième balle transperçait le mur. Quelques étincelles aperçues comme des éclairs blancs sur l'écran noir de la lunette. Il pensa à un tuyau, ou peut-être des fils électriques courant le long du mur.

Les secondes défilaient. Aucun mouvement parmi ceux qu'il avait atteints, aucun signe que le bruit avait été entendu. Le vacarme de la chanson pop arabe qui jaillissait des haut-parleurs avait dû le noyer dans le torrent plaintif et saccadé.

La voix de Narov rompit le silence des écouteurs. «Sept morts. Je descends de la butte et me dirige vers la porte du bâtiment.»

«Bien reçu. J'arrive.»

Jaeger se redressa avec souplesse et, le fusil toujours en joue, fonça dans le noir. Il avait vécu cela des milliers de fois, effectué des milliers de courses rapides et silencieuses lors de missions de recherche et de destruction. Finalement, c'était ces moments qu'il appréciait le plus dans sa vie.

Seul.

Dans la nuit.

Traquant sa proie.

Il tourna au coin du bâtiment et sauta par-dessus les cadavres encore chauds laissés par Narov, envoyant valdinguer d'un coup de pied une chaise qui bloquait l'entrée. Le ghetto blaster continuait de hurler, mais les sept joueurs de cartes ne l'entendaient plus.

Jaeger s'apprêtait à enfoncer la porte lorsqu'elle s'ouvrit violemment. Une silhouette apparut, découpée par la lumière de l'intérieur. Quelqu'un avait dû entendre quelque chose de suspect, et venait aux nouvelles. L'homme au teint basané avait la musculature puissante d'un catcheur. Il pointait un AK47 devant lui, mais ne semblait pas sur le qui-vive.

Jaeger tira en rapide succession. *Fuzzt! Fuzzt! Fuzzt!* Trois balles de 9mm jaillirent silencieusement du canon du Thread Cutter, atteignant l'homme à la poitrine.

Il bondit par-dessus l'homme effondré, glissant un nouveau message à Narov. «Je suis à l'intérieur!»

Deux voix effectuaient un décompte simultané dans le cerveau de Jaeger. Le premier s'arrêtait à six: c'était le nombre de balles qui avaient été tirées de son chargeur; il en restait quatorze. Il est essentiel de connaître ce nombre, sauf à risquer de se retrouver devant le «clic de l'homme mort», en pressant la détente avec un chargeur vide.

L'autre voix dénombrait les victimes: *onze morts.*

Il pénétra dans le couloir mal éclairé. Des murs ocre, tachés çà et là de saletés et d'éraflures. Jaeger imaginait les défenses d'ivoire traînées sur le sol du couloir, le sang et la chair imprégnant les murs au passage. Des dizaines, des centaines de trophées sanglants, défilant comme sur une chaîne de montage criminelle, puant la mort.

Les fantômes de ces assassinats semblaient hanter ces murs.

Jaeger ralentit, adoptant la souplesse et la grâce d'un danseur, mais un danseur qui, dans sa fureur, s'apprêtait à frapper. Une pièce s'ouvrait sur sa droite. Il entendit la porte d'un frigo qui se refermait, un tintement de bouteilles.

Une voix appela dans une langue qui devait être de l'arabe libanais. Le seul mot que Jaeger parvint à saisir était un prénom: Georges.

Konig leur avait donné le nom du trafiquant d'ivoire libanais: Georges Hanna. Un de ses hommes était allé chercher une bière bien fraîche pour le patron.

L'homme émergea de la pièce, des bouteilles de bière à la main. Il eut à peine le temps de réaliser la présence de Jaeger, ses yeux ne reflétèrent ni surprise ni terreur, le VSS avait frappé avec une précision mortelle.

Deux balles déchirèrent l'épaule gauche, légèrement au-dessus du cœur; l'homme sursauta avant d'être projeté contre le mur.

Les bouteilles explosèrent par terre avec un fracas qui résonna dans le couloir.

Une voix moqueuse lança un appel depuis une pièce au premier étage. Suivi d'un grand rire. Apparemment, l'alerte n'avait toujours pas été donnée. Là-haut, l'homme devait se dire que son pote était tellement saoul qu'il avait laissé tomber les bouteilles accidentellement.

Une longue trace de sang tachait le mur du couloir, soulignant la trajectoire de l'homme qui venait de s'effondrer sur le sol. Il s'était affaissé lentement, avant de se recroqueviller sur lui-même avec un soupir caverneux.

Douze, souffla la voix qui décomptait les victimes dans le cerveau de Jaeger. Théoriquement, il ne restait plus qu'un homme en vie, le gros bonnet libanais. Konig possédait une photo du trafiquant, et Jaeger l'avait enregistrée dans un coin de sa tête.

«Je m'apprête à prendre Beyrouth», souffla-t-il dans le petit microphone.

Ils n'avaient pas fait preuve de beaucoup d'imagination pour les noms de code de leur mission secrète. Ils s'étaient contentés d'un seul, attribué à leur cible, et «Beyrouth» leur avait semblé parfaitement approprié.

«Donne-moi trente secondes», répliqua Irina Narov, qui sprintait pour rejoindre l'entrée du bâtiment.

Pendant un court instant, Jaeger fut tenté d'attendre la jeune femme. Deux cerveaux et deux fusils chargés valaient toujours mieux qu'un seul. Mais chaque seconde comptait désormais. L'objectif était d'éliminer cette bande de trafiquants et de braconniers; jusqu'au dernier.

Il restait un dernier acte, le plus crucial : couper la tête du serpent.

56

Jaeger prit le temps d'extraire le chargeur entamé de son fusil de précision et d'enclencher un chargeur plein, par précaution.

Il fit un pas en avant et surprit le son étouffé d'un poste de télévision dans une pièce plus à droite. Des commentaires en anglais. Un match de foot. Premier League, probablement. Dans cette pièce devaient se trouver trois cadavres, abattus chacun par une balle qui avait transpercé le mur. Il faudrait demander à Narov de vérifier s'ils étaient vraiment morts.

Il s'approcha d'une porte entrouverte et stoppa à quelques centimètres. Les bruits étouffés d'une conversation lui parvenaient. Une sorte de tractation, en anglais. Apparemment, le Libanais n'était pas seul. Il leva la jambe droite et asséna un formidable coup de pied dans la porte.

Avec l'intensité du combat, lorsque l'adrénaline sature chaque geste, le temps s'allonge démesurément et une seconde dure une éternité.

L'œil de Jaeger balaya instantanément la pièce, enregistrant tous les détails en une microseconde.

Quatre hommes, deux d'entre eux assis autour d'une table.

L'un d'eux, le trafiquant libanais, à l'extrême droite. Rolex en or au poignet. Son ventre d'obèse trahissant une vie d'excès. Il portait un treillis kaki spécial safari signé d'un grand couturier, bien que Jaeger se demande s'il s'était jamais aventuré dans la vraie brousse.

En face de lui, un Africain, chemise bon marché, pantalon gris, chaussures de ville. Sûrement le cerveau du gang des braconniers, jugea Jaeger.

Mais devant la fenêtre, ceux qu'il estima représenter le vrai danger : deux hommes lourdement armés, au faciès patibulaire. Des braconniers aguerris, tueurs d'éléphants et de rhinos, sans aucun doute.

L'un portait autour du torse un long chargeur de mitrailleuse, à la Rambo. Dans ses mains, une PKM facilement reconnaissable, l'équivalent russe de la mitrailleuse britannique standard. Idéale pour abattre un pachyderme dans la savane, mais un choix douteux pour les combats rapprochés.

L'autre arborait un RPG-7, le célèbre lance-roquettes de fabrication russe. Conçu pour faire exploser un véhicule, ou abattre un hélicoptère en plein vol. Lui aussi totalement inadapté pour s'opposer à la rage de Will Jaeger dans un espace restreint et confiné.

La pièce semblait d'autant plus exiguë qu'un tas d'ivoire empilé occupait une bonne partie de sa surface. Plusieurs dizaines de défenses, chacune ensanglantée à une extrémité, là où les braconniers les avaient sauvagement sciées sur les cadavres des éléphants martyrs.

Fuzzt ! Fuzzt !

Deux balles atteignirent les hommes armés entre les deux yeux. Pour faire bonne mesure, Jaeger tira encore six balles mortelles au moment où ils s'affaissaient, trois dans chaque poitrine, plus par fureur que par désir d'abréger leurs souffrances.

Il devina un mouvement soudain du Libanais, qui cherchait une arme. *Fuzzt !*

Un cri retentit dans la pièce. Jaeger venait de tirer une balle dans la main du trafiquant. Sa paume n'était plus qu'un trou sanguinolent. Il pirouetta, visa l'Africain et lui tira également une balle dans la main, à bout portant.

Cette main qui tentait à ce moment précis de s'emparer d'un épais tas de dollars américains éparpillés sur la table. Des billets à présent dégoulinant de son sang.

«J'ai pris Beyrouth. Je répète : j'ai pris Beyrouth», transmit Jaeger à Narov. «Tous les nuisibles sont morts, mais vérifie dans la seconde pièce à droite, là où est la télévision. Trois hommes. Présumés morts.»

«Bien reçu. Je suis dans le couloir maintenant.»

«Quand tu auras fini, sécurise l'entrée du bâtiment. Au cas où on aurait oublié quelqu'un ou s'ils ont réclamé des renforts.»

Jaeger pointait le canon de son arme vers les deux visages, dont les yeux écarquillés trahissaient l'horreur et la peur. Maintenant le doigt sur la détente du Thread Cutter qu'il tenait d'une main, il alla chercher dans son dos son pistolet et le positionna devant lui. Puis il laissa pendre le fusil sur son épaule et plaça les deux hommes en joue. Il avait besoin de sa main libre pour la suite.

De sa poche, il tira un petit objet noir et rectangulaire. Une mini caméra, un gadget ultracompact et infaillible qu'il déposa sur la table et alluma ostensiblement. Comme la plupart des commerçants libanais, le trafiquant devait parler un anglais correct.

Jaeger souriait, mais il était impossible de déchiffrer son expression sous le bas de soie noire. «Vous allez passer à la télé, messieurs ! Si vous répondez à mes questions, il se peut que je ne vous tue pas. Et gardez bien les mains sur la table, que je puisse les voir saigner.»

Le Libanais secouait sa tête mafflue, totalement incrédule. On lisait la douleur dans ses yeux, il semblait souffrir beaucoup. Mais Jaeger décelait également que sa faculté de résistance, sa croyance en sa propre invulnérabilité, n'était pas encore totalement brisée.

«Mais bordel, que se passe-t-il ?» Il avait posé la question les dents serrées, le masque crispé. Malgré un fort accent moyen-oriental, son anglais se comprenait facilement. «Par le diable, qui êtes-vous ?»

«Qui je suis ?», gronda Jaeger. «Je suis ton pire cauchemar. Je suis ton juge, ton tribunal et probablement aussi ton bourreau.

Tu vois, M. Georges Hanna, c'est moi qui décide si tu dois vivre ou mourir.»

Dans un sens, Jaeger jouait un rôle à ce moment-là, un rôle qui avait pour objectif d'instiller une peur panique chez l'adversaire. Pourtant, il sentait en lui une fureur dévorante pour ces gens, pour le carnage qu'ils organisaient tous les jours.

«Vous connaissez mon nom?» Les yeux du Libanais lui sortaient de la tête. «Mais vous êtes fou! Mes hommes. Mes gardes. Vous croyez qu'ils vous laisseront sortir d'ici vivants?»

«En général les cadavres n'opposent pas une trop forte résistance. Alors, bavardons. À moins que vous ne souhaitiez les rejoindre.»

Le visage bouffi du trafiquant était soudain déformé par la haine. «Je vais vous dire quelque chose : allez vous faire foutre!»

Jaeger n'appréciait pas vraiment ce qu'il s'apprêtait à faire, mais il fallait obliger ce salaud à parler, et le plus vite serait le mieux. Il fallait briser sa résistance, et il n'y avait qu'un moyen de le faire.

Il fit pivoter le canon du P228 vers le bas, pointa légèrement vers la droite et tira dans le genou du trafiquant. Du sang et des fragments d'os et de chair tachèrent le beau costume safari, tandis que l'homme s'effondrait de sa chaise.

Jaeger contourna la table, se pencha et abattit la crosse de son pistolet sur le nez du Libanais. On entendit un craquement sec et un flot de sang se répandit sur sa chemise blanche.

Jaeger remit le gros homme sur pied en le tirant par les cheveux et le rejeta sur sa chaise. Puis il sortit calmement son poignard et le planta sur le dos de la main valide du Libanais, le clouant sur la table.

Ses yeux pivotèrent vers le braconnier africain, et il lui lança un regard meurtrier, le visage indéchiffrable à travers le masque noir.

«J'espère que tu n'as rien manqué du spectacle?», siffla Jaeger. «Parce que si tu veux jouer les héros, tu sais ce qui t'attend.»

Le braconnier était figé par la terreur. Jaeger constata qu'il avait uriné sous lui. Il en conclut que les deux hommes étaient mûrs pour le genre de conversation qu'il attendait impatiemment.

Il appuya le museau noir du P228 sur le front du trafiquant. « Si tu veux vivre, alors parle ! »

Jaeger enchaîna avec une série de questions, fouillant de plus en plus précisément les tenants et les aboutissants du trafic d'ivoire clandestin. Les réponses fusaient avec rapidité : l'itinéraire pour sortir du pays ; les destinations et les acheteurs étrangers ; le nom des fonctionnaires corrompus facilitant le trafic à tous les niveaux, aéroports, douanes, police, et même une poignée de ministres. Finalement, les détails des comptes en banque.

Lorsqu'il eut toutes les informations qu'il désirait du Libanais, il s'empara de la mini caméra sur la table et stoppa l'enregistrement.

Puis il se tourna vers Georges Hanna, et lui planta deux balles entre les yeux.

Le gros Libanais s'affaissa de nouveau, mais sa main resta clouée sur la table. Son poids l'entraîna et elle se renversa, recouvrant son cadavre effondré contre la pile de défenses volées.

Jaeger fit volte-face. Le braconnier semblait totalement paralysé. Toute l'énergie s'était retirée de son grand corps, dont il ne contrôlait plus aucune des fonctions. La peur avait asphyxié son cerveau.

Jaeger se pencha vers lui jusqu'à n'être plus qu'à quelques centimètres de son visage. « Tu as vu ce qui est arrivé à ton copain, n'est-ce pas ? Comme je te le disais, je suis ton pire cauchemar. Et sais-tu ce que je m'apprête à faire de toi ? Je vais te laisser vivre ! Un privilège que tu n'as jamais accordé à un éléphant ou à un rhino. »

Il abattit la crosse de son pistolet sur le visage de l'homme, par deux fois. Expert dans l'art du krav maga, un système d'auto-défense mis au point par l'armée israélienne, Jaeger savait combien un coup pouvait finir par blesser celui qui l'assénait autant que celui qui le recevait.

Pour avoir vu trop de dents provoquant des saignements sur les jointures des doigts, trop d'orteils cassés après un coup de pied particulièrement appuyé sur un crâne, Jaeger préférait s'en remettre à une arme, qui protégeait des accidents. Et donc à la crosse de son P228.

«Écoute-moi très attentivement», annonça-t-il sur un ton à la fois calme et sinistre. «Je vais te laisser vivre afin que tu puisses avertir tes copains. Tu vas les mettre en garde de ma part.» Il pointa le pouce en direction du cadavre du Libanais. «Voilà ce qui va vous arriver, à toi et aux autres, si vous continuez à abattre des éléphants.»

Jaeger fit lever le braconnier et l'escorta dans le couloir, au bout duquel Narov montait la garde, près de l'entrée.

Il poussa l'homme vers la jeune femme. «Voilà le type qui a orchestré le massacre de plusieurs centaines des plus majestueuses créatures de la nature.»

Narov lui jeta un regard glacial. «C'est lui, le tueur d'éléphants? Ce pauvre type?»

Jaeger hocha la tête. «Affirmatif. Et on l'emmène avec nous, au moins pour un bout de chemin.»

Narov sortit son poignard. «Tu fais un pas de travers, tu me fournis la plus minime des excuses, et je te découpe les tripes pour t'en faire un collier.»

Jaeger retourna à l'intérieur du bâtiment, à la recherche de la cuisine. Il dénicha une sorte de réchaud, un brûleur rond rattaché à une bonbonne de gaz. Il ouvrit le gaz et l'écouta jaillir en sifflant. Puis il ressortit du local, attrapa la lampe-tempête et la déposa au milieu du couloir.

Tandis qu'il s'éloignait du bâtiment en courant dans la nuit, une pensée le frappa. Il était parfaitement conscient que leurs actions récentes dépassaient de beaucoup le cadre strict de la loi. Il se demandait pourquoi cela ne l'inquiétait pas. Mais après avoir été le témoin du massacre des éléphants, les frontières entre le bien et le mal étaient devenues irrémédiablement floues.

Il tenta de déterminer si c'était mieux comme ça, ou si cela reflétait le fait que sa boussole morale l'orientait dans une mauvaise direction. La morale était devenue floue dans beaucoup de domaines, pour beaucoup de ses congénères. Ou alors, peut-être qu'au contraire les choses étaient désormais limpides. Dans un sens, lui-même y voyait beaucoup plus clair. Quand il écoutait son cœur, au-delà de la douleur qu'il ressentait à chaque seconde de sa vie, il n'avait aucun doute : il avait bien agi.

Dès qu'on signait avec le diable, dès qu'on s'en prenait aux êtres incapables de se défendre, comme l'avaient fait les braconniers, il fallait s'attendre à être puni.

57

Jaeger se pencha pour arrêter la mini caméra. Irina Narov, Konig et lui-même étaient installés dans le bungalow privé du directeur de la réserve de Katavi. Ils venaient de visionner la confession de Georges Hanna, du début sanglant à l'ultime minute, elle aussi éclaboussée de sang.

«Voilà, tout est là», commenta Jaeger en remettant la caméra à Konig. «C'est entre vos mains, désormais. Ce que vous faites de ce document, cela ne regarde que vous. En tout cas, voilà un réseau africain de braconniers démantelé pour toujours.»

Konig n'en revenait pas. «Vous ne plaisantiez pas; tout le réseau est exposé! C'est un formidable signal qui change le cours des choses en matière de préservation de la faune. De plus, c'est un soutien pour les organisations locales chargées de la protection de nos animaux, qui sont vraiment démunies.»

Jaeger sourit. «Vous nous avez ouvert la porte, nous n'avons fait que mettre un peu d'huile sur les charnières.»

«Falk, vous avez été formidable», ajouta Narov. «Parfait en tous points.»

D'une certaine façon, Konig avait vraiment joué un rôle-clé dans l'opération. Il avait ramené Jaeger et Narov jusqu'au lodge, après avoir veillé sur leur 4x4. Et comme ils s'éloignaient de la scène, ils avaient vu le bâtiment saturé de gaz exploser en une immense boule de flammes, réduisant en cendres les éventuelles preuves de leur passage.

Konig accepta la mini caméra avec gratitude. «Grâce à ça, on va pouvoir tout changer!» Il les considéra une seconde en silence. «Mais je sais que j'ai une dette envers vous, et je tiens à m'en acquitter. Cette histoire, ce n'est pas votre guerre à vous. Votre combat.»

Le moment était venu. «Vous savez, il y a quelque chose que vous pourriez faire», risqua Jaeger. «Le BV222. L'hydravion sous la montagne. Rien ne pourrait nous faire plus plaisir que de le visiter.»

Le visage de Konig se ferma imperceptiblement. Il secoua la tête. «Oui, cet avion... ce n'est vraiment pas possible.» Un silence. «Vous savez, je viens de recevoir un coup de fil du patron. Herr Kammler. De temps en temps, il s'informe sur ce qui se passe ici. J'ai été contraint de lui parler de votre... transgression. Votre intrusion dans son domaine sous la montagne. Il était plutôt fâché.»

«Il a sans doute demandé si vous nous aviez appréhendés?», s'enquit Jaeger.

«C'est exact. Je lui ai dit que c'était impossible. Pourquoi arrêterais-je deux ressortissants étrangers pour une chose qui n'est pas vraiment un crime? Surtout que vous êtes des hôtes payants de notre lodge. Ça frôlait le ridicule.»

«Comment a-t-il réagi?»

Konig haussa les épaules. «Comme toujours. Grosse colère. Il s'est énervé pendant un bon moment.»

«Et finalement?»

«Finalement, je lui ai dit que vous aviez un plan pour éliminer la bande des braconniers; que vous étiez des amis de la protection de la vie sauvage. De vrais convaincus. Alors il s'est détendu un peu. Mais il a bien répété: pas question d'accéder au BV222. Lui seul y était autorisé. Lui et deux ou trois autres.»

Jaeger fixait Konig d'un œil interrogateur. «D'autres personnes, Falk? Mais qui?»

Konig évita son regard. «Euh... quelques personnes. Ça n'a aucune importance.»

«Mais *vous*, Falk, vous avez accès à l'hydravion, n'est-ce pas?», insista Narov. «C'est évident.»

Konig haussa les épaules. «Bon, d'accord, j'y ai accès. Ou du moins, j'y étais autorisé. Dans le passé.»

«Donc, vous pouvez nous organiser une petite visite, non?», pressa Irina. «Un échange de bons procédés, en quelque sorte.»

Pour toute réponse, Falk extirpa une boîte de son bureau. On aurait dit une vieille boîte à chaussures. Il hésita une seconde, avant de la pousser vers Narov.

«Tenez. Prenez cela. Des bandes vidéo. Toutes prises à l'intérieur du BV222. Il y en a des dizaines. Je crois qu'il n'y a pas un centimètre carré de cet appareil qui n'ait pas été exploré par la caméra.» Il souleva une épaule, comme pour s'excuser. «Vous m'avez fait cadeau d'un film pour lequel j'aurais donné ma vie. C'est le maximum que je puisse faire pour vous.» Un silence, puis il se tourna vers Narov avec un air de chien battu. «Mais vous devez me promettre une chose… Ne les regardez pas avant d'avoir quitté le lodge.»

Narov soutenait son regard. Jaeger s'aperçut qu'elle éprouvait une véritable compassion pour lui. «D'accord, Falk. Mais pourquoi?»

«Ces films sont plutôt… personnels, en plus de détailler l'intérieur de l'hydravion.» Il haussa les épaules. «Ne les visionnez pas avant votre départ. C'est tout ce que je demande.»

Jaeger et Narov acquiescèrent. Jaeger n'avait aucun doute sur la sincérité de Konig, et il mourait d'envie de voir ce que ces vidéos contenaient. Ils s'arrêteraient en route pour y jeter un coup d'œil.

En tous les cas, ils sauraient bientôt ce que recelaient les entrailles de la montagne. Ils auraient toujours la possibilité de revenir, de sauter en parachute avec des renforts s'il le fallait, et de forcer l'accès à l'hydravion.

Mais avant tout, il fallait dormir. Il était épuisé. Son organisme subissait le contrecoup d'une ruée massive d'adrénaline, d'une excitation née de l'action; la fatigue s'abattait sur lui comme une énorme vague prête à le submerger.

Cette nuit, il sombrerait dans un sommeil profond comme la mort, dans un néant réparateur.

58

Narov s'éveilla la première. Instantanément, elle s'arma de son P228, enfoui sous les coussins. Quelqu'un frappait désespérément à la porte.

Il était 3 heures 30 du matin, pas vraiment l'heure idéale pour être tirée d'un sommeil de plomb. Elle traversa la pièce et déverrouilla la porte, pointant son arme vers le visage de l'importun. Falk Konig!

Narov prépara du café tandis que Konig, visiblement très embêté, lui expliquait la situation. Apparemment, lorsqu'il avait mentionné leur intrusion dans les grottes, Kammler avait demandé à visionner des passages enregistrés par les caméras de surveillance. Konig ne s'était pas inquiété plus que ça ; il avait transmis quelques vidéos par mail. Mais il venait de recevoir un coup de téléphone.

« Le vieux paraissait vraiment agité ; hypernerveux, en fait. Il veut que je vous garde ici par tous les moyens pendant vingt-quatre heures, minimum. Il affirme qu'au vu de votre coup d'éclat contre les braconniers, vous êtes le genre de personnes qui peuvent lui être très utiles. Il veut vous recruter. Il m'a ordonné de tout mettre en œuvre pour que vous restiez encore un peu. Si nécessaire, je dois immobiliser votre véhicule. »

Jaeger ne doutait pas une seconde que Kammler l'avait reconnu. Les cheveux teints en blond des blés n'avaient pas suffi à le rendre méconnaissable, de toute évidence, malgré les efforts des experts de Falkenhagen.

« Je ne sais plus quoi faire. Il fallait que je vous mette au courant. » Konig avait posé les coudes sur ses genoux, la tête entre les mains, comme sous le coup d'une grande souffrance. Jaeger l'attribuait à la tension nerveuse qui lui contractait l'estomac. Konig releva légèrement la tête pour les regarder. «Je ne crois pas que ce soit la raison pour laquelle il veut vous retenir ici. À mon avis, il ment. Quelque chose dans sa voix… Quelque chose qui me faisait presque penser… à un prédateur.»

«Falk, qu'est-ce que vous suggérez?», demanda Irina.

«Il faut que vous partiez. Plusieurs fois, M. Kammler a prouvé qu'il avait… le bras très long. Partez. Mais empruntez un des Toyota du Katavi Lodge. Je vais envoyer deux de mes gardes dans une autre direction, au volant de votre Land Rover. Comme ça, on aura un leurre.»

«Mais ces gardes deviendront un appât facile!», intervint Jaeger. «Ils risquent de tomber dans un piège.»

Falk haussa les épaules. «C'est possible. Mais, vous voyez, tous nos gardes ne sont pas aussi intègres qu'ils le paraissent. Presque tous ici, nous avons reçu des offres de pots-de-vin de la part des bandes de braconniers, et certains ont trouvé difficile de refuser. La tentation était si forte. Les hommes que je vais envoyer ont vendu beaucoup de nos secrets. Ils ont sur les mains trop de sang d'innocents. Alors, s'il leur arrivait quelque chose, ce serait, en quelque sorte…»

«La justice divine, non?», suggéra Irina Narov.

Il sourit faiblement. «Oui, quelque chose comme ça.»

«Il y a beaucoup de choses que vous hésitez à nous dire, n'est-ce pas, Falk?», se risqua Irina. «À propos de ce Kammler; de cet hydravion sous la montagne; de votre crainte devant cet homme…» Un silence. «Vous savez, cela fait toujours du bien de partager un fardeau. Peut-être pourrions-nous vous aider?»

«Il y a des choses que l'on ne peut pas changer», murmura Falk, «malgré toute l'aide du monde.»

«C'est vrai, mais pourquoi ne pas commencer avec votre peur?», insista Narov.

Konig semblait de plus en plus nerveux. «D'accord. Mais pas ici. Je vous attendrai près de votre véhicule.» Il se leva. «Surtout, ne demandez pas de l'aide quand vous partirez. Personne pour porter vos bagages. Je ne sais pas à qui on peut faire confiance. Je raconterai que vous êtes partis sans prévenir, au milieu de la nuit. Je compte sur vous, il faut que ça ait l'air crédible. »

Un quart d'heure plus tard, Jaeger et Narov étaient prêts à lever le camp. Ils n'emportaient pas grand-chose, ayant déjà donné à Konig l'équipement et les armes qu'ils avaient utilisés durant le raid. Il avait prévu de faire un aller et retour jusqu'au lac Tanganyika pour s'en débarrasser.

Ils se rendirent sur le parking du lodge. Konig les attendait, mais il n'était pas seul. Ils reconnurent la silhouette d'Urio, le copilote.

« Je crois que vous connaissez bien Urio », annonça Konig. « J'ai une confiance absolue en cet homme. Il va vous conduire vers le sud, vers Makongolosi, personne ne prend cette piste à partir d'ici. Dès qu'il vous aura trouvé un vol, il ramènera le 4x4. »

Urio leur donna un coup de main pour charger les bagages à l'arrière du Toyota, puis il prit le bras de Jaeger. « J'ai une dette envers vous. Ma vie. Je vais vous aider à sortir d'ici. Rien ne pourra vous arriver tant que je serai au volant. »

Jaeger le remercia chaleureusement, puis Konig le conduisit à l'écart en compagnie de Narov, tout en parlant à voix basse. Ils durent tendre l'oreille.

« Voilà. Il y a tout un pan de la société dont vous ignorez tout : Katavi Reserve Primates Limited. KRP en abrégé. KRP est une société qui exporte des primates, c'est le domaine réservé et préféré de M. Kammler. Comme vous avez pu vous en apercevoir, les singes vivent en grand nombre ici, et c'est presque une bénédiction quand ils en prélèvent pour l'exportation. »

« Et ?... », glissa Narov.

« D'abord, il faut préciser que le niveau de secret entourant les activités de KRP est extrême. Les prélèvements dans la brousse se passent ici, mais les exportations se déroulent ailleurs, dans un endroit que je ne connais pas. Je ne sais même pas comment s'appelle ce lieu. Les locaux s'y rendent en avion, les yeux bandés. Ils ne voient qu'une piste de latérite sur laquelle ils déchargent les caisses des singes. Je me suis toujours demandé à quoi servaient toutes ces mesures de sécurité.»

«Vous n'avez jamais posé la question?», s'enquit Jaeger.

«Si, bien sûr. Kammler affirme que ce commerce est très concurrentiel; il ne souhaite pas que ses concurrents sachent où il entrepose ses singes avant de les expédier. S'ils l'apprenaient, il est persuadé qu'ils injecteraient une maladie aux animaux. Exporter un lot de singes malades serait catastrophique pour le business.»

«Dans quels pays exporte-t-il?»

«États-Unis, Europe, Asie. Amérique latine… Dans toutes les grandes villes du monde. Là où il y a des laboratoires qui testent des médicaments sur des primates.»

Konig garda le silence pendant quelques secondes. Même dans la pénombre, Jaeger s'apercevait combien il était ému. «Pendant des années, j'ai préféré le croire, croire qu'il s'agissait d'un business dans les règles. Mais ça, c'était jusqu'à l'affaire de… du jeune garçon. Les singes sont transportés vers le lieu d'embarquement à bord d'un appareil de location. Un Buffalo, vous connaissez peut-être?»

Jaeger approuva de la tête. «On s'en sert pour acheminer des chargements sur des terrains peu praticables. L'armée américaine en possède. Il peut transporter jusqu'à dix tonnes.»

«Tout à fait. Ou, pour parler en termes de primates, une centaine de singes dans leurs caisses. Le Buffalo effectue des rotations entre ici et le lieu d'expédition. Il part chargé et revient à vide. Mais il y a six mois, il a ramené quelque chose de tout à fait inattendu. Un passager clandestin…»

Le débit de Konig s'accélérait, comme s'il désirait se libérer d'un poids maintenant qu'il avait commencé.

«C'était un jeune garçon. Un Kenyan qui devait avoir dans les douze ans, et qui venait d'un bidonville de Nairobi. Je ne sais pas si vous vous représentez ce que cela peut être?»

«Un peu», avoua Jaeger. «Ils sont immenses. Plusieurs millions de personnes, d'après ce qu'on m'a dit.»

«Au moins un million.» Konig marqua une pause, son visage s'assombrit. «Je n'étais pas là quand il est arrivé. En vacances. Le garçon s'est enfui de l'avion avant de se cacher. Lorsque mes gardes l'ont finalement trouvé, il était plus mort que vif. Mais ils ont la peau dure dans ces bidonvilles. S'ils atteignent l'âge de douze ans, ce sont des survivants.

«Il ne connaissait pas son âge exact, ce qui n'est pas rare dans les rues des quartiers déshérités : on n'a pas de raison de souhaiter les anniversaires.» Konig frissonna, comme s'il appréhendait ce qu'il s'apprêtait à avouer. «Il nous a raconté une histoire absolument incroyable. Il nous a dit qu'il faisait partie d'un groupe d'orphelins victimes d'un kidnapping. Bon, jusqu'ici rien d'inhabituel. Les gamins des rues sont vendus comme ça, tous les jours.

«Mais ce qu'il nous a dit ensuite… c'était tout simplement ahurissant.» Il passa sa main dans ses cheveux blonds. «Il affirme qu'après avoir été kidnappés, ils ont été transportés en avion vers une mystérieuse destination. Ils étaient plusieurs dizaines. Au début, les conditions de vie étaient correctes. Ils étaient nourris et bien traités. Mais un jour, on pratiqua des injections sur eux.

«On les a déplacés dans une grande salle fermée hermétiquement. Les gens y entraient seulement s'ils portaient ce que le gamin appelait des costumes de cosmonautes. Les enfants étaient nourris par des ouvertures pratiquées dans les murs. La moitié des enfants avaient reçu les injections, l'autre moitié non. Ceux qui n'en avaient pas reçu ont commencé à tomber malades.

«Au début, ils éternuaient et leur nez coulait.» Konig eut un haut-le-cœur. «Bientôt ils ont eu les yeux rouges, le regard vitreux, et ils se conduisaient comme des zombies, des morts-vivants.

«Mais vous ne savez pas le pire…» Les mains de Konig tremblaient légèrement. «Ces gosses… ils mouraient en pleurant des larmes de sang.»

59

L'Allemand fouilla dans sa poche. Il tendit un objet à Irina Narov. «Une clé USB. Des photos du gamin. Mon staff a pris ces photos durant son séjour parmi nous.» Son regard allait de l'un à l'autre. «Moi, je n'ai aucun pouvoir pour agir. C'est beaucoup trop énorme pour moi.»

«Continuez, je vous en prie», le rassura Narov.

«Il n'y a pas grand-chose à ajouter. Tous les gamins qui n'avaient pas reçu d'injection sont morts. Les autres, ceux qui avaient bénéficié de la piqûre, ont été conduits à l'extérieur sous bonne garde, au milieu de la brousse. Ils se retrouvèrent face à une grande fosse creusée dans la terre. Ils furent abattus et jetés dans la fosse. Le gamin n'avait pas été touché, mais il est tombé au milieu des cadavres. »

La voix de Konig n'était plus qu'un souffle. «Je vous laisse imaginer… il a été enterré vivant. Mais il a réussi à creuser la terre pour rejoindre la surface. Il faisait nuit. Il a trouvé son chemin jusqu'à la piste d'atterrissage et a réussi à grimper à bord du Buffalo. L'avion l'a amené jusqu'ici… vous connaissez la suite.»

Narov posa la main sur le bras de Konig. «Konig. Il doit y avoir autre chose. *Réfléchissez*. C'est très important. Le moindre détail, tout ce dont vous pourriez vous souvenir.»

«Peut-être quelque chose… Le gamin m'a raconté que durant le vol aller, ils avaient traversé la mer. Il s'imaginait que tous ces événements s'étaient déroulés sur une île. C'est pourquoi il savait qu'il lui fallait absolument grimper dans l'avion pour s'échapper.»

«Une île? Mais où cela?», demanda Jaeger. «Fouillez votre mémoire, Falk. Un détail, aussi minime soit-il.»

«D'après le gamin, le vol depuis Nairobi a dû prendre deux heures.»

«La vitesse de croisière d'un Buffalo est d'environ 480 kilomètres/heure», calcula Jaeger. «Ça veut dire qu'elle se trouverait dans un rayon de mille kilomètres autour de Nairobi, quelque part dans l'océan Indien.» Un silence. «Vous vous souvenez de son nom? Le nom du gosse?»

«Simon Chucks Bello. Simon, c'est son prénom anglais; Chucks, son prénom africain. C'est du swahili. Ça peut se traduire par "belle action de Dieu".»

«Parfait. Et qu'est-il arrivé à ce garçon? Où est-il maintenant?»

Konig haussa les épaules. «Il est retourné dans son bidonville. D'après lui, c'est le seul endroit où il se sent en sécurité. Là où est sa famille. Du moins, il veut dire sa famille du bidonville.»

«D'accord. Mais combien peut-il y avoir de Simon Chucks Bello dans les quartiers pauvres de Nairobi?», se demandait Jaeger autant pour lui-même qu'à l'attention de Konig. «Un gamin de douze ans de ce nom… vous croyez qu'on peut le retrouver?»

Falk haussa les épaules. «Il peut y en avoir des centaines. Et les gens du bidonville ne sont pas très coopératifs. C'est la police kenyane qui a ramassé ces gosses. Elle les a vendus pour quelques milliers de dollars. Il y a une règle dans les rues là-bas: ne fais confiance à personne, encore moins aux autorités.»

Jaeger jeta un regard vers Irina Narov avant de revenir sur Konig. «Bon. Avant qu'on ne parte à sa recherche, y a-t-il autre chose que nous devrions savoir?»

Konig secoua la tête, l'air morose. «Non, je crois avoir tout dit. Ce sera suffisant, vous croyez?»

Tous trois revinrent vers le 4x4; Narov s'avança et donna l'accolade au grand Allemand. Certes, il y avait une certaine raideur dans son geste. Mais Jaeger en fut frappé: il l'avait rarement vue initier un contact physique. Une étreinte spontanée.

C'était la première fois, en fait.

«Merci, Falk... pour tout», dit-elle à voix basse. «Surtout pour tout ce que vous accomplissez ici. À mes yeux, vous êtes... un héros.»

Comme leurs têtes se touchaient presque, elle lui accorda un baiser d'adieu plutôt maladroit.

Jaeger monta à bord du Toyota. Urio était installé au volant, le moteur tournait. Quelques secondes plus tard, Narov les rejoignit.

Ils s'apprêtaient à prendre la piste lorsqu'elle leva la main pour arrêter le véhicule. Elle regardait Konig par la vitre ouverte.

«Vous êtes inquiet, n'est-ce pas, Falk? Il y a autre chose? Quelque chose que vous ne nous avez pas dit?»

Konig hésitait. Il était déchiré. Puis, soudain, il sembla se décider. «Un truc... étrange. Qui me torture depuis un moment. Ça s'est passé l'année dernière. Kammler m'a avoué que les animaux ne l'intéressaient plus. Il m'a dit textuellement: "Falk, ne garde que mille éléphants. Un millier de têtes, c'est bien suffisant."»

Un silence. Narov et Jaeger attendaient la suite. *Laissons-lui du temps.* Le moteur du Toyota ronronnait doucement, tandis que le directeur de la réserve rassemblait le courage de poursuivre.

«Quand il débarque ici, il ne pense qu'à boire. Je crois qu'il apprécie la sécurité et l'isolement de cet endroit. Il est près de son hydravion, caché au fond de son sanctuaire.» Il haussa les épaules. «La dernière fois où il est venu, il m'a dit: "Les soucis sont finis, Falk, mon garçon. J'ai trouvé la solution finale à tous nos problèmes. La fin, qui annonce un nouveau commencement."» «Vous savez, à bien des égards, M. Kammler est un type bien», poursuivit Konig, sur la défensive. «Il a, ou plutôt il avait, un amour sincère de la vie sauvage. Il s'inquiète pour l'avenir de la planète. Il a peur de l'extinction. Il parle de la crise de la surpopulation, et pense que l'homme empoisonne la planète. Qu'il faut arrêter la croissance de l'humanité, et dans un sens, il n'a pas tout à fait tort.

«Mais il me met aussi en colère! Il traite les gens ici, les Africains, mon personnel, *mes amis*, de sauvages. Il se plaint du fait que les Noirs ont hérité du paradis et qu'ils décident aujourd'hui de massacrer tous les animaux. Mais vous savez qui achète l'ivoire ? Les cornes de rhinocéros ? Vous savez qui gère ce massacre ? Ce sont des *étrangers* ! Toute cette richesse inestimable s'en va à l'étranger. Clandestinement ! »

Il s'ébroua. « Vous savez, il traite les gens d'ici d'*Untermenschen*. Jusqu'à ce qu'il prononce ce mot, je n'imaginais pas que des gens l'utilisaient encore. Je croyais qu'il était mort avec le Reich. Mais quand il a trop bu, il l'emploie à tout bout de champ. Vous connaissez la signification de ce mot, n'est-ce pas ? »

« *Untermenschen*. Une sous-humanité », confirma Jaeger.

« Tout à fait. Alors oui, je l'admire pour avoir créé cet endroit. Ici, en Afrique. Où la vie est si difficile, parfois. Je l'admire pour ses idées sur la préservation de la faune et de la nature, c'est vrai que nous pillons les ressources de la planète, par pure ignorance ou par avidité. Mais je le hais pour ses idées condamnables, ses idées *nazies* ! »

« Vous devriez partir, vous aussi », remarqua Jaeger calmement. « Vous devriez trouver un lieu où vous pourriez faire ce que vous faites déjà, avec des gens qui partagent vos idées. Cet endroit, et surtout *Kammler*, vont continuer à vous miner, chaque jour un peu plus. Il va vous avaler tout cru avant de vous recracher. »

Konig hocha la tête. « Vous avez probablement raison. Mais j'aime tellement le lodge. Vous connaissez un plus bel endroit dans ce monde ? »

« Il n'en existe aucun, vous avez raison, Falk », confirma Jaeger. « Malgré tout, vous devriez partir. »

« Falk, il y a un serpent dans ce paradis », renchérit Narov. « Et ce serpent s'appelle Kammler. »

Il haussa les épaules. « Sans doute. Mais j'ai investi ma vie et mon cœur ici. »

Narov le regardait bien dans les yeux. « Falk, pourquoi Kammler est-il convaincu qu'il peut vous faire une telle confiance ? »

De nouveau, Konig haussa les épaules. « Je suis Allemand, comme lui, et j'aime la nature sauvage. Je gère ce lodge, qui est son asile de paix. Je mène le combat… Je mène ses combats. »

Sa voix s'étrangla. De toute évidence, il avait atteint le nœud ultime, le cœur du problème. «Mais surtout… mais surtout, c'est parce que nous sommes une famille. Son sang coule dans mes veines.»

L'Allemand fixa Narov et Jaeger dans les yeux. Des yeux perdus, douloureux. «Hank Kammler… est mon père.»

60

Fonçant à pleine vitesse au-dessus de la savane africaine, le drone MQ9 General Atomics Reaper, successeur du Predator, se préparait à fondre sur sa proie. Le nez bulbeux de l'engin sans pilote envoyait vers la terre un rayon laser invisible destiné à recréer l'image de la cible en mouvement.

Plus de sept mille mètres plus bas, la forme reconnaissable entre toutes d'un Land Rover blanc, arborant sur les portes le logo des Wild Africa Safaris, progressait rapidement sur la piste, ses passagers totalement inconscients du danger planant au-dessus de leur tête.

Réveillés de bonne heure, ils s'étaient vus assigner une mission urgente : ils devaient rejoindre l'aéroport le plus proche, à Kigoma, trois cents kilomètres au nord de Katavi, afin de récupérer un lot de pièces de rechange pour le nouvel hélicoptère HIP de la réserve.

Du moins, c'est ce que Konig leur avait déclaré.

Le soleil venait de se lever. Ils n'étaient plus qu'à une heure de l'aéroport. Leur intention était de récupérer ces pièces le plus rapidement possible, afin d'effectuer une halte non prévue au programme sur le chemin du retour. Ils étaient en effet en possession d'informations capitales à transmettre à la bande de braconniers locaux, des informations qui leur rapporteraient un joli magot.

Le rayon laser du Reaper se stabilisa bientôt sur le Land Rover ; sous l'aile du drone, les étriers qui retenaient la bombe guidée laser GBU-12 Paveway s'ouvrirent, libérant l'engin gris aux lignes épurées qui entama sa descente vers la terre. Son laser s'arrima sur le toit blanc du véhicule ; il ne le lâcherait plus.

Ses ailettes s'ouvrirent à l'arrière pour affiner la précision du guidage. Ajustées aux moindres mouvements du Land Rover, elles guidaient la bombe intelligente sur une ligne mouvante, corrigeant constamment, imperceptiblement, sa trajectoire.

Si l'on en croit Raytheon, le fabricant de la bombe intelligente Paveway, celle-ci frappe dans un rayon d'un peu moins de dix mètres du point d'ancrage du laser. La taille du Land Rover Defender cahotant sur la piste dans la brousse africaine étant de plus d'un mètre cinquante de large sur près de quatre mètres de long, la marge d'erreur du GBU-12 n'était pas négligeable.

Quelques secondes après son largage, le Paveway transperça le nuage de poussière soulevé par le 4x4.

Moins intelligente que la majorité de ses semblables, la bombe percuta le sol africain à un mètre du Land Rover, tout près de son aile avant.

Mais même moins précise, elle restait mortelle.

Le Paveway explosa en une formidable boule de feu et de poussière, projetant des éclats acérés de métal dans le véhicule, et l'envoyant valdinguer dans une série de tonneaux spectaculaires hors de la piste, comme si une main géante s'en était saisie pour mieux la fracasser contre terre.

Le 4x4 s'immobilisa sur le flanc. Des flammes léchaient déjà les tôles tordues en tous sens, dévorant ceux qui avaient eu la malchance de se trouver à l'intérieur.

À quelque douze mille kilomètres de là, dans le confort spartiate de son bureau de Washington DC, Hank Kammler était penché sur l'écran de son ordinateur, qui affichait en direct le résultat de l'impact du Reaper.

«Adieu, M. William Jaeger», commenta-t-il. «Bon débarras!»

Il tapota sur son clavier pour afficher sa boîte de messagerie cryptée, et envoya un mail rapide, accompagné de la vidéo en basse résolution de l'impact de la bombe. Il cliqua ensuite sur l'icône d'IntelCom, la version de Skype réservée à l'armée américaine, cryptée et donc plus sûre. Grâce à IntelCom, Kammler pouvait en principe communiquer avec n'importe qui sur la planète en toute sécurité.

La sonnerie caractéristique d'IntelCom retentit, puis une voix se fit entendre.

«Steve Jones.»

«Le Reaper a fait son œuvre», annonça Kammler. «Je viens de t'envoyer un clip vidéo, qui affiche les coordonnées GPS. Emprunte un véhicule du Katavi Lodge et va vérifier par toi-même. Trouve ce qui reste et assure-toi qu'il s'agit des bonnes personnes.»

Steve Jones se renfrogna. «Je croyais que vous vouliez le torturer le plus longtemps possible. Ça vous prive, ça *nous* prive, de notre vengeance…»

Le visage de Kammler se durcit. «C'est vrai. Mais il se rapprochait un peu trop. Jaeger et sa jolie associée avaient réussi à fourrer leur nez à Katavi. Ça devenait vraiment trop chaud. Alors, je répète : il faut absolument s'assurer que ce sont leurs carcasses qui ont cramé dans l'épave de ce 4x4. Si par miracle ils en avaient réchappé, retrouve leurs traces et liquide-les.»

«Je m'en occupe», confirma Jones.

Kammler coupa la communication et se renversa dans son fauteuil. D'un côté, c'était dommage d'avoir mis un point final aux tortures de William Jaeger, mais récemment, lui-même s'était lassé de ce petit jeu. D'autre part, il était tout à fait approprié que Jaeger ait péri à Katavi, l'endroit que Kammler choyait le plus au fond de son cœur.

Et le sanctuaire qu'il avait choisi pour ce qui allait arriver bientôt.

Steve Jones regardait fixement son téléphone portable, les traits brutaux et grossiers de son visage contractés. Le bimoteur Twin Otter survolait la savane africaine, balloté par les trous d'air créés par les courants brûlants.

Jones jura. «Jaeger mort… Pourquoi suis-je venu dans ce trou ? Pour ramasser des bouts de cadavres calcinés…?»

Il réalisa qu'un homme l'observait, et tourna les yeux vers le cockpit. Le pilote, un boche aux allures de baba cool du nom de Falk Konig, le fixait avec insistance. Il avait dû surprendre sa communication téléphonique.

Les veines de son cou se mirent à palpiter, et il sentit tous ses muscles se raidir.

«Qu'est-ce qu'il y a?», gronda-t-il. «Tu ne m'as jamais vu? Fais ton boulot et occupe-toi de ton foutu zinc!»

Jaeger secouait la tête. Il n'en revenait encore pas. «Tu t'y attendais, toi?»

Narov s'enfonça dans son siège et ferma les yeux. «M'attendre à quoi? Il y a eu tellement d'événements surprenants depuis quelques jours. Et puis, je suis crevée. Un vol prolongé nous attend, et je voudrais dormir un peu.»

«Falk!... Le fils de Kammler!»

Narov soupira. «On aurait dû prévoir quelque chose de ce genre. On n'a pas assez écouté le briefing de Falkenhagen. Lorsque le général Hans Kammler a été recruté par les Américains, il a changé plusieurs fois de nom. L'un de ses noms d'emprunt, c'était Horace Konig. Son fils a décidé de reprendre son nom de Kammler, ressuscitant le glorieux héritage familial. Quant au petit-fils du général Kammler, il était sans doute moins fier de cet héritage, et a décidé de revenir à Konig; Falk Konig.»

Elle lança un regard fatigué en direction de Jaeger. «Dès qu'il s'est présenté, ça aurait dû faire tilt dans nos têtes. Allez, dors un peu. Ça pourrait t'affûter le cerveau, on ne sait jamais.»

Jaeger grimaça. Irina Narov dans toute sa splendeur! Dans un sens, il le regrettait. Il avait plutôt apprécié la version Katavi.

Ils avaient réservé un jet privé pour un vol direct du petit aéroport local de Makongolosi vers Nairobi. Dès leur arrivée, ils avaient décidé de se lancer à la recherche de Simon Chucks Bello, ce qui signifiait s'immerger dans l'univers chaotique, sans foi ni loi, des bidonvilles de la capitale kenyane.

Narov n'arrêtait pas de se retourner sous la couverture de la compagnie aérienne. Le petit avion était chahuté par les turbulences, et elle ne parvenait pas à s'endormir. Après avoir allumé la petite lampe au-dessus de sa tête, elle pressa le bouton d'appel. Une hôtesse apparut. Ils étaient les seuls à bord de ce vol privé.

«Avez-vous du café, s'il vous plaît?»

L'hôtesse sourit. «Bien sûr. Comment le prenez-vous?»

«Brûlant. Noir. Fort. Sans sucre.» Narov coula un regard en direction de Jaeger, qui ne dormait pas non plus. «Apportez-nous deux tasses.»

«Parfait. Je reviens tout de suite.»

Narov lança un coup de coude à Jaeger. «Toi, tu as l'air aussi réveillé que moi, non?»

Il grommela. «Mais c'est toi qui viens de me réveiller. Je croyais que tu voulais te reposer?»

Elle fronça le front. «Trop de choses qui se bousculent dans la tête. Je viens de commander…»

«Du café, oui.» Il avait terminé sa phrase, passablement énervé. «J'ai entendu.»

Nouveau coup de coude. «Alors, réveille-toi!»

Jaeger s'ébroua. «OK… Du calme.»

«Dis-moi: Kammler, qu'est-ce qu'il mijote? Essayons de reconstituer le puzzle.»

Jaeger se frottait les yeux. «Bon. D'abord, on va tâcher de retrouver ce gamin et d'écouter ce qu'il a à nous dire. Ensuite, on retourne à Falkenhagen pour faire appel à leurs ressources et leur expertise. C'est là-bas qu'on trouvera le matériel et les hommes qu'il nous faut pour aller plus loin.»

L'hôtesse arriva. Ils se calèrent confortablement pour siroter le café fumant.

Narov reprit la parole. «Tu as une idée de la manière dont on va s'y prendre pour retrouver le gosse?»

«Tu as vu le message de Dale. Il a des contacts dans les bidonvilles. On va le rejoindre là-bas et ensemble, on le retrouvera.» Jaeger avala une gorgée de café. «S'il est encore vivant, s'il a envie de parler, et s'il existe vraiment. Ça fait pas mal de "si". »

« C'est quoi la connexion de Dale avec les bidonvilles ? »

« Il y a quelques années, il s'est porté volontaire pour apprendre aux gamins des rues le maniement d'une caméra. Il faisait équipe avec un type, Julius Mburu, qui a grandi dans le bidonville. Un ancien petit voyou, qui a réussi à s'en sortir. Aujourd'hui, il dirige la Fondation Mburu, qui apprend aux orphelins les rudiments de la vidéo et de la photo. Dale l'a déjà branché sur la recherche du gamin, en mobilisant ses réseaux. »

« Il est confiant ? »

« Il a des pistes. On ne peut pas être confiant à 100 %. »

« C'est un début. » Narov sembla réfléchir. « Qu'est-ce que tu as pensé des vidéos de Falk ? »

« Ses petits films d'amateur ? » Jaeger secoua la tête. « J'ai compris que son père est un sacré salopard. Tu te rends compte ? Fêter les dix ans de son fils dans un BV222 enterré sous une montagne ! Une bande de vieux apprenant à Falk et à ses copains à faire le salut nazi ! Des gosses en shorts et en culotte de peau ! Des drapeaux nazis sur tous les murs ! Pas surprenant que Falk en soit dégoûté aujourd'hui. »

« Le BV222, c'est en fait le mausolée de Kammler », remarqua Irina calmement. « Son mausolée au Reich de mille ans. À la fois celui qui n'a jamais existé et celui dont il espère inaugurer l'existence. »

« Ça y ressemble bien, tu as raison. »

« Et cette fameuse île de Kammler ? Comment va-t-on procéder pour la localiser ? »

Jaeger sirotait son café. « Ça ne va pas être facile. Dans un rayon de mille kilomètres autour de Nairobi, il y a des centaines de possibilités. Des milliers peut-être. Mais j'ai mis mon ami Jules Holland sur l'affaire. Ils vont l'amener à Falkenhagen et il va se creuser les méninges. Crois-moi, si quelqu'un est capable de trouver cette île, c'est bien le Rat. »

«Et si le récit du gamin se vérifie?», insista Narov. «Il va bien falloir agir!»

Le regard de Jaeger se perdit dans le lointain, dans l'avenir. Même s'il essayait d'en minimiser l'importance, il ne pouvait masquer l'inquiétude et la tension dans sa voix.

«Si le gamin dit la vérité, Kammler est en possession du *Gottvirus*, qu'il a raffiné et testé désormais. Tous les gosses qui n'étaient pas inoculés ont péri. Ça signifie que son taux de mortalité approche les 100 %. C'est de nouveau le Virus de Dieu. Comme tous les gosses qui avaient reçu l'injection ont survécu, on peut affirmer qu'il a mis au point un vaccin, un antidote. Il ne doit plus lui manquer qu'un système de propagation efficace.»

«S'il a vraiment l'intention de l'utiliser…»

«D'après les confidences que nous a faites Falk, il semble qu'il soit bientôt prêt.»

«Combien de temps, d'après toi?»

«Selon Falk, le gamin s'est enfui il y a six mois. Si bien que Kammler a eu tout ce temps, au minimum, pour travailler sur le système de propagation du virus. Il aura besoin de s'assurer que le virus se transmet par les voies respiratoires, pour qu'il se répande aussi loin et aussi vite que possible. S'il a résolu ce problème, sa vision n'est pas loin d'être réalisée.»

Le visage d'Irina Narov s'assombrit. «Alors il faut se remuer pour trouver cette île. Et le plus tôt sera le mieux…»

62

Le plateau-repas qu'ils avaient commandé s'avéra excellent. Des plats sortis d'usine, congelés puis réchauffés au micro-ondes, d'accord, mais parfaitement comestibles. Narov avait choisi la sélection de fruits de mer, un plateau comprenant du saumon fumé, des crevettes et des coquilles Saint-Jacques, servis avec une sauce froide à l'avocat.

Jaeger s'étonna de voir la manière dont elle réorganisait les aliments autour de l'assiette avec une précision exigeante. Ce n'était pas la première fois qu'il la voyait agir de la sorte. Comme si elle ne pouvait pas commencer de manger avant que chaque élément de son assiette ait été déplacé dans un coin où il n'était plus en contact avec les autres. Craignait-elle une forme de contamination des aliments entre eux?

Il hocha la tête vers son assiette. «Superbe. Mais pourquoi écarter le saumon fumé de la sauce verte? Tu as peur qu'ils se battent entre eux?»

«Les aliments de couleur différente ne devraient jamais être en contact», répliqua Narov. «Le pire, c'est le rouge et le vert. Comme le saumon sur l'avocat.»

«Bon. Si tu le dis... Mais explique-toi.»

Irina le regarda dans les yeux. La mission qu'ils venaient de partager, l'intensité émotionnelle des derniers jours, semblait avoir quelque peu arrondi ses angles.

«Les experts affirment que je suis autiste. Je fonctionne parfaitement, mais néanmoins, je souffre d'autisme. Certains appellent ça le syndrome d'Asperger. Il paraît que j'ai des problèmes;

les circuits de mon cerveau sont connectés différemment. Pour moi, les aliments rouges ne peuvent pas toucher les aliments verts. » Elle montra l'assiette de Jaeger. « Je me fous des étiquettes, mais vraiment, la façon dont tu fourgues ta nourriture dans ta bouche comme dans une bétonnière, ça me donne envie de vomir. De l'agneau rouge sur une fourchette où sont piqués des haricots verts, enfin, mais *comment peux-tu me faire ça?* »

Jaeger s'esclaffa. Il adorait la façon dont elle avait retourné la situation.

« Luke avait un copain, son meilleur ami, Daniel. Il était autiste. En fait, c'est le fils du Chasseur de rats. Un gamin formidable. » Il se tut, avant de se reprendre, d'un air coupable. « J'ai dit "il avait", mais j'aurais dû dire "il a". Luke a un copain. Comme s'il était bien là, toujours présent. »

Narov haussa les épaules. « Le choix de l'imparfait ne change rien au sort de ton fils. Ça ne détermine pas s'il vit ou s'il meurt. »

Si Jaeger n'avait pas eu l'habitude des sorties de Narov, il l'aurait frappée. Le commentaire était typique de la jeune femme : aucune empathie ; un éléphant dans un magasin de porcelaine.

« Merci pour ta perspicacité », riposta-t-il. « Sans parler de ta compassion. »

Narov haussa les épaules. « Tu vois, voilà une chose que je ne comprendrai jamais. Je croyais te dire quelque chose que tu avais besoin d'entendre. C'était logique, et je pensais que ça pourrait t'aider. Mais comment le prends-tu ? Tu penses que ma remarque était odieuse, c'est ça ? »

« Quelque chose comme ça, c'est vrai, oui. »

« Pas mal d'enfants autistes sont très bons sur un sujet. Doués de manière exceptionnelle, même. Ils appellent ça savants. Autistes savants. Souvent, ce sont les maths, ou la physique, ou des prodiges de mémoire, ou de créativité artistique. Mais souvent aussi, on est assez maladroits en ce qui concerne beaucoup d'autres sujets. Comprendre la manière dont les autres fonctionnent et pensent, ce n'est pas notre fort. »

«Et toi, en quoi es-tu particulièrement douée? À part le tact et la diplomatie, bien sûr.»

Irina sourit. «Rien en particulier. Je sais que j'ai un caractère difficile. Ça, j'en suis consciente. C'est pour ça que j'ai toujours l'air sur la défensive. Mais tu dois te souvenir que pour moi, c'est *toi* qui as un caractère difficile. Par exemple, je n'ai pas compris pourquoi tu t'es énervé quand j'ai émis cette remarque sur ton fils. Pour moi, c'était une chose parfaitement évidente. C'était logique, je tâchais seulement de t'aider.»

«D'accord, je comprends ça. Mais tu ne m'as pas répondu, c'est quoi ton don particulier?»

«Il y a une chose dans laquelle j'excelle, et qui m'obsède, c'est la chasse. Notre mission du moment. Si tu voulais simplifier, tu pourrais appeler ça *tuer*. Mais pour moi, ça signifie autre chose. Il s'agit d'éliminer le mal absolu de cette planète.»

«Puis-je te poser une question?», intervint Jaeger. «Une question, disons… personnelle?»

«En ce qui me concerne, toute cette conversation est extrêmement personnelle. Je ne parle jamais aux autres de… ce don. Moi, je vois cela comme ça: je possède une qualité exceptionnelle. Je n'ai encore jamais croisé quelqu'un, un chasseur, aussi doué que moi.» Un silence. Elle risque un œil vers Jaeger. «Du moins, jusqu'à ce que je te rencontre.»

Il souleva sa tasse. «Buvons à ces belles paroles. Tu as raison, nous sommes bien une confrérie de chasseurs.»

«Parmi les frères, il y a des sœurs, je te ferai remarquer», corrigea-t-elle. «Alors, cette question?»

«Pourquoi parles-tu de cette manière étrange? Tu t'exprimes toujours sur le même ton, bizarre, plat, comme un robot. Comme si tu ne ressentais jamais aucune émotion?»

«As-tu entendu parler de l'écholalie? Non? Beaucoup de gens ignorent ce que ça veut dire. Alors, imagine un enfant lorsqu'on s'adresse à lui. Lui entend les mots, mais rien de plus. Aucun accent tonique, aucun rythme, aucune poésie ni émotion dans les paroles. Cet enfant est incapable de saisir ces nuances.

Il ne comprend pas les inflexions émotionnelles, parce que les connexions dans son cerveau ne sont pas les mêmes que celles de la plupart des autres cerveaux. J'ai été cette enfant. C'est par écholalie, en répétant sans vraiment comprendre, que j'ai appris à parler.

«En grandissant, personne ne me comprenait. Mes parents m'asseyaient devant la télé. J'entendais l'anglais correct que parlait la Reine, l'américain, et ma mère me passait des films russes. J'étais incapable de différencier les accents, je ne faisais qu'imiter ce que j'entendais à la télé. D'où mon accent : c'est un pot-pourri de toutes ces façons de parler, totalement atypique.»

Jaeger piqua un succulent morceau d'agneau avec sa fourchette, mais s'abstint de commettre l'irréparable en ajoutant quelques haricots verts.

«Parle-moi des Spetsnaz. Tu m'as dit que tu avais servi dans les forces spéciales russes?»

«Ma grand-mère, Sonia Olschanevsky, s'est installée en Grande-Bretagne après la guerre. C'est là que j'ai grandi, mais notre famille n'a jamais oublié que notre vraie patrie, c'est la Russie. Quand l'Union soviétique s'est effondrée, ma mère nous a ramenés au pays. J'ai fait ma scolarité en Russie, et je me suis engagée dans l'armée russe. Que pouvais-je espérer à part ça? Mais je ne me suis jamais sentie chez moi, même dans les rangs des Spetsnaz. Trop de règlements idiots, absurdes. Je ne me suis vraiment sentie chez moi qu'au sein des Chasseurs clandestins.»

«Je lève ma tasse à leur santé», annonça Jaeger. «Les Chasseurs clandestins! Que notre mission soit un succès!»

Peu de temps après le repas, ils tombèrent dans une douce somnolence. À un moment donné, Jaeger s'éveilla; Narov était lovée contre lui, son bras passé dans le sien, sa tête inclinée sur son épaule. Il respirait ses cheveux, sentait son souffle régulier sur sa peau.

Il décida qu'il ne changerait pas de position. En fait, il s'habituait à cette proximité entre eux, tout en ressentant une douleur lancinante au fond de son cœur : un soupçon de cette bonne vieille culpabilité.

Ils avaient séjourné à Katavi en se faisant passer pour des jeunes mariés ; en s'en allant, ils en donnaient encore l'image parfaite.

63

Le Boeing 747 qui roulait lentement sur la piste du terminal de fret de l'aéroport d'Heathrow à Londres n'avait pas l'air de la première fraîcheur. Ce que l'on remarquait d'emblée, c'est qu'il ne possédait pas les hublots qu'on trouve habituellement le long des flancs de la carlingue.

Une caractéristique des avions-cargos, qui ne transportent généralement pas de passagers.

La cargaison d'aujourd'hui constituait cependant une sorte d'exception. C'était du fret bien vivant, composé d'une bande d'animaux stressés et particulièrement excités.

Privés de la lumière du jour durant le vol de neuf heures, ils n'avaient pas apprécié cette brimade. Des cris de rage et d'impatience résonnaient entre les parois de la soute du 747. Des petites mains nerveuses secouaient les barreaux des cages, et de grands yeux intelligents de primates, pupilles marron cerclées de jaune, cherchaient frénétiquement un moyen de s'échapper.

En vain.

Jim Seaflower, le responsable de la quarantaine sanitaire au Terminal 4 d'Heathrow, veillait au grain. Il avait rédigé des ordres précis pour acheminer cette cargaison de primates vers le grand centre de quarantaine, installé à l'écart, mais proche des pistes balayées par la pluie. On prenait très au sérieux la mise en quarantaine des grands singes de nos jours, pour des raisons que Seaflower comprenait parfaitement.

En 1989, une cargaison de singes d'Afrique avait atterri sur l'aéroport de Dulles, à Washington DC, à l'issue d'un vol similaire. Dès leur arrivée, les cages des animaux avaient été transférées à bord de camions puis acheminées de l'aéroport vers un laboratoire, un «asile de singes», comme on disait dans le métier, situé à Reston, un quartier plutôt huppé de la ville.

À l'époque, les lois régissant la quarantaine étaient bien moins contraignantes. Les singes ont commencé à mourir par dizaines. Les employés du laboratoire sont tombés malades à leur tour. Il s'avéra que toute la colonie de primates qui venait d'arriver était porteuse du virus Ebola.

Finalement, ce sont les spécialistes de défense biologique et chimique de l'armée américaine qui avaient dû intervenir, détruire le laboratoire et euthanasier tous les animaux qui avaient survécu. Des centaines de grands singes avaient ainsi péri dans cet incident. Le laboratoire de Reston avait été rasé. Tout ce qui pouvait subsister, jusqu'au plus infime microorganisme, avait dû y passer. Le périmètre fut ensuite condamné et laissé à l'abandon plus ou moins pour l'éternité.

La seule raison pour laquelle le virus n'avait pas tué des milliers de personnes, peut-être des millions, c'est qu'il ne se transmettait pas directement, par voie aérienne. S'il s'était propagé à la manière de la grippe, le «Reston Ebola», l'appellation qui lui avait été donnée depuis, aurait provoqué des ravages parmi la population à une vitesse vertigineuse.

Par chance, l'épidémie de Reston Ebola avait donc pu être circonscrite. Mais en conséquence, les autorités votèrent des lois de quarantaine beaucoup plus strictes et contraignantes. Il revenait à Jim Seaflower de s'assurer qu'elles étaient bien appliquées aujourd'hui sur l'aéroport d'Heathrow.

À titre personnel, il estimait qu'une période de quarantaine de six semaines était quelque peu exagérée. Mais les risques justifiaient certainement des mesures drastiques. Quoi qu'il en soit, ces nouvelles mesures lui garantissaient, ainsi qu'à son personnel, un emploi décent, durable et plutôt bien payé, alors pourquoi s'en plaindre?

Il observait les caisses des grands singes en train d'être déchargées de l'avion-cargo ; chacune portait un gros tampon sur le côté : *Katavi Reserve Primates Limited*. La cargaison lui semblait saine, pour une fois. D'habitude, quelques animaux mouraient durant le transport, surtout à cause du stress du voyage. Mais là, tous avaient l'air en pleine forme.

Débordant de vie.

Il n'en attendait pas moins de la part des primates de la réserve de Katavi. Il avait réceptionné des dizaines de cargaisons de KRP, et cette société lui semblait particulièrement fiable.

Il se pencha pour jeter un œil à l'intérieur d'une cage. Il valait toujours mieux s'assurer de l'état de santé général d'une cargaison, on pouvait ainsi mieux gérer les semaines de quarantaine. Si l'on repérait un animal malade, il fallait l'isoler, afin que la maladie ne se transmette pas. Le singe à couronne blanche, au visage noir, se retira immédiatement dans un coin de la cage. C'était un vervet. Les primates n'aiment pas croiser de trop près le regard des humains. Dans leur univers, cela s'assimilait à une menace.

Celui-ci était un superbe spécimen, néanmoins.

Seaflower se dirigea vers une autre cage. Cette fois-ci, alors qu'il se penchait au-dessus, l'occupant se rua contre les barreaux et les secoua furieusement de ses poings serrés, exhibant ses canines dans un rictus agressif. Seaflower sourit. Ce gaillard ne manquait pas d'énergie.

Il s'apprêtait à poursuivre l'examen des autres cages quand le primate éternua, en plein visage du responsable de la quarantaine.

Celui-ci prit son temps avant de réagir, refit un rapide examen du primate, et décida finalement qu'il n'avait pas l'air malade. Probablement une réaction au satané climat humide et froid de Londres, conclut-il.

À la fin de sa journée de travail, les sept cents primates avaient été transférés dans leurs enclos de quarantaine. Jim avait même fait deux heures supplémentaires afin de s'assurer que toute la cargaison avait été bien traitée.

Il quitta l'aéroport et rentra chez lui, non sans une courte halte dans son pub favori pour une bière ou deux. Il y avait la foule habituelle, bavardant, verre à la main, avalant des amuse-gueules en riant.

Parfaitement détendus.

Jim paya sa tournée. Il essuya de la main la mousse qui imprégnait sa barbe et partagea quelques paquets de chips et de cacahuètes avec ses copains.

En quittant le pub, il prit le chemin de sa maison, où il rejoignit sa famille. Dans l'entrée, il serra sa femme dans ses bras, l'haleine un peu chargée de bière, et entra dans la chambre de ses enfants juste à temps pour leur souhaiter bonne nuit avec un gros baiser.

Dans un certain nombre de pavillons de la banlieue londonienne, l'équipe qui travaillait avec Jim à Heathrow faisait de même.

Le lendemain, leurs enfants se rendirent à l'école. Les conjoints prirent les transports en commun pour vaquer à leurs occupations : shopping, bureau, visites à des amis ou à la famille. Respirant. Partout et sans jamais s'arrêter. Respirant.

Les amis que Jim avait rencontrés au pub rejoindraient leur lieu de travail, empruntant le métro, le train ou le bus aux quatre coins de cette immense métropole grouillante de monde. Respirant. Partout et sans jamais s'arrêter. Respirant.

Dans toute la ville, où s'agitaient huit millions et demi d'habitants, le mal avait commencé à se propager.

64

Steve Jones se déplaçait incroyablement vite pour un colosse de sa taille. Utilisant à la fois les poings et les pieds, il assénait ses coups à une vitesse fulgurante, détruisant son adversaire avec une force impressionnante, lui laissant ainsi peu de répit pour répliquer ou même récupérer.

La sueur coulait sur son torse à demi nu tandis qu'il avançait, penché, esquivant avant de frapper encore et encore, impitoyable malgré la chaleur suffocante. Chaque coup semblait plus violent que le précédent, appliqué avec une telle férocité qu'il devait briser les os et déchiqueter les organes internes.

À chaque impact du poing ou du pied, Jones imaginait qu'il broyait les membres de Jaeger, ou mieux encore, qu'il réduisait en une pulpe sanglante son visage de fils de bonne famille.

Il avait choisi un coin d'ombre pour s'entraîner, mais même là, la chaleur de midi rendait toute activité physique intense deux fois plus épuisante. Il appréciait ce défi supplémentaire. Ce qui lui donnait le sens de sa propre identité, de sa stature dans la vie, c'était justement cela : dépasser ses limites. Il avait toujours été comme ça.

Peu d'hommes étaient capables d'infliger, ou de subir, une telle punition physique, aussi extrême et soutenue. Comme il l'avait appris dans l'armée, avant que Jaeger ne l'en chasse à jamais : *plus l'entraînement sera dur, plus le combat sera facile.*

Finalement, il mit un terme à ses efforts, agrippant le lourd sac de sable qu'il avait pendu à une branche d'arbre, et stoppant son léger balancement. Il l'étreignit un instant, à bout de souffle, avant de faire volte-face et de rejoindre son bungalow blanc.

Une fois à l'intérieur, il ôta ses vêtements et s'allongea de tout son long, ruisselant de sueur, sur le lit. De toute évidence, ils ne lésinaient pas sur le luxe au Katavi Lodge. Vraiment dommage que la compagnie ne soit pas à la hauteur : Falk, le connard baba cool, et sa bande de Blacks à peine sortis de la jungle. Il fit jouer ses muscles douloureux. Merde ! Avec qui picoler ce soir ?

Il envoya le bras vers la table de nuit, s'empara d'un flacon de pilules et en avala une poignée. Il n'avait jamais renoncé aux produits dopants. Pourquoi l'aurait-il fait, d'ailleurs ? Ils lui donnaient un avantage sur la concurrence. Le rendaient irrésistible. Imbattable. Ces foutus gradés avaient eu tort. Des connards ! Si les SAS l'avaient écouté, ils pourraient tous en prendre aujourd'hui. Avec les bonnes pilules, ils seraient tous devenus des superhéros.

Comme lui. Du moins en était-il persuadé.

Il plaça les oreillers derrière sa tête, tapota sur le clavier de son ordinateur portable, cliqua sur l'icône d'IntelCom, et entra les coordonnées de Hank Kammler.

La communication s'établit presque instantanément. « Raconte-moi », attaqua Kammler.

« Je les ai trouvés », annonça Jones. « Je n'aurais jamais cru qu'un Land Rover pouvait se transformer en boîte à sardines complètement défoncée. Complètement calcinée. Des débris partout. »

« Excellent. »

« Ça, c'est la bonne nouvelle. » Jones caressa ses cheveux ras de sa patte énorme. « La mauvaise nouvelle, c'est qu'il n'y avait que deux personnes à l'intérieur, deux Blacks grillés jusqu'à la moelle. Si Jaeger et la femme se trouvaient aussi à l'intérieur, ils ont réussi à s'échapper. Mais à mon avis, ça aurait constitué un pur miracle. »

« Tu es certain de ce que tu avances ? »

« Absolument catégorique. »

«Ça veut dire "oui", n'est-ce pas?», coupa Kammler. Parfois, il trouvait le vocabulaire de cet Anglais particulièrement énervant, sans parler de ses manières qui frisaient la vulgarité.

«Affirmatif, si vous préférez. Bien reçu?»

Kammler aurait trouvé le léger sarcasme dans la voix de Jones exaspérant si le personnage n'était pas l'exécuteur presque parfait qu'il était par ailleurs. Et dans les circonstances actuelles, il avait besoin de lui.

«Tu es sur le terrain. D'après toi, que s'est-il passé?»

«C'est super simple. Jaeger et la femme n'ont pas emprunté ce 4x4. S'ils l'avaient fait, ils seraient éparpillés dans la brousse africaine en ce moment. Et je n'en ai pas retrouvé le plus petit morceau.»

«Est-ce que tu as vérifié s'il manquait un véhicule parmi ceux du lodge?»

«Il manque un Toyota. D'après Konig, il a été retrouvé sur le parking d'un petit aérodrome local. Un type de son personnel le ramènera demain.»

«Donc, Jaeger a volé un des 4x4 et s'est enfui.»

Bien pensé, Einstein, grommela Jones. Il espérait que Kammler n'avait pas entendu. Il devait se méfier. Pour l'instant, le vieux était son seul employeur, et il touchait une solde confortable pour être ici. Pas la peine de tout foutre en l'air.

Il convoitait un petit bout de paradis: une maison en bordure de plage, en Hongrie, un pays où ils avaient la bonne idée de détester les étrangers, tous ceux qui n'étaient pas blancs, autant que lui. Il comptait sur les émoluments de sa mission avec Kammler pour réaliser ce rêve.

Mais pour cela, il fallait se débarrasser de Jaeger. Cet enfoiré avait survécu à l'impact d'un Reaper, et Jones était le mieux placé pour l'éliminer. Et éliminer la femme par la même occasion. Il aurait pourtant aimé en profiter un maximum, et sous les yeux de Jaeger, avant de boucler la mission…

«D'accord, Jaeger s'en est tiré», annonça Kammler. «Il faut tourner ça à notre avantage. On va accélérer le processus de guerre psychologique. Lui faire parvenir des photos de sa famille. Il faut l'attirer vers nous, l'appâter. Et quand il sera à notre portée, on le finira. »

« Ça me plaît », grogna Jones. « Mais soyons d'accord sur une chose : c'est moi qui m'en charge. »

« Si tu m'apportes des résultats, Jones, c'est toi qui auras le dernier mot. » Un silence. « Dis-moi, ça te dirait de rendre une petite visite à sa femme et à son fils ? Ils sont détenus sur une petite île, pas très éloignée de l'endroit où tu te trouves. Il y a même des vols directs. Comment penses-tu que réagirait ton copain Jaeger devant une photo de toi en compagnie de sa femme et de son fils ? Du genre : "Bon souvenir d'un vieux copain". Ce genre de chose. »

Jones arbora un sourire carnassier. « J'adore cette idée. Il serait totalement dévasté. »

« Juste un truc. Je gère une société qui exporte des singes depuis cette île. Et j'exploite un laboratoire ultra-discret, qui fait des recherches sur les maladies infectieuses des primates. Certaines zones sont strictement interdites, là où les chercheurs mettent au point des vaccins pour ces maladies. »

Jones haussa les épaules. « Je m'en foutrais même si vous congeliez des organes prélevés sur des bébés africains, alors vos singes… Je suis prêt à partir quand vous le voulez. »

« Ta destination doit rester un secret absolu », ajouta Kammler, « c'est une précaution vis-à-vis de mes concurrents. J'espère que tu sauras te taire. »

« J'ai compris », confirma Jones. « Procurez-moi un vol vers cet endroit où se cache sa famille, et le spectacle peut commencer. »

65

Au fil des années, Nairobi est devenue «la ville des voleurs», et ce n'est pas sans raison. C'est une métropole trépidante, où la loi n'est que très peu respectée. Un lieu où tout peut arriver.

Jaeger, Narov et Dale s'étaient lancés dans le chaos du centre-ville, la main sur le klaxon, pare-chocs contre pare-chocs dans le dédale de rues regorgeant de voitures, de *matatus* cabossés, des minibus taxis bariolés de couleurs exubérantes, et de voitures à bras tirées par des hommes épuisés. De manière surprenante, en dépit de toute cette confusion désespérante, la cohue des habitants et des machines continuait à avancer vaille que vaille.

Lentement.

Jaeger avait passé pas mal de temps dans la capitale kenyane ; c'était un point de transit pour les camps d'entraînement militaire au combat dans le désert, la montagne ou la jungle. Pourtant, il ne s'était encore jamais aventuré dans les bidonvilles étouffants de Nairobi, pour la bonne raison que tout étranger, *mzungu*, assez stupide pour se hasarder dans la ville interdite tendait à disparaître rapidement. Au coeur du ghetto, un blanc ne survivait pas longtemps.

Le goudron disparut rapidement, remplacé par la terre battue et les ornières, le 4x4 soulevant un nuage de poussière dans son sillage. Le décor avait radicalement changé. Les immeubles de béton et de verre du centre avaient disparu, remplacés par des alignements de cahutes en bois délabrées et par les étals des petits vendeurs.

Accroupies au bord des ruelles poussiéreuses, des femmes proposaient leurs marchandises : un petit amas de tomates écarlates, brillant au soleil ; des oignons rouges empilés ; des montagnes de poisson séché aux écailles dorées étincelantes ; des empilements de vieilles chaussures aux semelles percées, rêves des va-nu-pieds.

Une vallée s'offrit à la vue, coincée entre deux collines, dans la fumée suffocante des réchauds et les amas d'ordures. Les cabanes de bois et de toile plastique s'entassaient en un désordre désespéré, traversées par un labyrinthe de ruelles étroites et encombrées de détritus. Çà et là, un éclair de couleur vive, celui des vêtements étendus pour sécher dans la fumée écœurante et toxique. Jaeger était à la fois fasciné et perturbé.

Comment *vivre* dans cet enfer ?

Comment les habitants survivaient-ils dans un tel désordre sans foi ni loi ?

Leur véhicule doubla un homme qui courait en tirant une charrette dont les brancards en bois étaient usés par des années d'efforts. Il avait les pieds nus, portait un short élimé et un tee-shirt déchiré. Jaeger jeta les yeux vers son visage dégoulinant de sueur. Lorsqu'il croisa le regard de l'homme, il mesura le gouffre qui les séparait.

Le charretier était un personnage anonyme parmi les hordes de déshérités qui hantaient les bidonvilles. Ce n'était pas l'univers quotidien de Jaeger, il en prenait conscience cruellement. Il s'y sentait comme un extra-terrestre, mais pourtant irrésistiblement attiré comme un papillon de nuit vers la flamme.

L'environnement dans lequel Jaeger s'épanouissait le plus, c'était la jungle. Ce lieu différent, primordial, sauvage et éternel le fascinait. Et le bidonville semblait une jungle urbaine ultime. Si l'on parvenait à survivre ici, parmi les gangs, la drogue, les taudis, la *changa'a*, la boisson de contrebande, et les bouges clandestins, on survivrait partout.

Les yeux perdus dans les terrains vagues qui s'étendaient à perte de vue, il ressentait la pulsation brute de l'endroit, et le défi que lui lançait le ghetto. Dans tout nouvel environnement hostile, il fallait apprendre de ceux qui savaient l'affronter et survivre ; Jaeger devrait en passer par là. Le lieu ne possédait que des lois non écrites, des hiérarchies inconnues partout ailleurs. Chaque ghetto avait ses règles propres, destinées à protéger les siens, et c'était bien pourquoi les étrangers ne s'en approchaient pas.

Dès qu'ils étaient arrivés à l'hôtel, Dale leur avait fait un résumé exhaustif de la situation. Les Kenyans un peu aisés ne devaient pas être vus dans le bidonville. Ils le considéraient comme un lieu honteux, qu'il fallait cacher aux yeux du monde et de la bonne société, un lieu de perdition, de brutalité, sans aucun espoir d'en sortir. C'est pour cela que des gamins comme Simon Chucks Bello et les orphelins comme lui disparaissaient sans laisser de trace, vendus pour quelques poignées de dollars.

Le véhicule stoppa devant un bar installé sur la rue.

«Et voilà», annonça Dale. «On y est.»

Les passants s'arrêtaient, les observant fixement. Ils détaillaient le 4x4 : les Land Rover Discovery neufs étaient plutôt rares dans le coin ; en fait, peu de voitures s'aventuraient dans ce quartier perdu. Les yeux écarquillés, ils regardaient Dale, un *mzungu* aisé qui osait se risquer sur leur territoire, et les autres passagers qui descendaient du 4x4.

Jaeger se sentait mal à l'aise, un étranger en ces lieux, plus différent et plus isolé que jamais. Et vulnérable, curieusement, ce qui ne manquait pas de l'inquiéter. Il n'avait jamais été entraîné à affronter ce genre de jungle, un terrain où il ne serait jamais possible de se camoufler. Il avait l'impression d'avoir une cible épinglée dans son dos.

Narov, Dale et lui se rapprochèrent du bar, effectuant un saut acrobatique pour éviter un égout à ciel ouvert putride, dont le béton se craquelait par endroit, déversant son trop-plein d'eaux de pluie et de boue douteuse à même la rue.

Ils passèrent à côté d'une femme accroupie sur un tabouret devant son étal bancal. Un réchaud au charbon de bois fumant trônait à ses pieds, et elle était en train de frire des petits poissons dans de l'huile bouillante, tout en observant les passants qui déambulaient, à la recherche d'un client.

Un homme les attendait sur le trottoir ; sa silhouette le distinguait de la foule : trapu, large d'épaules, Jaeger le jugeait immensément puissant et habitué aux combats. Un bon spécimen de voyou né dans la rue. Visage plat, arborant plusieurs balafres, mais néanmoins ouvert ; un îlot de sérénité au milieu du chaos.

Il portait un tee-shirt où s'étalait un slogan : *J'AI COMBATTU LA LOI*.

Jaeger reconnaissait cette phrase immortelle, qui avait bercé ses années d'adolescence. Il était à l'époque un grand fan des Clash. Il se repassa les paroles dans sa tête : *Je casse des cailloux sous le soleil impitoyable, j'ai combattu la loi, et c'est la loi qui a gagné…*

Il n'avait aucun doute sur l'identité de cet homme.

Il s'agissait de Julius Mburu, leur ticket d'entrée dans le ghetto.

66

Les doigts de Jaeger s'étaient refermés autour de la bouteille sortie du frigo; il était tendu, mal à l'aise. Autour de lui, le bar de fortune, tables et chaises en plastique usé, à la propreté douteuse, aux murs noircis de fumée. Une terrasse sommaire ouvrait sur la rue bruyante et enfumée juste en dessous.

Des hommes étaient assis autour des tables, fixant un poste de télévision, comme hypnotisés. La voix du commentateur jaillissait du haut-parleur de la télé, installée au-dessus du bar, où des rangées de bouteilles reposaient derrière un épais grillage. Les clients regardaient un match de Premier League anglaise. Ici, le football prenait des allures de religion.

Jaeger, cependant, n'avait qu'une obsession: Simon Chucks Bello.

«Donc, je suis parvenu à le retrouver», annonça Mburu d'emblée, d'une voix grave et rocailleuse. «Ça n'a pas été facile. Le gamin s'est réfugié dans la clandestinité. Il est bien caché.» Il s'adressa à Dale. «Et il a peur. Après ce qu'il a traversé, il ne risque pas de s'approcher des *mzungus*.»

Dale hocha la tête. «Je comprends ça très bien. Mais dis-moi: est-ce que tu le crois?»

«Je crois tout ce qu'il m'a dit.» Le regard de Mburu allait de Jaeger à Narov pour revenir vers Dale. «Malgré tout ce que vous pensez, les gamins sont très conscients de la différence entre le bien et le mal. Ils ne mentent jamais, du moins quand l'affaire est grave, comme celle-ci.» Il y avait du défi dans son regard.

«Il existe une vraie fraternité dans le ghetto. Qui ne ressemble à rien de ce qu'on trouve ailleurs.»

Mburu avait dû en baver dans sa vie; Jaeger s'en était aperçu en regardant la main calleuse et vigoureuse qu'il lui avait tendue pour l'accueillir. Cela transparaissait également dans les rides de son visage et les cernes autour de ses yeux.

Jaeger intervint. «Est-ce qu'on peut quand même le rencontrer?»

Mburu acquiesça imperceptiblement. «Il est ici. Mais il y a une condition. C'est lui qui décide. S'il refuse, s'il n'est pas d'accord pour vous accompagner, il reste ici.»

«Compris. On est d'accord.»

Mburu se retourna et appela quelqu'un dans l'ombre. «Alex! Frank! Amenez-le.»

Trois jeunes gens émergèrent: deux ados, grands et musclés, et un gamin plus jeune.

«Je dirige une organisation caritative, la Fondation Mburu, pour l'éducation et le développement dans les bidonvilles», expliqua Mburu. «Alex et Frank bossent avec moi. Et lui», il montrait le gamin, «c'est un des jeunes les plus doués de la Fondation Mburu. Simon Chucks Bello, comme vous l'avez sûrement deviné.»

Simon Chucks Bello avait un look plutôt remarquable. Sa coiffure, surtout. Des piques de cheveux frisés sortaient de sa tête dans tous les sens, comme s'il venait de s'électrocuter. Il arborait un tee-shirt rouge avec une photo de la tour Eiffel, et en grosses lettres blanches en dessous, *PARIS*. Il était trois tailles trop grand pour lui et pendait de guingois sur sa silhouette trop mince.

Il avait les dents de devant écartées, les dents du bonheur, ce qui lui conférait un air espiègle de gosse des rues qu'on ne lui aurait peut-être pas donné par ailleurs. Sous son short effrangé, les genoux étaient éraflés et marqués de cicatrices, et ses pieds nus révélaient des ongles fendus ou cassés. Malgré tout, il se dégageait de toute sa silhouette un charme indéfinissable.

Pourtant, à cet instant précis, Simon Bello ne souriait pas.

Jaeger tenta de briser la glace. Il montra l'écran de télé.

« Tu es fan de Manchester United ? Ils sont en train de se prendre une volée, aujourd'hui. »

Le gamin le fixa droit dans les yeux. « Tu veux parler football parce que tu crois que c'est la clé. J'aime bien Man U. Tu aimes bien Man U. Alors ça fait de nous des amis. Comme ça on est pareils, tous les deux… » Un silence. « Mister, pourquoi tu ne me dis pas pourquoi tu es venu ? »

Jaeger leva les mains, en signe de soumission. Le gosse parlait comme un homme. Il aimait cela. « On nous a raconté une histoire. D'abord, on voudrait savoir si elle est vraie. »

Simon Bello roula des yeux. « J'ai déjà raconté cette histoire au moins cinq cents fois. Pourquoi je le ferais ? »

Avec l'assistance de Mburu, ils persuadèrent le gamin de leur donner un résumé de son récit. C'était exactement ce que leur avait confié Falk, avec cependant une différence notable. Le gamin évoquait souvent « le patron », pour reprendre ses propres termes, le *mzungu* qui gérait tout ce qui se passait sur l'île, responsable de toutes les horreurs auxquelles il avait assisté.

D'après sa description, Jaeger en déduisit qu'il devait s'agir de Hank Kammler en personne.

« Alors, Kammler était là-bas », murmura Narov.

Jaeger approuva de la tête. « On dirait bien. À mon avis, il ne faut pas s'étonner que Falk ait omis ce genre de détail. Cela ne donnait pas une image très valorisante de son père. »

Il révéla au gamin les grandes lignes du plan qu'il lui proposait. Ils désiraient l'éloigner du bidonville, assez longtemps pour assurer sa sécurité. Ils craignaient en effet que les responsables de son enlèvement ne reviennent, surtout s'ils apprenaient qu'il avait survécu.

Pour toute réponse, le gamin commanda une boisson gazeuse. Jaeger paya à boire à tout le monde. À la façon dont le jeune garçon cajolait sa bouteille de Fanta glacé, il devina que ce devait être un événement rare dans sa vie.

« Il faut que tu m'aides », annonça Simon une fois qu'il eut avalé son Fanta.

«C'est pour cela qu'on est venus», répliqua Jaeger. «Une fois qu'on sera sortis d'ici…»

«Non, non. J'ai besoin d'aide tout de suite», intervint le gamin. Il fixait Jaeger. «Tu fais quelque chose pour moi, je fais quelque chose pour toi. Il faut m'aider tout de suite.»

«Explique-toi.»

«C'est mon frère. Il est malade. Il faut l'aider. Tu es un *mzungu*. Tu es riche. Comme je te l'ai dit: aide-moi et je t'aiderai.»

Jaeger lança un regard interrogateur vers Mburu. Pour toute réponse, Mburu se leva. «Venez. Suivez-moi. Je vais vous montrer.»

Il leur fit traverser la rue jusqu'à un étal sur le trottoir. Un gosse de neuf ans peut-être était assis à part, avalant une soupe de lentilles sans grand appétit. Il était d'une maigreur maladive, sa main qui tenait la cuillère tremblait. Un tee-shirt noir de la Fondation Mburu cachait sa silhouette squelettique.

Simon Bello le réconfortait avec chaleur et Jaeger en déduisit qu'il s'agissait de son frère.

«C'est le paludisme», affirma Jaeger. «Pas de doute, je reconnaîtrais ce tremblement n'importe où.»

Mburu leur conta l'histoire de ce gamin. Il s'appelait Peter, et était tombé malade quelques semaines auparavant. Ils avaient tout fait pour trouver un médecin, mais c'était impossible sans argent. Sa mère était morte, son père était accro à la *changa'a*, la boisson clandestine et mortelle fabriquée par fermentation dans les quartiers pauvres.

En résumé, personne ne s'occupait de Peter, et Jaeger se rendait compte qu'il avait besoin d'aide d'urgence. Il avait tout de suite noté que le gamin avait à peu près l'âge qu'avait Luke quand il avait disparu.

Il se tourna vers Simon Bello. «D'accord. On va agir tout de suite, trouver un médecin. Où est le centre de soins le plus proche?»

Pour la première fois, le jeune garçon arbora un sourire. «Je vais te montrer.»

Ils se mettaient déjà en route quand Julius Mburu prit congé.

« Vous êtes en sécurité avec Alex et Frank. Mais passez me dire au revoir avant de partir. »

Jaeger le remercia chaleureusement, puis Narov, Dale et lui suivirent Simon Bello, Peter et les associés de Mburu à travers un dédale de ruelles tortueuses. Ils s'enfonçaient toujours plus profondément au cœur du bidonville ; la puanteur des égouts à ciel ouvert les assaillait constamment, ainsi que le vacarme produit par une telle quantité d'habitants dans un espace aussi restreint. De quoi devenir à jamais claustrophobe ; Jaeger en avait des haut-le-cœur.

Ils étaient parfois arrêtés par un grand portail de tôle ondulée barrant la ruelle, couvert de graffiti et cloué à des poteaux de bois chapardés on ne sait où par les hommes du ghetto.

Simon Bello écarta un de ces portails afin qu'ils puissent s'y glisser. Jaeger lui demanda à quoi ils servaient.

« Les portails ? » Son visage s'assombrit. « Pour arrêter les flics quand ils font des rafles. Comme celle où ils m'ont chopé. »

67

Pour un occidental, le Miracle Medical Centre ressemblait à n'importe quel autre taudis du ghetto, en un peu plus sale. Mais aux yeux des habitants, c'était ce qui se faisait de mieux en matière de santé. Tout en faisant la queue pour consulter un médecin, Jaeger, Narov et Dale sentaient le poids des regards suspicieux dans la file des patients. Des grappes d'enfants curieux s'agglutinaient à la porte.

Alex alla chercher des épis de maïs grillés. Il les cassa en deux, et offrit la première moitié à Jaeger. Lorsqu'ils eurent grignoté les grains de maïs juteux, les gamins s'emparèrent des épis dépiautés pour jongler et mimer toutes sortes de clowneries en riant. Simon Chucks Bello s'avéra le plus drôle dans cet exercice. Il termina ses jongleries avec des pas de danse tellement déjantés que tout le monde éclata de rire. Le volume sonore était tel que le médecin se pencha par la fenêtre pour leur dire de se calmer.

Personne ne semblait trop se soucier de Peter. Jaeger comprit rapidement que le fait de tomber malade brusquement, parfois très gravement, était un événement qui n'avait rien d'extraordinaire dans le ghetto. Ça pouvait se produire tous les jours. Pas d'argent pour consulter un médecin ? C'était encore courant là-bas. Quant aux chances de croiser un blanc qui vous emmenait dans un centre médical, elles étaient proches de zéro.

Après avoir examiné Peter, le médecin confirma le diagnostic de Jaeger : paludisme, auquel s'ajoutait la fièvre typhoïde. Il faudrait le garder une semaine pour assurer une complète guérison. Jaeger comprit où il voulait en venir. Ça allait coûter de l'argent.

«Combien?», demanda-t-il.

«950 shillings kenyans», répliqua le médecin.

Jaeger effectua une rapide conversion dans sa tête. Moins de 15 dollars américains. Il tendit un billet de mille shillings au docteur et le remercia de s'occuper du jeune garçon.

Comme ils s'apprêtaient à partir, une jeune infirmière courut pour les rattraper. Quelque chose qui n'allait pas? Peut-être des frais supplémentaires, car le médecin n'avait pas discuté le prix.

Elle tendit un billet de 50 shillings. C'était la monnaie qu'il avait négligé de réclamer.

Incrédule, Jaeger contemplait le billet. Mburu avait raison. Ce genre d'honnêteté dans un tel environnement, cela poussait à l'humilité. Il tendit l'argent à Simon Bello.

«Tiens. Paye-toi et à tes copains un autre Fanta.» Il passa la main dans les cheveux du jeune homme. «Alors, on est quittes? Tu es d'accord pour rester avec nous quelque temps? Ou bien doit-on aller demander la permission à ton père?»

Simon fronça les sourcils. «Mon père?»

«Ton père et celui de Peter.»

Le jeune garçon jeta un regard de travers vers Jaeger. «Ben… Peter n'est pas vraiment mon frère. C'est mon frère du ghetto. Moi, je n'ai personne. Je suis orphelin, je croyais que tu le savais. Ma plus proche famille, c'est Julius Mburu.»

Jaeger éclata de rire. «D'accord. Tu m'as eu!» Le gamin était non seulement intelligent, mais il avait de la personnalité. «Alors, es-tu d'accord pour nous suivre, maintenant que ton frère est entre de bonnes mains?»

«Oui, j'imagine. À condition que Julius soit d'accord.»

Ils retracèrent leurs pas jusqu'au 4x4; Jaeger rejoignit Narov et Dale. «Le témoignage du gamin, pour coincer Kammler, c'est la clé. Mais où va-t-on l'emmener? Il faut que ce soit vraiment isolé pour que personne ne puisse le trouver.»

Dale haussa les épaules. «Il n'a pas de passeport, pas de papiers, même pas un certificat de naissance. Il ne sait pas quel âge il a exactement, ni où il est né. On ne peut pas l'emmener très loin avant longtemps. »

Jaeger tâchait de se rappeler une remarque qu'avait faite Falk en passant. « Irina, tu te souviens de cet endroit mentionné par Falk? Amani. Une petite station balnéaire isolée. Entièrement privée. » Il se tourna vers Dale. « Amani Beach Resort, sur l'océan Indien, à bonne distance de Nairobi, vers le sud. Tu pourrais peut-être te renseigner? Si ça fait l'affaire, peux-tu l'emmener là-bas, au moins jusqu'à ce qu'on lui procure des papiers? »

« Ça sera toujours mieux que ce trou, c'est certain. »

Ils tournèrent dans une ruelle, progressant vers la rue en terre battue lorsqu'une sirène retentit brusquement. Jaeger vit les visages se raidir autour d'eux, les yeux s'emplir de panique. Quelques secondes plus tard, un coup de feu éclata. Tiré par un pistolet, à peu de distance, et qui se réverbérait contre les parois de bois des taudis. La foule se dispersa immédiatement, les uns pour fuir les ennuis, mais les autres, surtout des jeunes, pour s'y précipiter.

« Les flics », siffla Simon Bello.

Il signala à Jaeger et aux autres de le suivre; il se mit à courir, courbé en avant, et se réfugia dans un coin à l'écart.

« Vous croyez peut-être que j'ai menti; vous croyez que les flics ne m'ont pas fait ce qu'ils m'ont fait: alors, regardez bien. » Il pointait le doigt vers la foule qui s'assemblait.

Jaeger repéra un policier kenyan, pistolet au poing. À ses pieds gisait un ado. Il avait reçu une balle dans la jambe et plaidait pour sa vie.

Simon, tendu, leur expliqua à voix basse ce qui se passait. Il connaissait le jeune à terre. Il avait tenté de s'imposer comme gangster au sein du ghetto, mais n'avait pas réussi, car il manquait de poigne. C'était plutôt un feignant, pas un vrai méchant. Quant au flic, tout le monde le connaissait. Les habitants du bidonville l'avaient surnommé Scalp. C'est ce Scalp qui dirigeait la rafle dans laquelle Simon et les orphelins avaient été capturés.

Les secondes passaient et la foule continuait d'affluer. Tous craignaient les réactions de Scalp. Il brandissait son pistolet, hurlant à l'adolescent de dégager. Le jeune tenta de se remettre debout, titubant sur sa jambe blessée, la douleur et la terreur se lisaient sur son visage. Scalp le poussa le long d'une petite rue défoncée vers le sommet de la colline où les voitures de police attendaient, entourées d'hommes, fusils à la main.

Une vague de rage subite agita la foule. Scalp sentait sûrement la menace se rapprocher de lui. Les policiers le savaient bien : la moindre étincelle pouvait provoquer une explosion de violence dans ces quartiers.

Il se mit à asséner des coups de crosse à l'adolescent, lui criant de presser le pas. La foule se rapprochait dangereusement, et Scalp sembla perdre subitement le contrôle de la situation. Il visa la bonne jambe de l'ado et tira. Hurlant de douleur, celui-ci s'effondra dans la poussière.

Parmi la foule, les plus courageux s'approchaient, mais Scalp les mit en joue en pointant son arme vers leurs visages.

Les deux mains levées, l'ado blessé implorait qu'on épargne sa vie. Jaeger percevait ses cris déchirants, réclamant la pitié du policier, mais Scalp semblait possédé par une folie sanguinaire, ivre de la puissance de son pistolet. Il tira de nouveau, cette fois dans la poitrine du jeune homme. Puis, il se pencha en avant et pointa l'arme contre sa tempe.

« Il va mourir », annonça Simon Bello, les dents serrées. « Dans une seconde, il est mort. »

La foule semblait frappée de stupeur, lorsqu'un coup de feu retentit au milieu de la cohue et se répercuta dans les ruelles frémissantes de fureur rentrée.

Les gens ne se contrôlaient plus, désormais. Des hommes se précipitaient en avant, secoués de rage, hurlant comme des possédés. Scalp leva son arme et tira en l'air, tâchant de les faire reculer. En même temps, il vociférait dans son interphone pour réclamer des renforts.

Les policiers dévalèrent les ruelles vers le lieu de la confrontation. Jaeger se rendait compte que le ghetto pouvait exploser à tout moment. Il fallait à tout prix éviter d'être pris dans la mêlée.

Au fil des combats, il avait appris que la discrétion constituait une bonne part de la bravoure.

Il fallait sauver Simon Bello. C'était la priorité absolue.

Il attrapa le gamin par le bras, cria aux autres de les suivre, et ils s'enfuirent à toutes jambes.

68

La grosse Audi fonçait à pleine puissance sur l'Autobahn. Raff, pied au plancher, était passé les prendre à l'aéroport, et visiblement il était pressé. En fait, ils l'étaient tous, mais comme Raff était un pilote émérite, Jaeger n'était pas inquiet.

«Alors, le gamin, il disait la vérité?», s'enquit Raff, les yeux rivés sur l'autoroute.

«L'histoire qu'il nous a racontée, personne n'aurait pu l'inventer, et encore moins un orphelin qui a grandi dans les bidonvilles.»

«Alors, qu'est-ce qu'on sait de plus? Qu'y a-t-il de nouveau?»

«Il a confirmé tout ce que Konig nous avait dit. Le gamin a ajouté quelques détails. Rien de très important. Et de ton côté? Est-ce qu'on va finir par la trouver cette île? L'île de Kammler?»

Raff ébaucha un sourire. «Ma foi, ça se pourrait bien…»

«Tu pourrais peut-être nous mettre au courant, non?»

«Attendez le briefing. Dès qu'on arrivera à Falkenhagen. Un peu de patience, OK? Et le gamin, il est où, maintenant? En sécurité?»

«Dale l'a emmené dans son hôtel, des chambres contigües. Le Serena. Tu t'en souviens?»

Raff hocha la tête. Jaeger et lui avaient séjourné là-bas à une ou deux reprises, lors de rotations sur Nairobi avec l'armée britannique. Pour un hôtel en plein centre-ville, il constituait un précieux îlot de paix et de tranquillité.

«Ils ne pourront pas rester là», remarqua Raff, pointant une évidence. «Ils vont se faire remarquer.»

«Tu as raison. Alors, on a cogité. Dale va l'emmener dans une station balnéaire isolée, Amani Beach, à plusieurs heures de route de Nairobi, vers le sud. C'est la meilleure solution que nous ayons trouvée pour le moment.»

Vingt minutes plus tard, ils stoppaient en pleine nuit devant les pelouses désertées de Falkenhagen. Singulièrement, malgré le traitement plutôt rude subi par Jaeger dans ces lieux, celui-ci était presque content d'être de retour.

Il éveilla Narov. Elle avait somnolé pendant tout le trajet, lovée sur la banquette arrière de l'Audi. Il y avait près de vingt-quatre heures qu'ils n'avaient pas dormi. Après s'être tirés de justesse du chaos du ghetto en compagnie du gamin, ils n'avaient pas eu le temps de souffler.

Raff vérifia sa montre. «Briefing prévu à 0100 heure. Vous avez vingt minutes. Je vais vous montrer vos chambres.»

Dès qu'il fut seul, Jaeger s'aspergea le visage à l'eau froide. Pas le temps de prendre une douche. Il avait laissé toutes ses affaires personnelles à Falkenhagen: son passeport, son téléphone portable et son portefeuille. Comme il s'était rendu à Katavi sous un faux nom, il fallait s'assurer qu'il ne transportait aucun indice de sa véritable identité.

Mais Peter Miles avait placé un MacBook Air dans sa chambre, et il avait hâte de vérifier sa boîte mail. Par ProtonMail, une messagerie ultrasécurisée, il était certain de pouvoir vérifier ses mails sans que ceux-ci soient interceptés par Kammler ou ses sbires.

Avant de découvrir ProtonMail, tous leurs systèmes de communication précédents avaient été piratés. Ils avaient notamment utilisé le dossier Brouillons d'une boîte mail: il suffisait de se connecter sur le compte avec un mot de passe commun pour lire les brouillons de messages.

Ceux-ci n'étant jamais envoyés, le système aurait dû être totalement verrouillé.

Il ne l'était pas.

Les hommes de Kammler l'avaient piraté. Ils s'étaient servis de ce compte pour torturer Jaeger, d'abord avec des photos de Leticia Santos en détention, puis de sa famille.

Jaeger hésitait encore. Il ne parviendrait pas à résister à l'envie, la tentation, de vérifier sa boîte mail maintenant. Il espérait que les sbires de Kammler commettraient un jour une erreur ; qu'ils enverraient une image, par exemple, d'où il tirerait un indice sur leur position exacte. Une piste qui permettrait de remonter jusqu'à eux, et jusqu'à Ruth et Luke.

Il y avait un message dans le dossier Brouillons. Il était vierge, à part un lien vers un fichier logé sur Dropbox, le système de stockage de données en ligne. Un message qui ne pouvait que s'inscrire dans la guerre psychologique déclarée par Kammler lui-même.

Jaeger prit une profonde inspiration. Il sentit comme un nuage noir qui l'enveloppait.

La main tremblante, il cliqua sur le lien, et le téléchargement de l'image s'amorça. Ligne par ligne, elle s'afficha bientôt jusqu'à emplir l'écran.

Une femme brune apparut, le visage émacié, agenouillée auprès d'un jeune garçon, tous deux en sous-vêtements. Elle avait passé un bras autour des épaules de l'enfant, comme pour le protéger.

Le jeune garçon, c'était Luke, le fils de Jaeger. Il était voûté, comme si ses épaules maigres portaient le poids du monde, malgré la protection de sa mère. Il tenait devant lui un pan de drap déchiré, comme une banderole.

On y lisait : *PAPA... AIDE-MOI.*

L'image pâlit, remplacée par un écran blanc, sur lequel s'afficha un message en noir :

> Viens retrouver ta famille.
> *Wir sind die Zukunft.*

Wir sind die Zukunft : nous sommes l'avenir. La carte de visite de Hank Kammler.

Jaeger serra les poings pour les empêcher de trembler, avant de les abattre plusieurs fois contre le mur.

Il n'était plus sûr de vouloir continuer. Il n'en avait plus la force.

Tout homme atteint un jour ses limites.

69

Sur une piste de l'aéroport Jomo Kenyatta, au Kenya, un avion-cargo était en plein chargement. Un chariot élévateur soulevait les caisses marquées du logo KRP les unes après les autres, avant de les disposer dans le ventre du gros Boeing 747.

Dès que la soute serait pleine, le vol décollerait à destination de la côte est des États-Unis, vers l'aéroport Dulles de Washington. Les États-Unis importaient environ dix-sept mille primates chaque année, destinés aux laboratoires pratiquant des tests médicaux. Ces dernières années, KRP s'était attribué une bonne part de ce marché.

Un autre vol KRP devait décoller en direction de Beijing, un troisième vers Sydney, un quatrième était programmé vers Rio de Janeiro… D'ici quarante-huit heures, tous ces vols auraient atterri, et l'opération aurait commencé pour de bon.

Sans qu'il l'ait vraiment cherché, Hank Kammler venait de recevoir un soutien non négligeable, mais il l'ignorait encore.

Après les Britanniques, Kammler ne haïssait personne plus que les Russes. C'était sur le front est, perdu dans les immensités glacées, que la puissante *Wehrmacht* d'Hitler, sa machine de guerre, s'était enlisée. L'Armée rouge soviétique avait joué un rôle décisif dans la défaite qui s'était ensuivie.

Pour cette raison, Moscou avait été placée à la seconde place sur la liste des cibles de Kammler, immédiatement après Londres. Un avion-cargo 747 avait atterri depuis peu sur l'aéroport de la ville, à Vnukovo. En ce moment, Sergei Kalenko, le responsable de la quarantaine à Vnukovo, surveillait le transfert des cages des primates vers les enclos tout proches.

Mais on était dans la Russie de Poutine, où tout se négocie. Kalenko avait stocké à part quelques dizaines de cages, contenant trente-six singes vervet.

Centrium, la plus importante société de tests pharmaceutiques de Russie, s'était retrouvée à court d'animaux pour une batterie de tests sur un médicament. Chaque journée de retard coûtait environ cinquante mille dollars à la société. L'argent, celui provenant des pots-de-vin, fait la loi en Russie ; c'est l'huile dans les rouages de la machine : Kalenko n'allait pas objecter si quelques dizaines de ses petits protégés échappaient à la quarantaine. Il estimait les risques négligeables. Après tout, KRP n'avait jamais envoyé un chargement de primates malades, et celui d'aujourd'hui n'était pas différent des autres.

Les cages furent chargées rapidement sur le plateau d'un camion, et recouvertes d'une bâche verdâtre. L'opération terminée, Kalenko empocha un bon paquet de roubles et le camion se perdit bientôt dans la nuit glaciale de la capitale.

Il regarda les feux arrière du camion s'éloigner avant de plonger la main dans sa large poche. Comme de nombreux employés de l'aéroport, Kalenko s'octroyait de temps en temps une gorgée de vodka pour chasser le froid qui embrumait le cerveau. Il s'accorda même une seconde gorgée pour célébrer cette petite rallonge de salaire inattendue.

À l'intérieur de la cabine du camion de Centrium, le radiateur était en panne. Toute la journée, le chauffeur avait tenté de lutter contre la température glaciale, principalement à l'aide de sa bouteille. Alors qu'il faisait route vers le vaste complexe de Centrium, il traversa un peu trop vite le premier d'une série de quartiers tristes, à la lisière sud-est de la ville.

Le camion dérapa sur une plaque de verglas. Les réactions du chauffeur, engourdies par l'alcool, furent un peu trop lentes. En une poignée de secondes, le véhicule avait quitté la chaussée et basculé dans un fossé couvert de neige ; la bâche se déchira et les cages volèrent par-dessus les ridelles avant de rouler dans la neige dans toutes les directions.

Les primates hurlaient et criaient, fous de rage et de peur. La portière de la cabine s'était ouverte et tordue sous l'effet de l'impact. La silhouette ahurie du chauffeur, couvert de sang, émergea en titubant, avant de s'affaler dans le fossé.

Une petite main réussit à entrouvrir la porte de la première cage. Les doigts noueux et puissants voletèrent un instant sur l'étrange manteau froid et brillant, à la blancheur intimidante. L'animal décontenancé sentait la liberté, mais quelle liberté ? Parviendrait-il à avancer sur cette surface gelée ?

Plus haut, sur la route, des véhicules stoppaient brusquement. Des visages se risquaient pour inspecter le fossé. Réalisant ce qui s'était passé, certains sortaient leur portable pour filmer la scène. Seules une ou deux personnes se décidèrent à intervenir. Les singes les entendirent lorsqu'ils se laissèrent glisser dans la neige jusqu'en bas de la pente.

C'était maintenant ou jamais.

Le premier s'échappa de sa cage, faisant voler la neige dans son sillage tandis qu'il se ruait vers une zone d'ombre. D'autres singes se glissèrent hors des cages éventrées et rejoignirent le premier.

Lorsque le chauffeur retrouva ses esprits et fit l'inventaire de son chargement, il compta douze cages vides. Douze singes vervet s'étaient égaillés dans les rues enneigées d'un quartier de Moscou, transis de froid, apeurés, le ventre vide. Impossible pour le chauffeur de donner l'alerte. Il avait violé le règlement sur la quarantaine. Kalenko, Centrium et lui-même se retrouveraient dans le pétrin jusqu'au cou si la police était avertie.

Les singes devraient s'en tirer tout seuls.

L'accident du camion avait eu lieu sur la route qui longeait la rivière Moskova. Rassemblés en une petite troupe, ils se serraient les uns contre les autres pour combattre le froid.

Une femme âgée trottinait sur la berge de la rivière ; elle surprit les singes, agglutinés au bord de l'eau, crut avoir une hallucination et accéléra le pas. Déséquilibrée par une plaque de verglas, elle trébucha et chuta lourdement ; le pain frais qu'elle transportait dans son sac à provisions tomba sur le sentier de la berge. Les singes affamés se jetèrent dessus. La femme, hébétée, désorientée, tenta de les repousser de sa main gantée.

Un des vervets montra les dents. La passante ne comprit pas l'avertissement. Il chargea, ses canines transpercèrent le gant et s'enfoncèrent dans la chair de la main. La femme hurla, hypnotisée par la profonde blessure d'où le sang s'échappait, mêlée à la salive du primate.

Sur un cri du chef autoproclamé de la petite troupe, les vervets s'emparèrent de tout le pain éparpillé sur le sentier et s'enfuirent dans la nuit qui s'animait, grimpant, sautillant, affolés, en quête de toujours plus de nourriture.

Quelques centaines de mètres plus loin, le long de la rivière, une activité périscolaire prenait fin dans un gymnase. Des gamins de Moscou terminaient un cours de sambo, un art martial de l'époque soviétique d'abord adopté par le KGB, mais de plus en plus populaire auprès des jeunes.

Le bruit et la chaleur attirèrent les primates. Après un instant d'hésitation, le meneur enjamba une fenêtre ouverte, entraînant la troupe derrière lui. Un radiateur soufflant produisait un courant chaud qui emplissait la salle, où les jeunes gens exécutaient les dernières figures de la soirée.

Un des singes éternua. Des milliers de gouttelettes de salive se propagèrent dans l'atmosphère, et envahirent la salle grâce au courant d'air chaud. Les jeunes gens en sueur respiraient à pleins poumons, tentant de reprendre leur souffle entre deux exercices.

Dans toute la ville, près de onze millions de personnes s'apprêtaient à vivre l'enfer.

70

Peter Miles se leva pour prendre la parole. En dépit de l'intense pression qu'ils subissaient tous en ce moment, il semblait remarquablement serein. Jaeger, en particulier, était perturbé. Le défi consistait pour lui à chasser de son esprit l'image douloureuse de sa femme et de son fils, et ce message, *PAPA… AIDE-MOI*, qui l'empêchait encore de se concentrer sur la réalité complexe du moment.

Au moins cette fois-ci avait-il été en mesure de relever sur la photo un détail qui pourrait s'avérer utile ; un indice qui pourrait aider à retrouver la trace de sa famille et de ses geôliers.

« Bienvenue à tous », attaqua Miles. « En particulier à vous, William Jaeger et Irina Narov. Je vois des visages nouveaux dans cette salle. Soyez assurés qu'ils sont tous des membres de notre réseau en qui nous avons une confiance absolue. Je ferai les présentations au fur et à mesure de ce briefing, et je vous invite à poser toutes les questions qui vous sembleraient utiles. »

En quelques minutes, il fit un résumé des découvertes de Jaeger et Narov, à la fois dans la réserve de Katavi et dans le ghetto de Nairobi, avant d'aborder le cœur du problème.

« Falk Konig nous a révélé que son père, Hank Kammler, dirige une société secrète d'exportation de primates, Katavi Reserve Primates, depuis une île au large des côtes de l'Afrique orientale. Ces singes sont expédiés par avion dans le monde entier aux fins de recherche médicale. Le niveau de confidentialité qui entoure la gestion de ce business sur l'île est sans précédent.

«Quelle est alors la probabilité pour que le centre d'exportation de singes abrite également le laboratoire de guerre biologique de Hank Kammler? Elle est très élevée, si vous voulez mon avis. Durant la guerre, Kurt Blome, le parrain du *Gottvirus*, avait établi son centre d'expérimentation de guerre bactériologique au large des côtes allemandes, sur la mer Baltique, dans l'île de Riems. La raison principale étant que l'on peut tester un virus pathogène sur une île sans véritablement craindre qu'il ne s'échappe au-delà des côtes. En d'autres termes, une île représente un incubateur isolé parfait. »

«Mais ce que nous ignorons encore, c'est ce que Kammler a l'intention de faire de son virus», intervint une voix. C'était Hiro Kamishi, comme toujours la voix posée de la raison.

«En effet, nous n'en savons rien», confirma Miles. «Tout ce que l'on peut supposer, c'est qu'en détenant le *Gottvirus*, Kammler devient l'architecte du complot visant à ressusciter le Reich d'Hitler, qui possédera cette fois-ci l'arme absolue. Rien que cela constitue un scénario particulièrement effrayant, même si l'on ignore toujours ses intentions réelles. »

«Est-ce qu'on a une meilleure idée de la nature de ce *Gottvirus*?» La voix était celle de Joe James. «Sa provenance? Un moyen de l'éliminer?»

Miles secoua la tête. «Malheureusement non. Nos recherches n'ont pas réussi à prouver qu'il avait existé dans le passé. Officiellement, ce sont deux officiers SS qui l'ont découvert : les lieutenants Hermann Wirth et Otto Rahn. Ils sont décédés tous les deux, les documents mentionnent : *mort accidentelle*. Selon la version officielle, ils auraient fait une course en montagne dans les Alpes bavaroises, se seraient égarés et seraient morts de froid dans la neige. Pourtant, selon la version de Blome, ces deux hommes ont découvert le *Gottvirus* et c'est cette découverte qui les avait tués. En bref, les Nazis se sont appliqués à rayer le *Gottvirus* de tous les documents officiels. »

«Alors on en vient à la question cruciale», intervint Jaeger. «Où va-t-on trouver l'île de Kammler? J'ai cru comprendre qu'il y avait une piste. »

« Ce genre d'organisation n'a pas besoin d'une surface étendue », répliqua Miles. Si l'on parle d'une île de la taille de Riems, on trouve environ mille candidates possibles au large de l'Afrique orientale, ce qui représentait pour nous un véritable défi. Du moins jusqu'à ce que… »

Il parcourut l'assistance et son regard se posa sur un individu inconnu de la plupart des participants. « À ce stade, je vais passer la parole à Jules Holland. Il n'a pas besoin d'autre présentation. »

Une silhouette débraillée s'avança gauchement. En surpoids, les vêtements fatigués, les cheveux gris noués en une queue de cheval ébouriffée, il ne semblait pas à sa place dans l'ancien bunker de commandement nucléaire de l'Union soviétique.

Il se tourna vers l'assistance et afficha un sourire où il manquait plusieurs dents. « Jules Holland, plus connu comme le Chasseur de rats. Ou simplement le Rat. Hacker professionnel, mais jamais pour le côté obscur de la force. Un bon pirate, et en principe compétent, si je puis me permettre. Et jouissant de prestations plutôt élevées, d'habitude.

« C'est grâce aux bons offices de Will Jaeger que je me retrouve parmi vous. » Légère révérence. « Je dois avouer que je suis très heureux, et honoré, de pouvoir vous rendre service. »

Le Rat se tourna vers Peter Miles. « Cette personne m'a donné toutes les informations dont il disposait. Pas grand-chose à se mettre sous la dent : trouvez-nous une île pas plus grande qu'un timbre-poste où ce dingue de Nazi aurait pu établir son laboratoire de guerre bactériologique. » Un silence. « J'ai eu des missions plus simples… J'ai dû faire appel à pas mal de déductions latérales. Qu'il s'agisse ou non d'un laboratoire de ce type, la seule chose que nous tenons pour certaine, c'est qu'on exporte des singes depuis cet endroit. C'était la clé en fait. Les singes sont la clé de l'équation. »

Holland recoiffa quelques mèches qui tombaient devant ses yeux. « Les primates sont donc capturés sur la réserve de Katavi et dans les environs, et acheminés par avion vers cette île mystérieuse. Vous vous doutez bien que tous les vols laissent une trace. Alors, j'ai… enfin, je me suis payé une petite visite anonyme dans le serveur de l'ordinateur qui contrôle le trafic aérien tanzanien. Une visite qui devait s'avérer très fructueuse.

«J'ai trouvé plus de trente vols KRP dignes d'intérêt au cours des dernières années, tous vers la même destination.» Un silence. «À environ cent cinquante kilomètres de la côte tanzanienne se trouve Mafia Island. Oui, je sais, Mafia comme les mauvais garçons siciliens. L'île de Mafia est une station balnéaire très chic, réservée à une clientèle haut de gamme. Elle fait partie d'un archipel, une succession d'îlots. À l'extrémité sud de cet archipel se trouve l'île minuscule et isolée de Little Mafia.

«Il y a encore vingt ans, cet îlot était inhabité. Les seuls visiteurs étaient des pêcheurs locaux, qui venaient réparer leurs bateaux en bois sur ses plages. On y trouve beaucoup de forêts, de la jungle apparemment. Seul problème, il n'existe aucune source d'eau potable naturelle, si bien qu'on ne peut y séjourner longtemps.

«Il y a vingt ans, l'îlot a été acquis par un acheteur privé étranger. Peu de temps après, même les pêcheurs ont renoncé à y faire escale. Les nouveaux occupants ne semblaient pas particulièrement amicaux. Ce qui nous intéresse de plus près, c'est le fait qu'une population de singes avait investi l'îlot en même temps que les hommes, et ce sont eux qui ont fait fuir les pêcheurs. Beaucoup étaient porteurs de maladies horribles. Les yeux vitreux. Des regards de zombies, de morts-vivants. Et des flots de sang…»

Holland scrutait l'assistance d'un regard sombre. «Les locaux ne tardèrent pas à baptiser l'îlot d'un nouveau nom, un nom que je trouve particulièrement approprié. Ils l'appellent l'île de la Peste.»

71

«Little Mafia, l'île de la Peste, c'est là que se situe le cœur du business d'exportation de primates de Kammler», expliqua Holland. «Les relevés de contrôle du trafic aérien en constituent la meilleure preuve. Qu'il y ait autre chose là-bas, et ce que l'on peut y faire… je suppose que ça relève maintenant de votre compétence, vous les hommes et les femmes d'action présents dans cette salle ; à vous de jouer.»

Il chercha Jaeger du regard. «Et avant que tu me demandes, mon vieux : oui, j'ai laissé ma signature habituelle, *Piraté par le Rat*. J'ai beau devenir plus mature avec les années, je n'arrive pas à résister à ce petit plaisir.»

Jaeger sourit. Le Chasseur de rats n'avait pas changé. Un génie totalement non-conformiste dont la vie se définissait par cette passion de l'anarchie et du détournement des lois.

Holland retourna s'asseoir, et Peter Miles reprit sa place. «Jules veut nous faire croire que c'était aussi simple que cela. Mais ça n'a pas été facile. Grâce à vous, nous avons cerné l'objectif. Maintenant, imaginons un scénario catastrophe. D'une manière ou d'une autre, Kammler distribue son fameux virus à partir de cet îlot et inonde la planète. Lui-même et ses sbires se sont inoculés un vaccin. Ils attendent tranquillement dans un lieu protégé que le chaos s'installe aux quatre coins du monde. Il doit s'agir d'un lieu souterrain, probablement un bunker semblable à celui-ci.

«Pendant ce temps, le *Gottvirus* se met au travail. L'agent pathogène équivalent le plus proche que nous connaissons, c'est Ebola. La dose mortelle du virus Ebola Zaïre est de cinq cents particules de virus infectieux. Ce nombre peut se développer à l'intérieur d'une seule cellule humaine. En d'autres termes, une personne infectée dont le sang est devenu une soupe de virus peut infecter des milliards d'humains.

«Une dose infime d'Ebola, transmise par l'air ambiant, est capable d'annihiler toute vie dans un périmètre donné. Le virus Ebola relâché dans l'environnement aurait le même potentiel que du plutonium. En fait, il serait beaucoup plus dangereux, parce que lui est *vivant*, alors que le plutonium ne l'est pas. Le virus se reproduit par mitose. Il se multiplie de façon exponentielle.

«Ça, c'est le scénario catastrophe en prenant comme base Ebola, un virus que nous avons réussi à étudier de près depuis plus de trente ans. Avec le nouveau virus, nous nageons dans l'inconnu. C'est un tueur d'une férocité inimaginable. Avec un taux de mortalité extrême. Les êtres humains sont démunis face à lui, sans aucune immunité connue à ce jour.»

Miles marqua une pause. Il ne parvenait plus à masquer l'inquiétude dans ses yeux. «Si le *Gottvirus* entre en contact avec une population humaine, il provoquera une catastrophe dévastatrice. Le monde tel que nous le connaissons cessera d'exister. Si Kammler parvient à le répandre, il peut attendre tranquillement que le virus accomplisse son œuvre malfaisante, puis réapparaître, vacciné et donc préservé de l'anéantissement, prêt à prendre les rênes d'un nouveau monde. Alors, vous me pardonnerez le ton mélodramatique, mes chers amis, mais au nom de l'humanité, il faut arrêter Kammler et son virus. Avant qu'il ne soit trop tard.»

Il fit un geste de la main vers un homme discret aux cheveux gris, assis au milieu des participants. «Très bien. Je vais passer la parole à Daniel Brooks, le directeur de la CIA. Et en guise d'introduction, je me bornerai à signaler que tout ceci est pris très au sérieux en haut lieu, mais que même dans les sphères les plus élevées du pouvoir, nous devons redoubler de prudence.»

«Mesdames, Messieurs», attaqua Brooks d'un ton bourru. «Je vais faire court. Vous avez accompli un travail remarquable. Prodigieux. Mais démasquer le colonel Hank Kammler, le directeur adjoint de mon agence, ne suffira pas. Il nous faudra pour cela des preuves indubitables. Or, pour ce que nous en savons, cette île pourrait tout aussi bien s'avérer un authentique centre sanitaire de contrôle des maladies pour une société d'exportation de singes.»

Brooks poursuivit, le regard noir. «Même si ça me déplaît suprêmement, je dois me montrer très prudent. Kammler possède des amis puissants, jusqu'au niveau de la présidence américaine. Je ne peux pas l'attaquer sans un faisceau de preuves irréfutables. Procurez-moi ces preuves, et vous bénéficierez de tout le soutien, de toutes les foutues ressources de l'armée américaine et de nos réseaux de renseignement. En attendant, nous disposons de quelques fonds occultes que nous mettrons à votre disposition, de manière officieuse, bien entendu.»

Brooks se rassit et Miles le remercia. «Pour terminer, lorsque Jaeger et Narov ont quitté la réserve de Katavi, ils ont utilisé un 4x4 Toyota du Katavi Lodge. Leur Land Rover a quitté l'établissement, conduit par deux membres du personnel du lodge. Quelques heures plus tard, il a été détruit par un drone de type Reaper. C'est Hank Kammler qui a donné l'ordre de cette élimination, croyant sans doute que Jaeger et Narov se trouvaient à bord. En bref, il sait que nous sommes à ses trousses. La chasse est lancée : il veut notre peau, et nous sommes à sa poursuite.

«Je dois vous rappeler une chose importante : quel que soit le réseau de communication personnel que vous utilisiez, il l'infiltrera. Il dispose des services des techniciens les plus compétents de la CIA. Si vous utilisez une messagerie qui n'est pas sécurisée, vous êtes foutus. Si vous retournez chez vous, il vous trouvera. L'équation, c'est : tuer ou être tué. N'utilisez que les systèmes de communication que nous avons testés : des systèmes cryptés sûrs. Tout le temps.»

Miles fixa chacun des participants tour à tour. «Ne vous faites pas d'illusions : si vous vous exprimez sur un réseau ouvert, si vous communiquez par mail sur des réseaux non cryptés, vous êtes morts.»

72

À quelque sept mille cinq cents kilomètres de là, de l'autre côté de l'océan Atlantique, l'architecte du mal mettait la dernière main à un message capital. Les Loups-garous de Kammler, les vrais fils du Reich, ceux qui étaient restés fidèles pendant plus de soixante-dix ans, s'apprêtaient à toucher les fruits de leur patience.

Et quels fruits !

L'heure était proche, maintenant.

Le colonel Hank Kammler relut les derniers paragraphes de son message, peaufinant le style une dernière fois.

Rassemblez vos familles. Rejoignez vos abris sûrs. La mission est lancée. Elle va s'étendre partout. Dans six semaines, elle sera presque achevée. Vous ne disposez plus que de ce laps de temps avant que ceux qui ne sont pas avec nous commencent à récolter la tempête. Nous qui avons été choisis, nous, les quelques élus, allons inaugurer une nouvelle ère. Une aube nouvelle.

Nous sommes à l'orée d'un nouveau millénaire qui verra les fils du Reich, les Aryens, récupérer leur juste héritage pour l'éternité.

Nous reconstruirons le monde, au nom du Führer.

Nous aurons détruit pour créer un monde nouveau.

La gloire du Reich nous reviendra.

Wir sind die Zukunft.

HK

Kammler relut le message : il était parfait.

Il appuya sur «Envoyer».

Puis il se laissa aller en arrière dans son fauteuil de cuir ; son regard se posa sur une photo encadrée sur son bureau. L'homme entre deux âges en costume à fines rayures affichait une ressemblance frappante avec Kammler : même nez fin en bec d'aigle ; même regard bleu et froid, d'une arrogance certaine, trahissant la certitude avérée que pouvoir et privilège leur étaient acquis par la naissance, et jusqu'à leur mort.

Impossible de ne pas penser qu'ils étaient père et fils.

« Enfin », murmura-t-il du fond de son fauteuil, comme s'il s'adressait au portrait trônant sur son bureau. « *Wir sind die Zukunft.* »

Ses yeux s'attardaient sur le cadre, mais il poursuivait sa rêverie morbide, contemplant au fond de lui les abîmes d'obscurité aspirant tout ce que la planète avait de merveilleux. Toute vie, toute innocence, allait être engloutie dans ce maelstrom noir, périssant dans des convulsions terribles et impitoyables.

Londres, songeait Kammler. Londres, siège du gouvernement britannique ; siège du ministère de la Guerre du vieux Winston Churchill, là où il avait ourdi la résistance au glorieux Reich d'Hitler, alors que tout semblait perdu pour lui et son pays.

Ces maudits British avaient tenu suffisamment longtemps pour forcer les Américains à entrer en guerre. Sans eux, évidemment, le Troisième Reich aurait triomphé, et régné pendant mille ans, comme l'avait souhaité le Führer.

Londres. Il était juste que le mal frappe cette ville en premier.

Kammler tapota sur son clavier et cliqua sur son icône IntelCom. Il composa un numéro et une voix répondit immédiatement.

« Alors, dis-moi, comment vont mes animaux ? », s'enquit Kammler. « À Katavi ? Nos éléphants se portent bien, j'espère, malgré l'avidité des braconniers ? »

« Les familles d'éléphants sont plus prospères que jamais », répliqua la voix de Falk. « Moins de pertes, surtout depuis le passage de nos amis Bert et Andrea… »

«Ne me parle pas de ces deux-là!», coupa Kammler. «Je sais, ils ont liquidé le Libanais et sa bande. Mais leur motivation n'était pas totalement altruiste, permets-moi de te le dire.»

«J'avoue que je me suis posé des questions…» La voix de Falk avait perdu de son assurance. «Quoi qu'il en soit, ils nous ont rendu un sacré service.»

Kammler s'ébroua. «Rien en comparaison de ce que je prépare! Je vais les exterminer. Tous les braconniers, tous les trafiquants, jusqu'au dernier acheteur. Tous!»

«Pourquoi tu n'engages pas Bert et Andrea?», insista Konig. «Ils sont super. De bons professionnels. Et surtout Andrea, elle adore vraiment la nature sauvage. Ils ont été dans l'armée, ils cherchent du boulot. Si tu veux te débarrasser des salopards, tu pourrais les enrôler pour une campagne anti-braconniers.»

«Ça ne sera pas nécessaire», le rembarra Kammler. «Tu les as vraiment appréciés, n'est-ce pas?» Il adoptait le ton du sarcasme, maintenant. «Vous êtes de vrais potes, dorénavant?»

«Je crois que oui», répliqua Konig crânement. «Des amis, c'est vrai.»

La voix de Kammler se radoucit, mais gardait des accents sinistres. «Peut-être ne m'as-tu pas tout dit, mon garçon? Je sais qu'on peut voir les choses différemment parfois, nous deux, mais nous avons les mêmes intérêts en commun. La préservation des espèces, la protection des grands animaux, les troupeaux. C'est tout cela qui compte. Tu ne vois rien qui puisse menacer Katavi, n'est-ce pas?»

Kammler sentit l'hésitation de son fils. Il savait qu'il le craignait, ou plutôt qu'il craignait le genre d'assistants, d'exécuteurs des basses œuvres, qu'il envoyait de temps en temps à Katavi. À l'image de celui qui s'y trouvait en ce moment, l'impressionnant Jones, au crâne rasé.

«Tu sais, si tu me caches quelque chose, tu ferais mieux de me l'avouer tout de suite», le cajola Kammler. «C'est notre faune sauvage qui en souffrira, tes éléphants, tes rhinos. Tous ces animaux magnifiques qu'on aime. Tu en es conscient, n'est-ce pas?»

« C'est-à-dire… J'ai simplement mentionné le gamin dans une conversation. »

« Le gamin ? Quel gamin… ? »

« Celui des bidonvilles. Il est arrivé ici il y a quelques mois. Ce n'était rien du tout… » De nouveau la voix de Falk perdait de son assurance avant de s'éteindre.

« Si ce n'était pas grave, pas la peine de partager ça avec moi, n'est-ce pas ? », répliqua Kammler d'une voix douce qui ne parvenait pas à masquer la menace.

« Un gamin qui était monté clandestinement à bord d'un de nos vols… On n'avait pas compris comment il avait atterri ici. »

« Un gamin des bidonvilles, c'est ça ? » Kammler garda le silence quelques secondes. « Il faut aller au fond de cette histoire… Écoute-moi, je vais arriver bientôt. D'ici quarante-huit heures. Tu m'expliqueras le reste de vive voix. J'ai deux ou trois trucs importants à faire d'ici là. Entretemps, une infirmière va atterrir d'ici peu. Elle doit te faire une piqûre de rappel pour une de ces maladies infantiles, tu sais. Tu étais trop jeune pour t'en souvenir, mais fais-moi confiance, il vaut mieux prendre toutes les précautions possibles. »

« Papa, j'ai trente-quatre ans », protesta Konig. « Je peux prendre soin de moi tout seul. »

« Elle est déjà en route », répliqua Kammler d'un ton qui ne souffrait pas la contradiction. « J'arriverai peu de temps après elle. Je rentre dans mon sanctuaire. Et quand on se retrouvera, tu me raconteras la fin de cette histoire de gamin des rues, ça doit être passionnant. On va pouvoir rattraper le temps perdu… »

Kammler salua son fils et coupa la communication.

Falk n'était pas exactement le fils dont il avait rêvé, mais en même temps, il avait ses bons côtés. Ils partageaient une même passion : la préservation de la nature sauvage. Et dans le nouveau monde de Kammler, la vie sauvage, l'environnement, la santé de la planète redeviendraient prépondérants. Les dangers auxquels le monde faisait face aujourd'hui, le réchauffement climatique, la surpopulation, la disparition des espèces, la destruction des habitats naturels, tout cela serait balayé en un seul coup de baguette magique.

S'aidant de simulations sur ordinateur, Kammler avait calculé la mortalité de la pandémie qui s'annonçait. La population mondiale subirait une éclipse presque totale. Seules quelques centaines de milliers d'êtres humains survivraient.

Car la race humaine représentait un véritable fléau pour la planète.

Elle serait éliminée par le fléau suprême et ultime.

Tout était donc parfait.

Certaines peuplades isolées survivraient, sans aucun doute. Sur des îles lointaines, rarement visitées. Ou des tribus perdues au fond de la jungle. Bien sûr, cela s'avérerait très utile. Après tout, le Quatrième Reich aurait besoin de quelques indigènes, les nouveaux *Untermenschen*, pour servir d'esclaves.

Finalement, une fois que l'épidémie serait éteinte, Falk comprendrait... De toute façon, il était tout ce qui restait à Kammler. Son épouse était décédée des suites de sa naissance, et Falk était leur premier-né, son fils unique.

À l'aube du Quatrième Reich, Kammler entendait bien en faire un héritier digne de la cause.

Il composa un nouveau numéro par IntelCom.

Une voix répondit. «Jones.»

«J'ai une nouvelle mission pour toi», annonça Kammler. «Une histoire de gamin des bidonvilles qui s'est retrouvé à Katavi Lodge. Ça m'intéresserait beaucoup d'en savoir plus. Je connais deux membres du personnel qui seraient prêts à tout pour quelques bières. Essaie Andrew Asoko en premier; s'il ne sait rien, parle avec Frank Kikeye, et fais-moi un rapport sur ce que tu auras glané.»

«Compris.»

«Ah, une autre chose, encore. Une infirmière doit arriver aujourd'hui même avec une injection à faire à Falk Konig, mon directeur. Assure-toi qu'il accepte bien cette injection. Je me fiche de savoir si tu es obligé de l'immobiliser de force, mais il est impératif qu'il reçoive cette piqûre, c'est bien compris?»

«Tout à fait. Une injection. Plus l'histoire du gamin.» Un silence. «Mais dites-moi, quand est-ce que j'hériterai d'un boulot vraiment jouissif, comme d'éliminer Jaeger pour de bon?»

«Les deux missions que je viens de te donner sont d'importance capitale», asséna Kammler. «Remplis-les d'abord!»

Il coupa la communication.

Finalement, il n'aimait pas ce Jones. Mais c'était un excellent homme de main, et c'est ce qui comptait avant tout. Et lorsqu'il serait en mesure de toucher son premier gros chèque, il serait mort, comme le reste de l'humanité… mis à part les élus.

Il restait que cette histoire de gamin des rues était préoccupante. Quelques mois auparavant, il avait reçu des rapports selon lesquels la terre d'une fosse commune de l'île avait été dérangée. Se pouvait-il que quelqu'un ait survécu et qu'il ait réussi à s'échapper?

En tout cas, Jones saurait faire surgir la vérité. Kammler écarta les soucis de sa tête, et se concentra de nouveau sur la seule chose qui comptait vraiment.

La résurrection du Reich. Elle ne tarderait plus, désormais.

Comme Jaeger ne l'ignorait pas, le seul moyen d'acheminer une force réduite de commandos d'élite sur une cible distante, rapidement et sans se faire repérer, c'était d'avoir recours à un avion de ligne civil.

On fait voyager une force au-dessus d'un pays ou d'un continent à bord d'un avion de ligne ordinaire, en suivant un plan de vol et une altitude similaires à ceux de tous les transporteurs aériens, tout en se faisant passer pour un banal vol commercial. Une fois au-dessus de la cible, les commandos sont largués en parachute depuis une altitude élevée, sans être repérés par des radars, tandis que l'appareil poursuit sa route vers sa destination comme si de rien n'était.

Tirant avantage de l'offre d'assistance du directeur de la CIA, Daniel Brooks, Jaeger et son équipe s'étaient enregistrés à la dernière minute sur la liste des passagers du vol 675 de la Lufthansa, reliant l'aéroport de Schönefeld de Berlin et la ville de Perth en Australie. À l'atterrissage, il manquerait six passagers sur le vol DLH 675. Ils seraient descendus en route, à 0400 heures, quelque part au-dessus des côtes de l'Afrique orientale.

Une fois refermées, les portes d'un avion de ligne ne peuvent s'ouvrir en vol, en raison de l'énorme différence de pression entre l'habitacle de l'avion et l'extérieur. Si quelqu'un parvenait à déverrouiller une porte au cours d'un vol, la différence de pression interdirait de la tirer vers l'intérieur, une manœuvre nécessaire pour l'ouverture.

Il n'en est pas de même pour les portes de la soute à bagages.

Les valises n'ayant pas besoin d'air pour respirer, la soute n'est pas pressurisée. Jaeger et ses camarades se jetteraient donc dans le vide par ce moyen.

Les membres de l'équipe étaient répartis par deux tout au long de la cabine, à l'exception de Jaeger et Narov, exilés en classe club, les deux dernières places libres au moment de la réservation quelques heures avant le départ, seul délai laissé à Brooks pour les inscrire tous à bord de ce vol en usant de son influence. C'était un geste révélateur de la coopération discrète qu'entretenaient les plus grandes corporations avec le directeur de la CIA. Quand un homme influent comme lui demandait un service, les gens avaient tendance le satisfaire.

Le pilote du DLH 675, un ancien pilote de l'armée de l'air allemande, ouvrirait les portes de la soute à bagages au-dessus des coordonnées qui lui avaient été indiquées. Il s'assurerait auparavant que ce geste ne déclencherait pas de dispositif d'alerte. La manœuvre ne présentait aucun danger, les portes ne s'entrou-vriraient que pendant quelques secondes.

Jaeger et son équipe enfileraient leur combinaison de survie et de parachutisme en haute altitude dans le périmètre réservé à l'équipage de l'avion, à l'abri des regards des autres passagers. Dans la soute du Boeing 747 400, une rangée de six sacs à dos bourrés de matériel avait été disposée sur un côté, ainsi qu'un tas de parachutes, de matériel et d'armement.

Dès qu'ils auraient sauté, les portes de la soute à bagages se refermeraient hermétiquement, et le vol DLH 675 poursuivrait sa route comme si aucun largage de passagers n'avait eu lieu.

Les raisons pour lesquelles l'opération ultrasecrète avait été montée dans un délai aussi bref étaient simples. Chaque seconde comptait, et si l'île de Little Mafia recelait vraiment l'horreur que l'on soupçonnait, la surveillance et les mesures de sécurité mises en place par Kammler devaient être du genre extrêmes. Sans doute s'était-il servi en sous-main des ressources matérielles de la CIA : satellites, avions-espions, pour établir une surveillance 24/24 sur l'îlot, sans même évoquer les systèmes de sécurité au sol.

Tout assaut devait anticiper des combats rapprochés dans la jungle, où la visibilité ne dépassait que rarement quelques dizaines de mètres. Dans les sacs d'armes disposés dans la soute du 747, on trouvait une demi-douzaine de MP7 Hechler & Koch, un fusil mitrailleur à canon ultracourt. Mesurant une soixantaine de centimètres, c'est une arme adaptée au combat rapproché, et à la guerre dans la jungle.

Chaque arme est équipée d'un silencieux, pour étouffer l'aboiement si reconnaissable de ses tirs. Avec un chargeur de quarante balles, le MP7 offre une réelle puissance de tir, surtout s'il est doté de balles antichars. Les balles DM11 Ultimate Combat possèdent un noyau en acier recouvert d'un alliage spécial, capable de transpercer tous types de bâtiments ou de bunkers, tels que ceux qu'aurait pu construire Kammler sur l'île.

L'équipe de Jaeger se composait de six combattants, mais ils s'attendaient à un comité de réception beaucoup plus fourni. Rien de bien nouveau, notait Jaeger.

Lewis Alonzo et Joe James s'étaient chargés de l'organisation du saut et des parachutes. Un largage depuis une altitude de plus de douze mille mètres nécessite un matériel très spécifique. Hiro Kamishi, une sorte de spécialiste de défense nucléaire, radiologique, biologique et chimique, avait choisi les combinaisons de protection adéquates.

Un assaut dans un tel environnement présente d'énormes dangers. La jungle est un des milieux les plus hostiles pour une opération, mais ils n'avaient pas affaire ici à une jungle ordinaire. Elle devait regorger de gardes armés, sans parler des chercheurs du laboratoire de Kammler.

De plus, elle pouvait aussi être envahie par des primates malades et infectés par le virus. Dans ce cas, il faudrait impérativement la traiter comme une gigantesque zone de risque biologique de niveau 4, le niveau le plus dangereux, s'appliquant à une contamination par un agent pathogène de mortalité sans précédent.

Tous les indices concordaient : l'île de Little Mafia, l'îlot de la Peste, recelait ce type de menace. Jaeger et son équipe ne devraient pas seulement affronter une bataille avec la jungle et les forces de sécurité de Kammler, ils devraient également faire face à une menace biologique qui mettrait leur vie en péril.

Une seule morsure d'un singe malade, un seul faux pas contre une branche cassée qui déchirerait un gant, un masque ou une botte, une seule éraflure causée par du shrapnel ou une balle perçant leur combinaison de protection, les exposeraient à une contamination par un agent pathogène pour lequel il n'existait aucun antidote, aucun vaccin.

Pour écarter de telles menaces, ils atterriraient revêtus de véritables combinaisons de cosmonautes, des combinaisons de protection biologique de niveau 4, pressurisées à tout moment, avec une circulation d'air filtré.

Au cas où la combinaison se déchirerait, l'air expulsé devrait empêcher la pénétration de tout agent pathogène, du moins jusqu'à ce que la personne répare le trou à l'aide d'un ruban adhésif. Chacun des équipiers garderait donc à portée de main un rouleau de ruban adhésif ultrarésistant, un équipement essentiel pour la survie en milieu hostile de niveau 4.

Jaeger se laissa aller au fond de son siège, tâchant de chasser ses peurs de ses pensées. Il avait besoin de se détendre, de se concentrer, et de recharger ses batteries.

Il allait basculer dans le sommeil quand la voix de Narov le tira de sa somnolence.

«Je souhaite vraiment que tu les retrouves, tu sais», dit-elle d'une voix posée. «Tous les deux. Vivants…»

«Merci», murmura Jaeger. «Mais cette mission, elle dépasse ma famille, elle nous dépasse.» Il se tourna vers elle. «Elle nous concerne tous.»

«Oui, je sais. Mais pour toi, ta famille… les retrouver enfin… L'amour, c'est l'émotion la plus puissante que nous pouvons ressentir.» Elle fixait Jaeger d'un regard intense. «Je suis bien placée pour le savoir.»

Jaeger ressentait également cette proximité de plus en plus évidente entre eux. Comme s'ils étaient devenus inséparables au cours des dernières semaines, comme si l'un était devenu incapable de fonctionner sans l'autre. Il était conscient que les retrouvailles avec Ruth et Luke changeraient tout cela.

Narov afficha un sourire mélancolique. «De toute façon, j'en ai déjà trop dit. Comme toujours…» Elle haussa les épaules. «C'est impossible, n'est-ce pas? Alors il vaut mieux oublier tout ça. Oublions-*nous*. La guerre n'attend pas.»

Un Boeing 747 400 croise aux environs de treize mille mètres. Survivre à un saut dans le vide depuis cette hauteur, près de quatre mille mètres au-dessus de l'Everest, nécessite de revêtir un équipement de haute technologie, et d'avoir subi un entraînement poussé.

Les experts des forces spéciales ont créé un «équipement de vie» pour de tels sauts, baptisé HAPLSS, protégeant les systèmes vitaux du parachutiste lors d'un saut à très haute altitude.

À treize mille mètres, l'air est à ce point raréfié qu'il est nécessaire de respirer à l'aide d'une bouteille d'oxygène si l'on ne veut pas mourir par asphyxie. Mais si la combinaison gazeuse n'est pas la bonne, le parachutiste risque des troubles de la décompression, la maladie des caissons, qui affecte également les plongeurs lorsqu'ils remontent des grandes profondeurs.

Durant un saut à haute altitude normal, de dix mille mètres environ, on atteint une vitesse maximum de quelque 320 kilomètres/heure. Mais plus l'atmosphère se raréfie, plus la vitesse s'accroît. Depuis une altitude de treize mille mètres, on peut atteindre 440 kilomètres/heure.

Si Jaeger et son équipe tentaient d'ouvrir leur parachute à une telle vitesse, soit ils risqueraient de graves blessures au moment de l'impact du freinage, soit la voilure se déchirerait. Le parachute se déploierait dès la sortie du sac, et ils n'entendraient qu'une série de craquements de la soie jusqu'à ce qu'il ne reste plus au-dessus d'eux qu'un squelette de cordages.

En bref, s'ils déclenchaient l'ouverture du parachute à une altitude supérieure à dix mille mètres, à vitesse maximum, ils n'atteindraient jamais la terre vivants. D'où le recours à la procédure standard avec la combinaison de vie : une chute libre de six mille mètres, jusqu'à ce que l'air plus dense ralentisse la chute.

Jaeger avait insisté pour être suivi depuis le ciel au-dessus de la cible ; une surveillance électronique stationnée de manière permanente sur la zone de l'île de la Peste.

En conséquence, Peter Miles avait fait appel à la société Hybrid Air Vehicles, les inventeurs de l'Airlander 50, le plus grand aéronef du monde.

L'Airlander est un dirigeable ultramoderne, gonflé à l'hélium, un gaz inerte, et non à l'hydrogène. Il se distingue ainsi du Hindenburg et des autres dirigeables de la Première Guerre mondiale, et ne risque pas d'exploser en une gigantesque boule de feu. Plus de cent vingt mètres de long, soixante de large, il est spécialisé dans la surveillance de larges étendues et le survol prolongé de cibles spécifiques, grâce aux radars sophistiqués et aux scanners à infrarouge dont il est équipé.

Doté d'une vitesse de croisière de cent cinq nœuds et d'une autonomie de deux mille trois cent vingt milles nautiques, il est donc capable d'effectuer le déplacement jusqu'aux côtes de l'Afrique orientale. En prime, son équipage avait collaboré étroitement avec Jaeger et son équipe lors de leur précédente mission en Amazonie.

Une fois stationné au-dessus de la côte, l'Airlander restera en orbite constante durant toute la durée de la mission. Nul besoin d'être positionné directement à l'aplomb de l'île pour la surveillance ; il remplirait parfaitement sa mission jusqu'à soixante-dix kilomètres de sa cible.

Au cas où l'aéronef serait repéré par Kammler, il possédait une couverture crédible. D'énormes réserves de gaz dormaient sous les fonds marins de cette zone de l'océan Indien. Les Chinois, par le biais de la China National Offshore Oil Corporation, survolaient régulièrement plusieurs concessions dans la région.

Officiellement, l'Airlander avait été requis par le CNOOC pour une mission de relevés aériens.

L'Airlander était arrivé dans la zone de l'île de Little Mafia trente-six heures auparavant. Il avait immédiatement transmis des dizaines de photos aériennes. La jungle recouvrait la presque totalité de l'île, à l'exception d'une piste d'atterrissage sommaire en latérite, qui ne pouvait accueillir que des appareils de la taille d'un Buffalo.

Les lieux où Kammler abritait ses enclos pour les primates, ses laboratoires et ses quartiers d'habitation demeuraient invisibles, soit cachés sous le couvert de la jungle épaisse, soit enterrés. C'était un défi supplémentaire pour la mission, et qui rendait la collaboration de l'Airlander d'autant plus précieuse.

L'Airlander 50 qui avait fait le voyage vers l'Afrique orientale était en fait un prototype ultrasecret du dirigeable. À l'arrière de la nacelle de pilotage suspendue sous l'énorme carlingue renflée, on trouvait une soute réservée normalement au fret volumineux susceptible d'être transporté par le dirigeable. Mais ce prototype présentait une différence notable. On l'avait transformé en un véritable porte-avion volant, doté d'une plate-forme équipée d'un canon, et donc d'une force de frappe mortelle. Deux drones britanniques de type Taranis, des engins de guerre furtifs de haute technologie, étaient rangés dans la soute, qui faisait office de pont d'envol.

D'une envergure de dix mètres, et d'une longueur légèrement supérieure, le Taranis, ainsi nommé d'après le dieu celte du tonnerre, est trois fois plus petit que le drone américain de type Reaper. Mais sa vitesse de Mach 1, soit plus de mille deux cents kilomètres/heure, le rend deux fois plus rapide. Avec deux missiles Taranis dans sa soute, dotés d'une technologie furtive sophistiquée, la puissance de frappe de l'Airlander était impressionnante.

C'est un dirigeable d'avant la Seconde Guerre mondiale, l'USS Macon, le premier et le seul porte-avion volant, qui a inspiré la conversion de l'Airlander. Exploitant une technologie aujourd'hui obsolète, le Macon était équipé d'une série de trapèzes suspendus en dessous de sa coque en forme de cigare. Des chasseurs biplans Sparrowhawk s'accrochaient à ces trapèzes avant d'être hélitreuillés à l'intérieur.

De son côté, l'Airlander 50 transportait un hélicoptère Wildcat AW-159, un appareil britannique extrêmement maniable, capable de convoyer jusqu'à huit hommes – et donc susceptible d'assurer l'évacuation de Jaeger et de son équipe une fois la mission accomplie.

À ce stade, Jaeger espérait avec ferveur qu'ils seraient huit, après avoir été rejoints par Ruth et Luke.

Il avait la conviction que sa femme et son fils étaient détenus quelque part sur cette île. En fait, il en détenait la preuve, même s'il n'en avait parlé à personne. C'était quelque chose qu'il voulait garder pour lui. Trop de lourds enjeux dépendaient de cette mission, et il ne voulait pas risquer de perdre de vue l'objectif principal.

La photo transmise par Kammler montrait Ruth et Luke agenouillés dans une cage. Sur un des côtés de cette cage, on distinguait une inscription un peu décolorée : Katavi Reserve Primates.

Jaeger, le Chasseur, se rapprochait de sa proie.

75

Se jeter dans le vide en se glissant dans le noir par l'entrebâillement de la porte d'une soute donnait l'impression de plonger dans un cercueil, mais il n'y avait pas d'autre moyen.

Jaeger bascula dans le tourbillon obscur de l'inconnu, et se retrouva pris instantanément dans le sillage du 747 qui l'entraînait avec la violence d'un cyclone. La force des courants le projetait dans tous les sens, dans le rugissement des énormes réacteurs crachant du feu comme des dragons au-dessus de lui.

Quelques instants après avoir traversé l'enfer du largage, il était lancé vers la terre comme un missile à forme humaine.

Juste en dessous de lui, il distinguait à peine la silhouette fantomatique de Lewis Alonzo, qui avait sauté juste avant lui, point plus sombre sur fond de nuit tropicale. Jaeger stabilisa sa chute libre, puis accéléra en plongeant tête la première pour tâcher de rattraper Alonzo.

Son corps adopta la position en delta, bras serrés sur les flancs, jambes raides dans le prolongement, il avait l'impression d'être une flèche géante filant à toute vitesse vers l'océan. Il maintint la position jusqu'à n'être plus qu'à une quinzaine de mètres d'Alonzo, et se remit en étoile, ralentissant sa vitesse et stabilisant sa position.

Il leva ensuite la tête dans le courant hurlant, cherchant dans l'immensité obscure une trace de Narov, qui s'était élancée en cinquième. Elle se trouvait à une soixantaine de mètres, mais se rapprochait rapidement. Une flèche fondait à pleine vitesse derrière elle, le dernier homme de l'équipe, Hiro Kamishi.

Très loin au-dessus de leurs têtes, il distinguait à peine la silhouette irréelle du vol Lufthansa 675 filant dans la nuit, et ses lumières clignotantes rassurantes. Il tenta d'imaginer les passagers, somnolant, penchés sur leur plateau-repas ou regardant un film, totalement ignorants du rôle accessoire qu'ils avaient joué dans l'événement majeur qui se préparait.

Un événement dramatique qui déterminerait le cours de leur vie.

Largués à près de quinze mille mètres, Jaeger et son équipe ne descendraient en chute libre qu'une soixantaine de secondes. Il vérifia rapidement son altimètre, un réflexe nécessaire et vital s'il ne voulait pas déclencher son parachute à trop basse altitude, avec des conséquences irréparables.

En même temps, il repassait en accéléré dans sa tête les étapes de leur plan d'attaque. Leur point de largage avait été fixé à dix kilomètres à l'est de la cible, au-dessus de l'océan. Ils pourraient ainsi dériver sous leurs parachutes sans risque d'être détectés, mais à peu de distance de l'île de la Peste.

C'est Raff qui avait été désigné chef du saut, et c'est donc à lui que revenait la responsabilité du lieu d'atterrissage. Il avait cherché un endroit dépourvu d'arbres ou d'obstacle majeur, sans parler d'éventuelles positions ennemies. Il fallait avant tout maintenir la cohésion du groupe dans les airs. Il serait très complexe, voire impossible de retrouver quelqu'un qui se serait égaré durant la chute libre.

En baissant les yeux, Jaeger vit se dessiner dans l'obscurité les premiers reflets de la canopée. Il se saisit de l'extracteur de voile, une petite toile en forme de mini-parachute. Il fallait le libérer de l'endroit où il était fixé sur sa cuisse, et le relâcher dans le courant d'air, ce qui tirerait le parachute principal vers le ciel où il pourrait se déployer.

Mais sa main gantée ne parvenait pas à s'en saisir. Quelques secondes plus tard, il dépassa Alonzo, tandis qu'il bataillait toujours, frénétiquement maintenant, pour agripper et libérer l'extracteur de voile.

Malgré son acharnement, il ne parvenait pas à saisir le petit morceau de toile.

Des sangles, ou bien le harnais de son parachute, devaient avoir glissé, coinçant la toile.

Jaeger avait bien chuté de trois cents mètres. Chaque seconde le rapprochait d'une terrible collision avec la surface de l'océan qui, à cette vitesse, devait avoir la résistance d'une plaque de béton. L'eau paraît souvent douce et élastique lorsqu'on entre dans son bain. Mais en s'écrasant à soixante ou quatre-vingts mètres/seconde, c'était la mort assurée, tout simplement.

L'adrénaline brûlante pompait dans ses veines, comme si l'on avait arrosé d'essence un feu de forêt.

C'est le moment de donner tout ce que tu as, Jaeger! hurla-t-il. *Déclenche cette foutue voile!*

76

Impossible d'expliquer ce qui s'était passé durant le largage, ou la chute libre, mais l'extracteur n'était plus d'aucune utilité. Il était trop tard, Jaeger en était bien conscient. Le temps était compté. Il ne lui restait qu'une seule solution.

Il envoya la main vers ses épaules et se dégagea du harnais de son parachute principal, qui fut arraché par la violence du courant d'air et s'abîma bientôt dans le vide.

Il agrippa ensuite la boucle de fil métallique reliée à la sangle sur son épaule droite et tira violemment, déclenchant l'ouverture de son parachute de secours. Un instant plus tard, il entendit le claquement de la soie se gonflant brusquement d'air, comme la voile d'un galion attrapant le vent favorable, et la corolle s'épanouit au-dessus de lui.

Jaeger pendait enfin au bout des suspentes dans le calme et le silence de la nuit, remerciant le ciel par une prière. Il leva la tête pour vérifier la voilure. Tout allait bien.

Il avait dorénavant mille mètres d'avance sur les autres, il fallait donc ralentir sa descente à tout prix. Il se saisit des poignées de direction au-dessus de lui, les abaissant violemment pour accommoder un maximum d'air et de portée dans la toile et réduire sa vitesse.

Jetant un coup d'œil entre ses pieds, il chercha Raff, le chef du saut. Chaussant ses lunettes de vision nocturne, fixées à son casque de parachutiste, il les régla en mode infrarouge et scanna l'espace nocturne. Il cherchait la lueur presque invisible d'une petite lampe à LED clignotante infrarouge, fixée par une sangle autour du casque de Raff.

Impossible de le repérer… Jaeger avait dû passer de la quatrième à la première place pendant sa chute libre prolongée. Il avait le même dispositif sanglé à son casque, si bien que les autres pourraient se concentrer sur lui.

Il éclaira l'écran de son GPS. Il affisha une ligne en pointillé reliant sa position actuelle au point exact où ils avaient prévu de toucher terre. Il pouvait se permettre de garder le GPS allumé : à cette altitude, plus de six mille mètres, il était invisible depuis la terre. Il estima sa vitesse à environ trente nœuds, dérivant vers l'ouest avec le vent dominant. Huit minutes encore de descente, et ils devraient poser le pied sur l'île de la Peste.

Sous sa combinaison HAPLSS en Goretex, Jaeger portait un équipement chaud, dont une paire de gants en soie sous d'autres, plus épais, eux aussi en Goretex. Néanmoins, il sentait ses mains paralysées par le froid, tandis qu'il corrigeait sa ligne de descente pour tenter d'aider les autres à le rattraper.

En quelques minutes, cinq petites diodes électroluminescentes clignotantes apparurent dans la nuit noire au-dessus de lui : l'équipe était au complet. Il rendit à Raff sa place de chef de saut, reprenant la deuxième place. Silencieusement, les six silhouettes dérivaient vers leur objectif, sous la voûte céleste plongée dans l'obscurité.

Dès que Jaeger avait étudié les photos aériennes prises par l'Airlander, il avait compris qu'il n'existait qu'une possibilité pour atterrir sans dommage : la piste en latérite du minuscule aérodrome. Elle devait être protégée par de nombreux gardes, mais c'était le seul endroit dépourvu de grands arbres.

Il n'aimait pas cette idée. Personne n'aimait y penser, d'ailleurs. Ils tomberaient immédiatement entre les pattes de l'ennemi. Mais il semblait bien qu'il n'existait aucune alternative : c'était la piste d'atterrissage ou rien.

Hiro Kamishi avait alors évoqué toutes les actions qu'ils devraient impérativement accomplir dès qu'ils auraient posé le pied sur l'île. Plutôt décourageant.

Il leur fallait trouver un endroit où ils pourraient changer de combinaison, se défaire de leurs habits de cosmonautes et enfiler leurs combinaisons spatiales biologiques de niveau 4. Alors qu'ils seraient au centre de l'arène, repoussant les fauves.

Leurs combinaisons HAPLSS leur fournissaient la chaleur et l'oxygène, mais elles n'offriraient qu'une protection limitée dans une zone infectée de niveau 4.

L'équipement comprenait des masques à respirateurs filtrants FM54, les mêmes que ceux qu'ils avaient utilisés pour le sauvetage de Leticia Santos, reliés par un tuyau souple et indestructible à une série de filtres alimentés par des batteries situées sur le dos, qui leur donnaient l'allure de cosmonautes en exploration sur la Lune. Les filtres étaient chargés de pomper de l'air purifié à l'intérieur de leurs combinaisons encombrantes vert olive Trellchem EVO 1B, dont le tissu était recouvert d'une enveloppe en caoutchouc résistant aux attaques chimiques.

Durant leur changement de combinaisons, l'équipe serait totalement vulnérable. Ce qui excluait la piste d'atterrissage comme point de chute. Il leur restait une seule possibilité : une étroite bande de sable blanc située sur la côte ouest de l'île.

D'après les photos aériennes, se poser sur la « plage de Copacabana », comme ils l'avaient baptisée, semblait réalisable. À marée basse, ils bénéficiaient d'une quinzaine de mètres de sable entre la lisière de l'épaisse forêt et les premiers rouleaux de l'océan. Si tout se déroulait comme prévu, ils effectueraient le changement d'équipement sur la plage, avant de pénétrer dans la jungle et de fondre sur les bâtiments de Kammler, frappant dans la surprise la plus totale au cœur de la nuit tropicale.

Du moins, c'était le plan qu'ils avaient adopté.

Mais un des membres devrait rester sur la plage. Son rôle serait d'établir un poste de décontamination humide, comprenant une tente de décontamination sommaire, des brosses et des seaux pour un bon nettoyage des combinaisons. Une fois leur mission accomplie, en émergeant de la jungle, tous les membres de l'équipe devraient s'asperger longuement d'eau de mer mélangée à de l'EnviroChem, un puissant antiseptique neutralisant les virus.

Une fois les combinaisons désinfectées, ils les quitteraient avant de procéder à un nettoyage approfondi de la peau de tout le corps. Ceci fait, ils franchiraient la frontière zone contaminée/zone propre et retrouveraient le monde sain, abandonnant leurs combinaisons NRBC.

Ils laisseraient derrière eux une zone contaminée de niveau 4.

Devant eux s'étendrait la plage blanche et les vagues, qu'ils espéraient saines. Hiro Kamishi, leur spécialiste NRBC, serait en charge de la gestion des opérations de décontamination humide.

Jaeger jeta les yeux vers l'ouest, en direction de l'île de la Peste, mais il ne distinguait pas encore sa forme. Son parachute luttait contre des bourrasques, et des gouttes de pluie lacéraient sa peau exposée, comme des lames de rasoir.

C'était inquiétant; il ne distinguait plus rien qu'une obscurité impénétrable.

77

Tout en dérivant à la suite de Raff, Jaeger se repassait en boucle des images de Ruth et Luke. Les prochaines heures seraient capitales. Pour le meilleur ou pour le pire.

Il allait trouver la réponse à la question qui le torturait depuis trois ans. Soit il réussissait l'impossible, arracher sa femme et son fils aux griffes de leurs geôliers, soit il découvrirait l'effroyable vérité : Ruth ou bien Luke ou bien tous deux avaient succombé.

Et si cette éventualité se réalisait, il saurait vers qui se tourner.

Leurs missions récentes, ainsi que les confessions d'Irina, l'histoire sombre et traumatique de sa famille, sa relation avec le grand-père de Jaeger, son autisme, les liens qui ne cessaient de s'affermir entre eux, tout cela les unissait dangereusement.

S'il continuait de s'approcher du soleil de Narov, Jaeger était certain de se brûler gravement.

Jaeger et les membres de son équipe perdaient graduellement de l'altitude, tout en restant indécelables par tous les systèmes de défense connus. Les radars repèrent des objets solides, avec des angles, comme une aile d'avion, ou l'hélice d'un hélicoptère, mais leurs rayons épousent les courbes d'une forme humaine sans signaler sa présence. Leur descente se faisait pratiquement en silence, on ne risquait donc pas de les entendre. Ils étaient vêtus de noir, évoluant sous des voilures noires elles aussi, pratiquement invisibles pour un observateur au sol.

Ils s'approchaient d'un amoncellement de nuages qui s'étoffait au-dessus de l'océan. Ils avaient déjà affronté des nébulosités, mais celles qui s'annonçaient paraissaient plus épaisses. Il fallait impérativement les traverser. Ils glissèrent dans une ouate grisâtre, le nuage s'épaississant au fur et à mesure de leur descente. En dérivant au travers de cette masse opaque, Jaeger sentait des milliers de gouttelettes glacées qui se condensaient sur sa peau avant de ruisseler le long de son visage. Quand il émergea sous les nuées, il tremblait de froid.

Il repéra immédiatement Raff devant lui, à la même altitude. Mais quand il jeta un coup d'œil par-dessus son épaule, il ne décela aucun signe de Narov, ni des autres.

Au cours d'une chute libre, il est impossible de communiquer à cause des tourbillons et de la clameur des courants. Mais au cours de la descente en dérive qui suit, il est possible de se contacter par radio. Jaeger appuya sur le contacteur de son interphone et ouvrit son micro.

«Narov, c'est Jaeger. Où es-tu?»

Il répéta l'appel plusieurs fois, mais sans obtenir de réponse. Raff et lui avaient perdu le contact avec le reste de l'équipe.

La voix de Raff résonna dans le récepteur. «Il faut y aller. On va atterrir sur le point d'impact et se réorganiser une fois à terre.» Le point d'impact, en l'occurrence, c'était la plage de Copacabana.

Raff avait raison. Ils ne pouvaient pas grand-chose quant au fait d'avoir perdu le contact avec l'équipe, et de toute façon, trop d'échanges radio risquaient de les faire repérer.

Quelques minutes plus tard, Raff accéléra en entamant une spirale verticale vers la terre, avec en point de mire la petite bande de sable. Il toucha terre bruyamment.

À trois cents mètres environ, Jaeger décrocha le clip métallique qui retenait son sac à dos. Celui-ci chuta avant de stopper, suspendu à six mètres en dessous de lui.

Il entendit le choc de son sac s'écrasant dans le sable.

Il étendit la voilure afin de ralentir sa chute et quelques secondes plus tard, ses bottes s'enfoncèrent sur la plage, qui luisait d'un bleu irréel à la clarté de la lune. Il effectua quelques pas en courant, tandis que la voile de soie s'abattait en un tas à la lisière des vagues.

Immédiatement, il délogea son MP7 de son épaule droite et fit monter une balle dans la culasse. Il n'était qu'à une dizaine de mètres de Raff. Tout allait bien.

«Prêt», souffla-t-il dans son micro.

Tous deux effectuèrent leur jonction. Quelques instants plus tard, Hiro Kamishi émergea du ciel nocturne et atterrit à peu de distance.

Mais toujours pas le moindre signe du reste de l'équipe.

Hank Kammler commanda une bouteille de Parvis de la Chapelle 1976. Rien de trop ostentatoire, mais tout de même un excellent Bordeaux, et un bon millésime qui plus est. Il avait résisté à la tentation de faire sauter le bouchon d'un de ses meilleurs champagnes. Certes, il avait de bonnes raisons de célébrer, mais il ne voulait pas commencer la fête trop tôt.

On ne sait jamais.

Il alluma son ordinateur portable. En attendant qu'il s'initialise, son regard erra pendant un moment sur le paysage qui s'offrait à lui. Le marigot grouillait de vie. Les hippopotames, dont les dos cabossés et arrondis luisaient au soleil, paressaient langoureusement dans la boue. Des antilopes cheval, ou bien était-ce des antilopes sable? – Kammler hésitait toujours entre les deux – plongeaient le museau dans l'eau brune, redoutant la présence d'un crocodile dans les parages.

Tout était admirable dans ce paradis, ce qui ne faisait que renforcer son optimisme exubérant du moment. Il tapota le clavier, ouvrit le compte Brouillons de la messagerie sur laquelle Jaeger s'était branché quelques jours auparavant. Kammler le surveillait de près. Il savait quels messages avaient été lus par l'Anglais, et à quelle heure.

Il fronça les sourcils.

Les messages les plus récents, concoctés par lui-même et Steve Jones, n'avaient pas encore été lus. Kammler cliqua sur l'un d'entre eux, réjoui par sa propre noirceur, et pourtant troublé par le fait qu'il n'avait toujours pas été ouvert.

L'image s'afficha, montrant la silhouette reconnaissable et le crâne rasé de Jones, accroupi derrière la femme de Jaeger et son fils, ses bras énormes passés autour de leurs épaules, le visage éclairé par un sourire des plus sinistres.

Sous la photo, un texte dactylographié apparut : *Un ancien pote te salue bien.*

Quel dommage, se dit Kammler, que Jaeger ne l'ait pas encore ouvert. C'était un coup de maître. Du coup, il se demanda où Jaeger et son équipe pouvaient se trouver en ce moment même.

Il vérifia sa montre ; il attendait un visiteur. Pile à l'heure, la carrure massive de Steve Jones s'abattit dans le fauteuil en face de lui, bloquant une bonne partie de la vue de Kammler.

C'était typique de l'individu. Il possédait la sensibilité et la subtilité d'un dinosaure. Le regard de Kammler se posa sur le verre de vin devant lui ; il n'avait commandé qu'un seul verre.

« Bonsoir, Steve. Je suis sûr qu'une Tusker te ferait plaisir ? » La Tusker est une marque de bière kenyane très populaire parmi les touristes et les expatriés.

Les yeux de Jones s'étrécirent. « Je ne bois jamais de cette pisse d'âne. La bière africaine, c'est de la flotte. Je prendrai une Pilsner. »

Kammler passa la commande. « Alors, quoi de neuf ? »

Jones versa la bière dans son grand verre. « Votre type, Falk Konig, a reçu son injection. Il n'était pas tout à fait d'accord, mais il n'y avait pas à discuter. »

« Bien joué. Tu as du nouveau sur le gamin ? »

« Apparemment, un gosse est bien arrivé, il y a environ six mois, comme passager clandestin sur un avion-cargo. Il a raconté une histoire incroyable. Un tas de conneries, si vous voulez mon avis. »

Les yeux de Kammler, froids et prédateurs comme ceux d'un serpent, fixaient Jones. « Peut-être des conneries en ce qui te concerne, mais j'aimerais savoir ce qu'il a raconté. Toute l'histoire. »

Jones entreprit de narrer les propos du gamin que Falk avait transmis à Jaeger et Narov quelques jours plus tôt. À la fin du récit, Kammler connaissait tous les détails, jusqu'au nom du gamin. Évidemment, il ne doutait pas un instant de la véracité de l'histoire.

Il ressentit la morsure de l'incertitude, du problème de dernière minute, ébranlant son bel optimisme. Si les propos du gamin étaient parvenus aux oreilles de Jaeger, qu'avait-il pu en tirer? Qu'en avait-il déduit? Où cela pouvait-il le mener?

Y avait-il un détail dans le récit du gamin qui aurait pu révéler le plan ultime de Kammler? Non, c'était impossible. Totalement exclu. Les sept vols avaient déjà atterri sur les objectifs choisis. Les cages avaient été déchargées, et d'après ce que savait Kammler, les primates étaient en ce moment dans leurs enclos, en quarantaine.

Le génie était sorti de la bouteille.

Personne ne pourrait le forcer à y entrer de nouveau.

Personne ne pourrait sauver l'humanité de ce qui était déjà en train de se répandre.

Invisible.

Indétectable.

Complètement insoupçonné.

Dans quelques semaines, le mal commencerait à pointer la tête. Une tête hideuse. Les premiers symptômes ressembleraient à une mauvaise grippe. Pas de quoi s'inquiéter. Puis les hémorragies surgiraient.

Bien avant cela, l'humanité serait infectée. Le virus se serait répandu dans tous les coins de l'univers, et rien ne pourrait l'arrêter.

Puis, subitement, une idée le frappa.

Il en fut à ce point perturbé qu'il s'étrangla en buvant une gorgée de vin. Les yeux lui sortaient de la tête, son pouls s'accélérait alors qu'il imaginait l'impensable. Il se saisit d'une serviette en papier et s'épongea le menton d'un air absent. Non, c'était totalement improbable. Quasiment impossible! Mais en tout état de cause, il restait une chance infime.

«Ça va?», s'enquit la voix de Jones. «On dirait que vous venez de voir passer un fantôme!»

Kammler éluda la question. «Attends», siffla-t-il. «J'ai besoin de silence. Pour réfléchir.»

Il serrait les dents. Son cerveau était traversé par un maelstrom de pensées qui se bousculaient, tandis qu'il cherchait une stratégie pour combattre la menace imprévue qui venait de surgir.

Finalement, il se tourna vers Jones. «Oublie tous les ordres que je t'ai donnés. À la place, concentre-toi exclusivement sur cette tâche : il faut que tu me retrouves ce gamin. Je me fous de savoir combien ça va me coûter, où tu devras te rendre, combien de… camarades tu devras recruter, *mais retrouve-le*. Trouve ce satané gosse et fais-le taire définitivement.»

«J'ai compris», confirma Jones. Ça ne le rapprochait pas d'une confrontation avec Jaeger, mais au moins, c'était une chasse à l'homme, d'une certaine façon. De quoi l'occuper un moment.

«J'ai besoin d'un indice. D'un point de départ. D'une piste…»

«Je te donnerai tout ça. Ces gamins des rues, ils se servent de téléphones portables. Ils se branchent sur Internet avec ces portables. Je vais mettre les meilleurs techniciens sur cette piste pour le traquer. Ils chercheront, ils pirateront, ils se brancheront sur ses réseaux. On le retrouvera. Et quand ils l'auront localisé, tu iras et tu lui infligeras la punition qu'il mérite : la mort. Est-ce que tu m'as compris ?»

Jones afficha un sourire démoniaque. «Parfaitement.»

«Bon, tu vas aller préparer tes affaires. Il va falloir voyager, certainement jusqu'à Nairobi. Il faudra te faire aider. Trouver des gens. Propose-leur ce qu'il faudra, mais fais-le rapidement.»

Jones s'effaça, son verre de bière à moitié plein à la main. Kammler fit face à l'écran de son ordinateur portable. Il tapota rapidement et lança un appel par le biais d'IntelCom. La communication était dirigée vers un bureau au sein d'un complexe anonyme et gris, au milieu des petits immeubles cachés dans un environnement de forêts grises, en pleine campagne de Virginie, sur la côte est des États-Unis.

Ce bureau abritait une multitude d'ordinateurs et de serveurs parmi les plus avancés, capables de traquer et d'intercepter tous les signaux électroniques. Une petite plaque en cuivre, sur le mur près de l'entrée, signalait au visiteur : *CIA. DATA (Division d'Analyse des Menaces Asymétriques).*

Un homme entama la conversation. «Harry Peterson.»

«C'est moi», annonça Kammler. «Je vous fais parvenir une fiche sur un individu que je recherche. Depuis mon lieu de villégiature, en Afrique orientale. J'espère que vous mettrez tout en œuvre, Internet, messageries, portables, réservations de vols, détails du passeport, tout ce que vous pourrez imaginer, pour retrouver ce gamin. Dernière localisation connue doit être le bidonville de Mathare, dans la capitale kenyane, Nairobi.»

«Bien compris, sir.»

«Priorité absolue à ce dossier, Peterson. Vous et vos gars, vous devez vous concentrer sur cette mission, toutes affaires cessantes. On est bien d'accord?»

«Absolument, sir.»

«Prévenez-moi dès que vous avez quelque chose. De jour comme de nuit, contactez-moi en urgence.»

«D'accord, sir.»

Kammler coupa la communication. Son pouls revenait à la normale. Ne pas s'emballer, se raisonna-t-il. Comme toutes les menaces, il fallait gérer celle-ci. Il fallait l'éliminer.

L'avenir lui appartenait encore. À 100 %.

79

Un grésillement dans l'oreillette de Jaeger. Message entrant. «On vous a perdus dans les nuages.» Irina Narov. «On est trois, mais il a fallu du temps pour se trouver. On vient d'atterrir sur la piste du petit aérodrome.»

«Bien compris», répliqua Jaeger. «Restez à couvert. On va vous rejoindre le plus vite possible.»

«Encore un truc… Il n'y a personne ici.»

«Tu peux répéter?»

«La piste. Complètement déserte.»

«D'accord, ne vous montrez pas. Maintenez vos diodes infrarouges allumées.»

«Tu dois me croire, il n'y a personne ici», insista Irina. «Comme si tout le monde… C'est totalement désert.»

«On arrive.»

Jaeger et Raff se préparaient déjà, laissant Kamishi organiser son poste de décontamination humide.

Jaeger étendit sa combinaison spéciale île de la Peste à même le sable. L'épais tissu résistant aux attaques chimiques de la combinaison luisait sinistrement à la clarté lunaire. Il déposa à côté les couvre-bottes en caoutchouc, ainsi que les épais gants de la même matière. Sur un rocher, à portée de main, il posa son rouleau de ruban adhésif ultrarésistant, absolument essentiel.

Il regarda Raff. «Moi d'abord.»

Raff s'avança pour lui prêter main forte. Jaeger enfila les jambes de la combinaison, la remonta jusqu'aux aisselles, avant de passer les bras puis les épaules. Aidé de Raff, il remonta la fermeture éclair, avant de rabattre la cagoule en forme de bulle qui recouvrait entièrement la tête.

Il fit un geste vers le rouleau de ruban adhésif, et tendit les mains en avant. Raff appliqua des bandes de ruban pour faire adhérer les gants à la combinaison, et fit de même pour les bottes autour des chevilles de Jaeger.

Le ruban adhésif serait leur première ligne de défense.

Jaeger tourna un bouton, activant le kit respiratoire. Il y eut un chuintement caractéristique : le moteur électrique commença à pomper de l'air pur et filtré, gonflant la combinaison jusqu'à ce que le caoutchouc renforcé devienne rigide. Il faisait déjà chaud à l'intérieur, Jaeger se sentait engoncé et lourd, et la combinaison produisait des bruits bizarres à chaque mouvement.

À son tour, Kamishi aida Raff à enfiler sa combinaison, et ils furent bientôt prêts à s'aventurer dans la jungle.

Raff eut un moment d'hésitation. Il regarda Jaeger dans sa visière, le visage encadré par le masque FM54, comme celui de son compagnon. C'était leur seconde ligne de défense.

Raff remuait les lèvres, mais ses paroles se réverbéraient dans son oreillette, assourdies et distantes.

« Elle a raison. Narov. Il n'y a personne là-bas. Je le sens. Cette île est déserte. »

« On n'en sait rien », riposta Jaeger. Il devait élever la voix pour couvrir le chuintement de l'air pulsé.

« On ne trouvera personne ici », répéta Raff. « Quand on descendait, as-tu remarqué une lumière quelque part ? Une lueur quelconque ? Du mouvement ? Quelque chose ? »

« Il faut quand même explorer l'endroit. D'abord la piste d'atterrissage. Ensuite les laboratoires de Kammler. Chaque pouce de terrain. »

« Oui, je sais. Mais tu peux me croire : on ne croisera personne ici. »

Jaeger le fixait à travers la barrière de leurs visières. « Mais si tu as raison, qu'est-ce que ça signifie ? »

Raff secoua la tête. «Aucune idée, mais c'est sans doute une mauvaise nouvelle.»

Jaeger pensait de même. Mais un autre sujet de préoccupation l'agitait, un sujet qui le rendait malade physiquement.

S'il n'y avait plus personne sur cette île, où Kammler avait-il emmené Ruth et Luke?

Ils se mirent en marche, avançant lourdement vers le mur de végétation obscure, comme des astronautes, mais sans l'avantage de l'absence de gravité pour faciliter leur progression. En se dandinant vers la forêt qui les attendait, chacun avait passé son fusil mitrailleur MP7 en travers de la poitrine.

Dès qu'ils pénétrèrent le premier rideau d'arbres, ils plongèrent dans l'obscurité totale. La couverture végétale bloquait toute clarté ambiante. Jaeger alluma la torche dont il avait équipé son MP7, et se guida à l'aide du faisceau qui balayait les ténèbres devant lui.

Ils faisaient face à un enchevêtrement inextricable de végétation, avec ses plantes rampantes, ses feuilles de palmiers géants, et ses lianes parfois aussi épaisses que la jambe. Par chance, ils n'avaient qu'une centaine de mètres de cet enfer vert à traverser avant d'atteindre la piste de latérite.

Jaeger avait parcouru maladroitement une dizaine de mètres dans ce chaos végétal lorsqu'il sentit que quelque chose se déplaçait au-dessus de lui. Une forme ébouriffée, inconnue fondait vers lui des branches supérieures, sautant avec une sûreté et une agilité extraordinaires. Jaeger leva sa main gantée pour se protéger et frappa de l'autre main, en direction du cou de l'animal, dans une attaque typique du krav maga.

Dans un combat au corps-à-corps, il faut répliquer instantanément et avec puissance, en assénant des coups répétés dans les régions vulnérables de votre adversaire, la plus exposée étant la gorge. Mais la créature qu'il avait en face de lui, quelle qu'elle fût, s'avérait trop agile; ou peut-être les mouvements de Jaeger étaient-ils trop restreints par la combinaison. Il se sentait comme englué dans de la vase épaisse.

Son assaillant évita les premiers coups et un instant plus tard, il eut l'impression qu'un serpent puissant s'était enroulé autour de son cou. Et commençait à serrer de plus en plus fort.

La puissance de l'animal, pour sa taille, était incroyable. Jaeger sentait l'adrénaline pomper dans ses veines, tandis que sa combinaison se tordait autour de son cou, quatre membres robustes s'attaquant à sa tête protégée par la bulle de la cagoule. Il tentait d'arracher ces bras et ces jambes qui l'enserraient, mais soudain, un visage effrayant apparut dans le cadre de sa visière, un visage aux yeux rouges, farouche et grimaçant, et l'animal plongea ses canines vers lui, des canines affûtées comme les crocs d'un fauve affamé.

Pour une raison inconnue, les primates jugent les humains qui portent une combinaison spatiale plus effrayants, plus provocants, que les humains en chair et en os. Comme Jaeger l'avait entendu lors du briefing de Falkenhagen, un primate, même de taille réduite comme celui-ci, s'avérait un adversaire plus que redoutable.

Plus encore quand il avait le cerveau rongé par une infection virale affectant son jugement.

Jaeger s'attaqua aux yeux, un des points les plus vulnérables du visage. Ses doigts gantés les trouvèrent et les pouces s'enfoncèrent dans les orbites, une autre prise classique de krav maga, qui ne faisait appel ni à l'agilité ni à la vitesse d'exécution.

Ses doigts pénétrèrent une sorte de matière visqueuse, qu'il sentait même à travers les gants. L'animal perdait du liquide, du sang, par les orbites.

Il força avec le pouce, faisant jaillir un globe oculaire. Finalement, le singe relâcha sa prise et se laissa tomber en arrière avec des cris de rage et d'agonie. Sa queue, qui s'était enroulée autour du cou de Jaeger, se détendit enfin.

Le primate fit un bond désespéré pour s'enfuir, malgré sa blessure et la maladie. Jaeger pointa son MP7 et appuya sur la détente : une balle suffit à abréger ses souffrances.

Le singe mort gisait sur le sol de la forêt.

Il se pencha en avant, balayant de sa torche le petit corps figé. Sous les poils clairsemés, la peau était couverte de taches rouges. Là où la balle était entrée dans la poitrine, un flot de sang s'élargissait.

Mais le sang avait un aspect étrange.

Noir, putride, filamenteux.

Un bouillon viral mortel.

L'air pulsé bourdonnait dans les oreilles de Jaeger comme un express filant le long d'un tunnel obscur. *Comment se sentait-on lorsqu'on vivait avec ce virus dans le corps ?*

Agonisant, mais sans la moindre notion de ce qui était en train de vous tuer.

Le cerveau racorni, bouillant de fièvre et de rage.

Les organes internes dissous sous la peau.

Jaeger frissonna. Ce lieu était démoniaque.

«Ça va mon vieux?», s'enquit Raff dans l'oreillette.

Jaeger hocha la tête sombrement, puis montra le chemin devant eux. Ils pressèrent le pas.

Les singes et les humains étaient des cousins proches; ils partageaient un lignage qui remontait à plusieurs millénaires. Aujourd'hui, sur cette île, il faudrait les combattre jusqu'à la mort. Pourtant, une forme de vie plus archaïque encore, primitive, traquait leurs deux espèces.

Invisible à l'œil nu, mais infiniment plus puissante que l'homme et le singe réunis.

80

Donald Brice se pencha pour observer à travers les barreaux la forme allongée dans un coin de la cage. Il fourragea dans sa barbe, soudain nerveux. C'était un gros costaud, un peu mal dans sa peau, qui venait de décrocher un boulot au centre de quarantaine de l'aéroport Dulles de Washington ; il n'était pas encore certain de la manière dont fonctionnait le service.

Comme il était nouveau, on lui avait assigné pas mal de postes de nuit. Un peu trop à son goût. Mais il acceptait sans rechigner ; à vrai dire, il était content d'avoir trouvé ce job. Brice manquait de confiance en lui, et il avait tendance à compenser de temps en temps cette insécurité par des éclats de rire formidables.

Chacun de ses entretiens d'embauche constituait une véritable épreuve pour lui, surtout parce qu'il avait toujours peur de s'esclaffer à contretemps. En résumé, il appréciait ce boulot dans le hangar des singes et il avait décidé de devenir un employé modèle.

Mais ce que Brice découvrait maintenant le contrariait considérablement. Un des primates avait l'air vraiment malade. C'était même très bizarre.

Son astreinte touchait à sa fin ; il était entré dans le hangar pour distribuer le premier repas de la journée à ses pensionnaires. Aussitôt l'opération terminée, il pointerait à la sortie avant de rentrer chez lui.

Les singes qui venaient d'arriver faisaient un vacarme épouvantable, frappant les barreaux de leur cage, bondissant dans tous les sens en hurlant : *on a faim !*

Mais pas celui-ci.

Brice s'accroupit et observa attentivement le petit singe vervet. Il était recroquevillé dans un coin, les bras repliés autour de ses jambes, un étrange regard contrastant avec la beauté toute relative de son visage. Il avait le nez qui coulait. Pas de doute, ce petit bonhomme était malade.

L'homme se creusait la cervelle, tâchant de se souvenir de la procédure à suivre en cas de maladie d'un animal. Il fallait évacuer l'individu du hangar et le placer en isolation afin d'empêcher la transmission de l'infection.

Brice adorait les animaux. Il vivait encore chez ses parents, en compagnie de plusieurs animaux domestiques. Il entretenait des sentiments mitigés quant à la nature de son boulot. Certes, il aimait la compagnie des primates, mais il appréciait beaucoup moins le fait qu'ils étaient destinés à des expériences médicales.

Il fit un saut dans la réserve et sortit le matériel requis pour transporter un animal malade. Il s'agissait d'une longue perche munie d'une seringue à un bout. Il remplit la seringue, rejoignit la cage, pointa la perche à l'intérieur et, le plus doucement possible, piqua dans la chair de l'animal.

Celui-ci était trop faible pour réagir violemment. Brice vida le réservoir de la seringue ; l'injection était terminée. Une ou deux minutes plus tard, Brice ouvrit la porte de la cage, qui portait l'étiquette de l'exportateur, Katavi Reserve Primates, et tendit les bras pour extraire l'animal inconscient.

Il le porta jusqu'à la salle d'isolation. Il avait enfilé des gants en latex pour le transport du petit singe, mais avait négligé toute protection supplémentaire, surtout les combinaisons et les masques empilés dans un coin de la salle. C'était la première fois que l'on trouvait un animal malade dans le hangar des singes, il n'était donc pas nécessaire de se protéger outre mesure. Quand un animal était vraiment malade, on le sentait à son haleine.

Il se demanda s'il ne devrait pas faire le test. C'était peut-être l'occasion de se faire bien voir par le patron, après tout. Il se souvint des conseils de son collègue, se pencha dans la cage et avec la main, ramena vers ses narines de l'air expulsé par les poumons de l'animal. Il prit deux inspirations profondes. Mais il ne détecta aucune odeur particulière, sinon de vieux relents d'urine et de nourriture.

Il referma la cage en haussant les épaules, avant de consulter sa montre. Il avait légèrement dépassé l'heure de la fin de son poste. En plus, Brice devait se presser. On était samedi, le grand jour à la convention de bandes dessinées Awesome Con, dans le centre-ville. Il avait dépensé une bonne part de sa paye pour des tickets donnant accès au fameux *Geekend*, avec un pass VIP à l'événement Power Rangers.

Il devait se grouiller.

Une heure plus tard, il arrivait au palais des congrès Walter Washington, après un rapide passage chez lui pour se débarrasser de ses vêtements de travail et endosser une tenue décente, enfournant son costume dans un sac. Ses parents avaient fait valoir qu'il devait être fatigué après une nuit de boulot, mais il avait promis de rentrer tôt pour se reposer ce soir.

Il avait garé sa voiture et pénétré dans le grand hall. L'énorme moteur de la climatisation ajoutait un bruit de fond rassurant, qui ne réussissait pas à couvrir les rires et les conversations animées qui se réverbéraient à l'intérieur de l'immense espace. La convention battait son plein.

Il fit la queue devant le stand des boissons chaudes. Il mourait de faim. Une fois rassasié, il rejoignit une cabine pour se changer, émergeant quelques minutes plus tard, méconnaissable, sous les traits d'un superhéros.

Les gamins se précipitèrent vers Hulk. Ils le pressaient de toute part, bataillant pour un selfie en compagnie de leur idole, surtout que Hulk apparaissait beaucoup plus souriant et drôle en chair et en os que dans les films ou les dessins animés.

Donald Brice, alias Hulk, passerait le week-end à faire ce qu'il aimait le plus au monde : faire éclater son grand rire de héros dans un lieu où chacun semblait l'apprécier, où personne ne paraissait lui en vouloir. Il rirait et respirerait toute la journée, respirerait et rirait, tandis que la clim omniprésente recyclerait le moindre souffle sortant de sa bouche.

Pour le mélanger avec le souffle des dizaines de milliers de personnes venues partager l'événement en toute insouciance.

81

«Nous avons peut-être une piste», annonça sur sa ligne IntelCom Harry Peterson.

«Dites-moi tout», invita Kammler.

Sa voix était reprise par un curieux écho. Il était assis dans une cavité creusée dans la roche d'une des cavernes proches du BV222, son cher hydravion. Le décor était spartiate, mais remarquablement équipé pour un tel lieu, dans le tréfonds des grottes creusées sous le pic des Anges de feu.

C'était à la fois une forteresse imprenable et un centre de contrôle disposant des technologies les plus avancées. Un lieu idéal pour attendre la suite des événements.

«Bon. Un jeune type du nom de Chucks Bello a envoyé un mail», expliqua Peterson. «DATA l'a intercepté en utilisant des mots-clés basés sur des combinaisons de noms. Il existe plusieurs Chucks Bello sur le Net, mais c'est celui-ci qui a attiré notre attention. On trouve plusieurs quartiers au sein du bidonville de Nairobi. Les communications de notre Chucks Bello émanaient de l'un d'entre eux, Mathare.»

«Ce qui signifie?» Kammler montrait des signes d'impatience.

«Nous sommes certains à 99 % qu'il s'agit de celui qui vous intéresse. Le mail de Chucks Bello était adressé à un type du nom de Julius Mburu, qui dirige une sorte d'association caritative, la Fondation Mburu, qui s'occupe des gamins des rues de Mathare. Des gosses… Beaucoup sont orphelins. Je vous transmets le mail intercepté. Ça doit coller.»

«Alors vous avez une adresse, une localisation?»

«En effet. Le mail a été envoyé depuis une adresse commerciale : guest@amanibeachretreat.com. Amani Beach Retreat est une station balnéaire très chic située à environ six cents kilomètres au sud de Nairobi, sur l'océan Indien.»

«Super. Envoyez-moi les détails de la communication. Et continuez à chercher. Je veux m'assurer à 100 % qu'il s'agit de notre Chucks Bello.»

«Compris, sir.»

Kammler coupa la ligne IntelCom. Il tapota «Amani Beach Resort» sur Google et cliqua sur le site. Des images s'affichèrent, un croissant de sable immaculé, frangé d'une eau d'un étonnant turquoise ; une piscine de rêve installée au bord des vagues, flanquée de son petit bar entouré de transats et de parasols discrets ; des indigènes vêtus de vêtements traditionnels en batik, servant des mets princiers à des hôtes étrangers très chic.

Que faisait donc un gosse des rues dans un tel palace ?

Si le gamin se trouvait là-bas, c'est que quelqu'un avait dû l'accompagner. Ça ne pouvait être que Jaeger et son équipe, et pour une unique raison : le mettre à l'abri. Et s'ils désiraient le protéger à ce point, c'était peut-être parce qu'ils s'étaient rendu compte quel espoir impossible ce petit gosse échappé d'un bidonville africain pouvait représenter pour l'humanité.

Kammler vérifia sa messagerie. Il cliqua sur le mail que venait de lui envoyer Peterson, et découvrit celui de Simon Chucks Bello.

Ce type, Dale, m'a filé *maganji*. De l'argent de poche, mais un vrai paquet. Assez, Jules, man, pour te rembourser. Tout ce que je te dois. Et tu sais ce que je vais faire aussi, man ? Je vais louer un jumbo-jet, avec casino et piscine, et des danseuses de partout, Londres, Paris, du Brésil et de Russie et de Chine et de la planète Mars et même d'Amérique ; yeah ! man. Des Miss États-Unis en pagaille, et je vous invite tous, parce que vous êtes mes frères, et on survolera la ville en jetant des bouteilles de bière vides comme ça tout le monde saura qu'on s'éclate comme des dingues, et derrière le jumbo-jet on traînera une banderole qui annoncera :

PARTIE D'ANNIVERSAIRE GÉANTE EN L'HONNEUR DE MOTO ;
UNIQUEMENT SUR INVITATION !

Suivait la réponse de Mburu :

Ouais, bon, tu ne sais même pas quel âge tu as, Moto, alors
comment peux-tu connaître ta date d'anniversaire ? En plus,
tu vas le trouver où, tout ce fric ? Il te faudra un paquet de *maganji*
si tu veux louer un jumbo-jet. Relax, Moto, tiens-toi tranquille et fais
tout ce que le *mzungu* te dit. On aura tout le temps de faire la fête
quand tout ça sera fini.

Apparemment, «Moto» devait être le surnom du gamin. Et il
était bien traité par ses bienfaiteurs *mzungu*, un mot de swahili que
Kammler connaissait bien. En fait, il était tellement bien traité
qu'il envisageait de faire la fête pour son anniversaire.

Oh non, Moto, tu ne feras pas la fête. Aujourd'hui, c'est à moi *de célébrer !*

Kammler cliqua rageusement sur le nom de Steve Jones pour
établir une communication IntelCom. La sonnerie retentit quelques
secondes avant qu'il ne réponde.

«Écoute-moi bien, j'ai localisé la cible», siffla Kammler.
«Il faut que tu te rendes là-bas avec tes gars et que tu neutralises
la menace. Il y aura un Reaper au-dessus de ta tête si tu as besoin
de soutien. Mais il ne s'agit que d'un gamin des rues et de celui
qui veille sur lui. Excuse le jeu de mots, mais pour toi c'est un
jeu d'enfant.»

«Bien compris. Envoyez-moi les détails. On est prêts à partir.»

Kammler rédigea un court message, avec le lien de la station
balnéaire, et l'envoya à Jones. Il tapa ensuite «Amani» sur Google.
Il s'agissait d'un mot en swahili signifiant «paix». Il esquissa un
sourire entendu.

Plus pour très longtemps.

Cette paix risquait de voler bientôt en éclats.

82

À grands coups d'épaule, Jaeger venait d'enfoncer la dernière porte, avec une force décuplée par la rage. Une rage qui irriguait ses veines comme de l'acide fumant.

Il s'arrêta un instant; prise dans l'encadrement de la porte, sa combinaison l'encombrait, mais il réussit à entrer. Il braqua sa torche dans les coins les plus sombres, son faisceau accompagnant le canon de son arme. Sur des étagères luisait du matériel scientifique qu'il avait du mal à identifier.

Le labo était désert.

Tout le monde était parti.

Comme dans tous les autres locaux qu'ils avaient visités.

Aucun garde armé. Aucun chercheur. Ils ne s'étaient servis de leurs armes que pour abattre des singes malades.

Ce décor vide avait quelque chose de sinistre, et faisait naître des frissons. Jaeger se sentait de plus cruellement floué. Contre toute attente, ils avaient réussi à localiser l'antre de Kammler. Mais Kammler et ses sbires avaient quitté le nid avant que la justice et le châtiment ne passent.

Mais surtout, Jaeger ressentait ce vide comme une torture supplémentaire au plus profond de son cœur. Aucun signe de Ruth ni de Luke.

Il fit un pas en avant, et le dernier homme à entrer referma la porte derrière lui. Simple précaution pour éviter une éventuelle contamination d'une pièce à l'autre.

Dès que la porte se referma, Jaeger perçut un sifflement aigu, assourdissant. Il provenait d'un endroit situé juste au-dessus de l'encadrement de la porte ; le bruit lui avait fait penser au relâchement des freins d'un poids lourd, à une explosion d'air comprimé.

Au même instant, il avait ressenti une vague de minuscules piqûres d'aiguilles sur sa peau. Rien à la tête ni au cou, bien protégés par le caoutchouc épais du masque FM54 ; et le kit filtrant avait réussi à protéger son dos.

Mais ses jambes et ses bras étaient en feu.

Il baissa les yeux pour inspecter sa combinaison. Il repéra immédiatement les minuscules trous d'aiguille. Il avait été la cible d'un engin piégé qui avait réussi à transpercer le tissu du Trellchem. Il pouvait imaginer que le reste de l'équipe avait été pareillement atteint.

« Ruban adhésif ! », hurla-t-il. « Scotchez les ouvertures ! Chacun aide l'autre ! »

Dans une agitation proche de la panique, il se tourna vers Raff et découpa de longues bandes de ruban afin de recouvrir les minuscules trous sur la combinaison du Maori. Une fois qu'il eut terminé, Raff fit de même pour lui.

Jaeger avait gardé un œil sur la pression à l'intérieur de la combinaison pendant toute l'opération. Elle était restée positive ; le kit filtrant continuait à pomper automatiquement de l'air purifié pour remplacer celui qui s'était échappé par les petits trous. Cette pression vers l'extérieur devait avoir évité toute contamination.

« On va faire le point », ordonna Jaeger.

Un par un, chacun fit son rapport. Toutes les combinaisons avaient souffert, mais elles avaient été réparées correctement. La pression de l'air avait été maintenue pour tout le monde, grâce aux kits filtrants.

Pourtant, Jaeger continuait de ressentir des fourmillements là où les aiguilles, ou autre chose, avaient percé sa combinaison et atteint la peau. Il était convaincu qu'il fallait décamper au plus vite, rejoindre le poste de décontamination sur la plage et inspecter les dégâts.

Il allait donner l'ordre du repli lorsqu'un événement tout à fait inattendu se produisit.

On entendit un faible bourdonnement, puis le courant fut rétabli dans les locaux, inondant le laboratoire dans une lumière halogène aveuglante. Sur le mur le plus éloigné de la salle, un écran plat géant s'alluma, et la silhouette d'un homme se matérialisa, apparemment en direct.

Impossible de se tromper.

Hank Kammler.

«Messieurs, vous partez déjà?» Sa voix se réverbérait sur les murs du labo; il étendit les bras en un geste chaleureux. «Bienvenue… bienvenue dans mon univers. Avant que vous ne commettiez un geste irréfléchi, laissez-moi vous expliquer. C'était une bombe à air comprimé, dispersant de minuscules éclats de verre. Ce n'était pas un explosif. Vous allez ressentir de légers picotements sur la peau, là où les éclats ont pénétré. La peau est un merveilleux rempart contre les infections; un des meilleurs. Mais pas quand elle est percée.

«Grâce à l'absence d'explosif, l'agent infectieux, le virus sec, n'a pas été endommagé; il est parfaitement viable. Quand les éclats de verre ont pénétré dans la peau, propulsés par une pression de quatre cents bars, ils vous ont inoculé l'agent inerte. En bref, vous avez tous été infectés, et je n'ai pas besoin de vous préciser le type de cet agent pathogène.»

Kammler éclata de rire. «Toutes mes félicitations! Vous figurez parmi mes premières victimes! Maintenant, j'aimerais que vous appréciiez pleinement le sort qui vous attend. Peut-être déciderez-vous qu'il est préférable pour vous de rester isolés sur cette île? Vous voyez, si vous rejoignez le reste du monde, vous deviendrez des criminels responsables d'un massacre. Vous êtes contaminés. Des bombes vivantes. Vous pouvez donc décider que votre seule option est de rester où vous êtes et d'y mourir; si c'est le cas, vous trouverez dans ce complexe tous les vivres dont vous aurez besoin.

«Bien sûr, le *Gottvirus* a déjà commencé à faire son œuvre», poursuivit Kammler. «Plutôt devrais-je dire: je l'ai *déchaîné*. En ce moment même, il se répand aux quatre coins de la planète.

Alors, peut-être préférerez-vous m'aider ? Plus il aura de porteurs, plus on rira, si je puis dire. Vous pouvez quitter l'île et aider à répandre le virus. C'est à vous de choisir. Mais pour l'instant, installez-vous confortablement pendant que je vous narre un petit conte de fées. »

Quel que soit l'endroit d'où Kammler s'adressait à eux, il semblait prendre un immense plaisir à se montrer. « Il était une fois deux savants SS qui avaient découvert un cadavre pris dans la glace. Elle était dans un état parfait de conservation, jusqu'à la longue chevelure blonde. Mon père, le général SS Hans Kammler, lui donna un nom, celui d'une ancienne déesse nordique : Var, la Bien-Aimée. Var était l'ancêtre du peuple aryen, il y a cinq mille ans. Malheureusement, elle était tombée malade avant de mourir. Infectée par un mystérieux agent pathogène.

« Les spécialistes du Deutsche Ahnenerbe, à Berlin, ont décongelé Var et nettoyé sa dépouille afin de la rendre présentable pour le Führer. Mais le corps commença à s'effondrer de l'intérieur. Il semblait que ses organes internes, foie, reins, poumons aient pourri et cessé de fonctionner, même si son enveloppe extérieure restait intacte et vivante. Son cerveau n'était plus qu'une soupe infâme. En résumé, elle n'était plus qu'un zombie lorsqu'elle avait basculé au fond de la crevasse du glacier où elle avait péri.

« Les experts chargés de restaurer son apparence pour qu'elle soit la parfaite ancêtre aryenne étaient perplexes. C'est alors qu'un archéologue et pseudo-savant nommé Herman Wirth trébucha en pleine séance de travail. Il se rattrapa de justesse, mais dans le mouvement, il se coupa, ainsi que son collègue du Deutsche Ahnenerbe, un chasseur de mythes nommé Otto Rahn, avec une lame de microscope. On ne s'inquiéta pas sur le moment, jusqu'à ce que les deux hommes meurent. »

Kammler leva les yeux pour fixer l'assistance d'un œil sombre. « Ils moururent en vomissant par tous les orifices de leur corps un sang épais et noir, putride ; leurs traits affichaient une expression horrible. Ce n'étaient plus que des zombies. Nul besoin de pratiquer une autopsie pour trouver la cause du décès. Un virus vieux de cinq mille ans avait réussi à survivre, congelé au fond d'une crevasse de l'Arctique, et il venait de renaître à la vie. Var venait de revendiquer ses premières victimes.

« Le Führer baptisa cet agent pathogène le *Gottvirus*, parce que rien de semblable n'avait jamais été observé. Sans conteste, il s'agissait du virus ultime. On était en 1943. Durant les deux années suivantes, les savants fidèles à Hitler ont développé le *Gottvirus*, dans l'objectif de l'utiliser contre les hordes alliées. En cela, ils ont échoué, malheureusement. Le temps jouait contre nous... Mais plus maintenant. Aujourd'hui, au moment où je vous parle, le temps joue pleinement en notre faveur. »

Kammler esquissa un sourire. « Alors messieurs et, pardonnez-moi, madame, puisque je crois qu'il s'en trouve une parmi vous, vous savez maintenant comment vous allez mourir. Et vous êtes conscients du choix qui s'offre à vous : rester sur cette île et mourir paisiblement, ou bien m'aider à répandre ce bienfait, mon virus, dans le monde. Voyez-vous, vous les Anglais n'avez jamais compris que vous ne pouviez vaincre le Reich. Les Aryens. Il aura fallu soixante-dix ans, mais nous sommes revenus. Et nous avons survécu pour conquérir. *Jedem das Seine*, mes amis. À chacun selon son mérite. »

Comme il tendait le bras pour couper la communication, Kammler arrêta son geste.

« Ah, j'avais presque oublié... Une dernière chose. William Jaeger, vous vous attendiez probablement à trouver votre épouse et votre fils sur mon île, n'est-ce pas ? Eh bien, détendez-vous : ils s'y trouvent bien. Ils sont mes hôtes depuis un bon moment. Et il est grand temps que votre petite famille soit réunie.

« Tout comme vous-même, ils sont porteurs du virus. Ils sont en bonne santé, à part le fait qu'ils sont contaminés. Ils ont reçu une injection il y a plusieurs semaines déjà. C'est pourquoi vous serez en mesure d'assister à leur agonie. Je ne désirais pas vous voir mourir ensemble, en famille. Non, ils doivent périr en premier, sous vos yeux. Vous les trouverez dans une cage en bambou quelque part dans la jungle. Et sans doute déjà bien atteints, j'imagine. »

Kammler haussa les épaules. «Voilà, c'est tout. *Auf Wiedersehen*, mes amis. Il ne me reste plus qu'à vous dire une dernière fois *Wir sind die Zukunft*.»

Ses dents étincelèrent dans un large sourire. «Nous, ceux de ma race, nous sommes vraiment l'avenir.»

Une furie se rua sur Jaeger, le menaçant à plusieurs reprises de la pointe acérée de la lance de bambou qu'elle brandissait vers son visage. La silhouette démente tournoyait en maniant la lance rudimentaire comme l'aurait fait autrefois un gladiateur dans l'arène. Elle hurlait des insultes. Des insultes grossières, cruelles. Le genre de vocabulaire que Jaeger n'aurait jamais imaginé dans sa bouche, même dans ses pires cauchemars.

«BARRE-TOI! CASSE-TOI! JE VAIS TE DÉCOUPER EN TRANCHES, ESPÈCE DE... ESPÈCE DE SALOPARD! SI TU T'APPROCHES DE MON FILS, JE T'ARRACHE LE CŒUR!»

Jaeger frémissait. Il avait du mal à reconnaître la femme qu'il aimait; celle qu'il recherchait avec acharnement depuis trois ans.

Ses longs cheveux s'emmêlaient par touffes qui retombaient autour du visage, comme des dreadlocks. Elle avait les yeux hagards, cernés de noir, ses vêtements pendaient en lambeaux autour de ses épaules décharnées.

Seigneur, depuis combien de temps était-elle dans cet état, enfermée dans une cage comme une bête?

Il s'accroupit devant les barreaux de la cage grossière en bambou, répétant en boucle la même phrase pour tâcher de la rassurer.

«C'est moi. Will. Ton mari. Je suis venu te chercher, comme je te l'avais promis. Je suis là.»

Mais chaque fois, la pointe acérée se rapprochait dangereusement de son visage décomposé.

Au fond de la cage, Jaeger décela la forme prostrée de Luke, sans doute inconscient, tandis que Ruth faisait l'impossible pour le défendre contre ceux qu'elle percevait comme des ennemis mortels.

La scène déchirait le cœur de Jaeger.

Malgré la peine, il sentait son amour pour elle plus fort que jamais, surtout pour la manière agressive, folle et désespérée, dont elle défendait son fils. Mais était-elle vraiment devenue folle ? Avait-elle été brisée par l'horrible incarcération, puis par le virus ?

Jaeger n'en était pas sûr. Il désirait par-dessus tout la prendre dans ses bras, et lui faire comprendre qu'ils étaient désormais en sécurité. Du moins jusqu'à ce que le *Gottvirus* commence à mordre dans leur chair et liquéfie leur cerveau.

« C'est moi, ma chérie. C'est Will », répétait-il. « Je t'ai cherchée et je t'ai retrouvée. C'est pour toi et pour Luke que je suis venu. Pour vous ramener à la maison. Il ne peut plus rien vous arriver, désormais… »

« Salaud ! Tu mens ! » Ruth secouait violemment la tête, brandissant la lance de bambou. « Je sais qui tu es… Tu es venu m'arracher mon enfant… » Elle agitait la lance d'un air menaçant. « SI TU ESSAIES DE ME PRENDRE LUKE, JE… »

Jaeger tendit les bras vers elle, mais instantanément il se rendit compte de l'apparence qu'il devait avoir, engoncé dans sa combinaison spatiale, sa visière, ses épais gants de caoutchouc.

Elle ne pouvait pas le reconnaître.

Il ressemblait à n'importe lequel de ses tourmenteurs, et les petits haut-parleurs du masque déformaient sa voix. Une voix métallique de cyborg, dans laquelle elle ne reconnaissait pas les inflexions familières.

Il rabattit la lourde capuche. L'air pulsé s'échappa brusquement de la combinaison, mais Jaeger s'en fichait désormais. Il était lui-même contaminé. Il n'avait plus rien à perdre. Les mains fiévreuses, il arracha les sangles du respirateur et les fit passer par-dessus sa tête.

Puis il se tourna vers elle d'un air suppliant. «Ruth, c'est moi. Vraiment moi…»

Elle se figea. La main qui brandissait la lance s'abaissa lentement. Elle secouait la tête, incrédule, tandis qu'un soupçon indéfinissable paraissait aviver son regard. Puis elle manqua s'effondrer sur elle-même, avant de se jeter contre les barreaux de la porte de la cage, vidée de toute énergie ; le hurlement étranglé, aigu, qui s'échappa de sa bouche toucha Jaeger en plein cœur.

Elle tendit les bras vers lui, dans un geste de désespoir, d'incompréhension totale. Jaeger saisit ses mains. Leurs doigts se croisèrent, séparés par les lourds barreaux de bambou ; leurs têtes étaient appuyées l'une contre l'autre, peau contre peau ; défaillant sous la caresse, avides de se retrouver.

Une silhouette massive s'approchait de Jaeger. C'était Raff. Aussi discrètement que possible, il ouvrit les verrous extérieurs qui retenaient la porte de la cage, puis se retira afin de préserver leur intimité.

Jaeger se pencha à l'intérieur et aida Ruth à sortir. Il la tenait dans ses bras, l'étreignant avec précaution afin de ne pas ajouter à ses blessures. Il ressentait sa chaleur inhabituelle ; la fièvre de l'infection qui courait dans ses veines.

Elle pleurait en hoquetant. Ses larmes coulaient sans discontinuer. Jaeger ne pouvait retenir ses propres sanglots.

Avec une douceur infinie, Raff ramena Luke du fond de la cage. Jaeger soutenait la silhouette décharnée de son fils dans un bras tout en s'efforçant d'empêcher Ruth de s'effondrer dans l'autre. Tous les trois tombèrent à genoux, collés les uns aux autres.

Luke ne réagissait plus, et Jaeger l'allongea par terre, tandis que Raff ouvrait leur trousse de secours. Alors que le grand Maori se penchait sur le jeune garçon inconscient, Jaeger crut voir des larmes dans ses yeux. Ils s'attelèrent à donner les premiers soins à Luke ; Ruth se mit à parler tout en sanglotant.

«Ce type est arrivé… Le mal incarné. Il nous a décrit tout ce qu'il s'apprêtait à nous faire… Tout ce qu'il nous a fait… Et je t'ai pris pour lui!» Elle jetait des regards affolés autour d'elle. «Il est encore là? Dis-moi qu'il est parti…»

«Il n'y a plus personne ici à part nous.» Jaeger la serra dans ses bras. «Et personne ne vous fera plus aucun mal. Fais-moi confiance. Personne ne vous fera souffrir. Plus jamais.»

84

Le Wildcat se hissait en rugissant dans le ciel aux premières lueurs du jour ; l'hélicoptère prenait rapidement de l'altitude.

Jaeger était accroupi sur le plancher métallique devant les deux brancards, tenant les mains de sa femme et de son fils. Ils étaient vraiment mal en point. Il n'était même plus certain que Ruth le reconnaisse encore.

Il observait l'expression lointaine, trouble de son regard, la fixité des yeux, celle des morts-vivants. La même expression qu'il avait surprise dans le regard des singes avant qu'il ne mette un terme à leurs souffrances.

Il sentit une terrible fatigue s'abattre sur ses épaules, comme si le monde s'effondrait. L'épuisement se mêlait à un sentiment d'échec absolu qui l'anéantissait.

Kammler avait toujours su garder une longueur d'avance sur eux, à chaque étape de la traque.

Il les avait attirés dans sa toile avant de les recracher, comme des coques de noix vides. À Jaeger, il avait réservé sa vengeance ultime, en s'assurant que l'horreur de ses derniers jours dépasserait l'imagination.

Jaeger était effondré, paralysé par le chagrin. Détruit physiquement et mentalement. Trois longues années à rechercher Ruth et Luke, et au bout du chemin, il les retrouvait *dans cet état* !

Pour la première fois de sa vie, son cerveau envisagea une pensée atroce : *le suicide*. S'il devait assister à la mort de Ruth et de Luke dans ces conditions aussi épouvantables, cauchemardesques, il valait mieux partir avec eux, de sa propre main.

Il prit la résolution d'aller au bout de son geste. Si sa femme et son fils lui étaient arrachés une seconde fois, cette fois-ci pour l'éternité, il choisirait de mourir. Une balle dans la tête.

Au moins cette issue frustrerait-elle Kammler de son ultime victoire.

La décision de quitter l'île de la Peste n'avait pas été longue à prendre pour Jaeger et l'équipe. Il n'y avait plus rien à faire dans cet endroit maudit : ni pour Ruth et Luke, ni pour eux-mêmes, sans même parler de l'humanité tout entière.

Ils ne se faisaient aucune illusion, par ailleurs. Il n'existait aucun antidote, aucun vaccin. Pas pour une telle horreur ; pas pour un virus vieux de cinq mille ans ressuscité d'entre les morts. Tous les passagers de l'hélico étaient foutus, ainsi que la presque totalité de la population de cette planète.

Environ trois quarts d'heure plus tard, le Wildcat s'était posé sur la plage. Avant de monter à bord, chacun des membres de l'équipe était passé par la tente de décontamination humide pour une douche prolongée, avant de se débarrasser des combinaisons. Ils s'étaient ensuite frottés énergiquement avec l'EnviroChem, éliminant au passage les minuscules tessons de verre.

Certes, ils n'avaient aucun espoir de déjouer leur propre contamination.

Kammler leur avait bien martelé qu'ils étaient dorénavant des bombes vivantes, porteurs d'un virus implacable. Pour les personnes encore saines, leur souffle portait une sentence de mort.

C'est la raison pour laquelle ils avaient décidé de conserver leur masque FM54.

Non seulement les respirateurs filtraient l'air qu'ils inspiraient, mais grâce à une intervention de Hiro Kamishi, ils étaient en mesure de filtrer également l'air qu'ils expiraient, empêchant ainsi la propagation du virus.

La trouvaille de Kamishi était plutôt sommaire, elle n'éliminait pas tous les risques, mais c'était la meilleure solution qu'ils avaient sous la main. Chacun avait ainsi fixé un filtre à particules, semblable à un simple masque chirurgical, avec du ruban adhésif résistant sur l'orifice d'évacuation de l'air du respirateur. Les poumons peinaient un peu plus à chaque expiration pour chasser l'agent pathogène.

Le *Gottvirus* se concentrait désormais aux confins du respirateur, autour des yeux, de la bouche et du nez. Le danger d'aspirer le virus s'accroissait, donc celui d'accélérer le processus d'infection et l'apparition des symptômes. En résumé, en choisissant d'épargner les autres, ils risquaient de s'empoisonner plus rapidement.

Mais cela ne semblait pas les inquiéter outre mesure, puisque l'humanité entière paraissait vouée à la destruction.

Jaeger sentit une main réconfortante se poser sur son épaule. C'était Irina Narov. Il leva les yeux vers elle, un regard vide et douloureux qu'il tourna bientôt de nouveau vers Ruth et Luke.

«On les a retrouvés... Mais après tous ces efforts, ça semble tellement foutu.»

Narov s'accroupit près de lui. Elle plongea son regard bleu clair, étrange et glaçant, dans le sien.

«Peut-être pas...» Sa voix était intense, tendue. «Comment Kammler a-t-il acheminé son virus vers ses destinations? Réfléchis une seconde. Il nous a dit qu'il l'avait *déchaîné*. En ce moment même, il se répand aux quatre coins de la planète. Ça signifie qu'il en a fait une arme. Mais comment a-t-il *réussi* à faire ça?»

«Quelle importance? Il a relâché le virus. Il court désormais dans le sang de millions de personnes.» Il serrait les mains de sa femme et de son fils. «Il coule dans leur sang. Il se reproduit. Il prend le pouvoir. Quelle importance de savoir comment il se transmet?»

Narov secoua la tête, accentuant la pression de sa main sur son épaule. «Réfléchis encore. L'île de la Peste était déserte, abandonnée non seulement des hommes, mais aussi des singes. Toutes les cages étaient vides. Il avait évacué tous les primates. C'est comme ça qu'il a disséminé le virus partout, il l'a exporté par le biais de ses chargements KRP. Crois-moi. Je suis certaine de ce que j'avance. Il n'a laissé traîner dans la jungle que les singes qui avaient déjà des symptômes avancés.

« Le Chasseur de rats pourra retrouver les destinations de ces chargements », poursuivait Narov. « Les primates se trouvent peut-être encore en quarantaine. Ça ne stoppera pas totalement le virus, mais si on peut neutraliser les hangars à singes, au moins, ça ralentira sa propagation. »

« Mais qu'est-ce que ça peut faire ? », répéta Jaeger. « À moins que ces avions soient toujours en vol, et que nous arrivions à les stopper, le virus est déjà là-bas. Évidemment, ça nous fait gagner un peu de temps. Quelques jours. Mais sans vaccin, l'issue est toujours la même. »

Les traits de Narov s'assombrirent, son visage se creusa. Elle s'était accrochée à cet espoir, mais il s'évanouissait sous ses yeux.

« J'ai horreur de perdre », murmura-t-elle. Elle fit mine de s'attacher ses cheveux en une queue de cheval, un geste qu'elle accomplissait fréquemment avant de passer à l'action, mais elle réalisa qu'elle portait encore le respirateur. « Il faut essayer. C'est *impératif* ! C'est notre boulot, Jaeger. »

Il acquiesça. Mais la question était de savoir comment agir. Jaeger était totalement abattu. Ruth et Luke étaient allongés devant lui, lentement dévorés par le virus ; il ne restait rien qui vaille la peine de se battre.

Lorsque les kidnappeurs les avaient enlevés il y a trois ans, il estimait n'avoir pas réussi à les protéger. Il s'était raccroché à l'espoir de les retrouver, de les sauver ; un espoir de rédemption. Maintenant qu'il avait réussi, il se sentait doublement impuissant, incapable de réagir.

« Kammler... *On ne peut pas le laisser gagner !* » Les doigts de Narov s'enfonçaient dans l'épaule de Jaeger. « Là où il y a de la vie, il y a de l'espoir. Même quelques jours peuvent suffire à renverser la situation. »

Il la fixa, l'air absent.

Elle tendit la main vers Ruth et Luke, au fond de leurs brancards. « Là où il y a de la vie, il y a de l'espoir. Il faut que tu redeviennes notre chef. Il faut agir maintenant. Tu dois agir, Jaeger. *Tu le dois !*

Pour moi. Pour Ruth. Pour Luke. Pour tous les gens qui aiment, qui rient, qui respirent. Agis, Jaeger! On finira les armes à la main.»

Jaeger gardait le silence. Le monde semblait avoir cessé de tourner, le temps s'était arrêté. Alors, doucement, il serra la main d'Irina Narov et se releva. Les genoux tremblants, il tituba jusqu'au cockpit. Il s'adressa au pilote de la voix froide et atone qui sortait de l'émetteur externe du FM54.

«Passez-moi Miles à bord de l'Airlander.»

Le pilote s'exécuta et lui passa le micro.

«Ici Jaeger. Nous arrivons.» Son ton était dur et froid. «Nous amenons deux malades sur les brancards, tous deux infectés. Kammler a expédié tous ses primates. Ce sont les singes qui se chargent de propager le virus. Mettez le Rat sur le dossier. Il faut retrouver les vols, trouver les hangars des singes en quarantaine et les neutraliser.»

«Bien reçu», répliqua Miles. «Je m'y mets. Soyez sans crainte.»

Jaeger se tourna vers le pilote du Wildcat. «On a une urgence: deux blessés à déposer à bord de l'Airlander, alors pourquoi ne me montrez-vous pas à quelle vitesse maximum ce coucou peut foncer?»

Le pilote mit plein gaz. Le Wildcat gagna rapidement de l'altitude. Jaeger sentit frémir en lui une détermination implacable. *Mourir les armes à la main!*

Ils se lanceraient dans la bataille, peut-être la perdraient-ils, mais comme le répétait son chef scout quand il était gamin, paraphrasant Baden-Powell, le fondateur du mouvement: «Il ne faut jamais s'avouer vaincu avant d'être mort.»

Il leur restait quelques semaines pour sauver sa famille et le reste de l'humanité.

Des silhouettes s'agitaient en tous sens dans la soute de l'Airlander, sous la lumière crue des projecteurs. Des voix, des ordres,
se réverbéraient sur les flancs lisses des drones Taranis. Dominant
le tumulte, le rugissement des hélices du Wildcat perdait peu à peu
de son intensité, le pilote s'apprêtant à couper les gaz de la turbine.

Une équipe médicale prenait le relais, s'emparant du brancard de Ruth pour le diriger vers une Isovac 2004CN-PUR8C,
une unité d'isolation mobile. Composée d'un long cylindre en
matière plastique translucide, elle était renforcée à l'intérieur par
cinq arceaux, le tout posé sur un chariot roulant.

Elle servait à isoler des patients contaminés par un agent
pathogène de niveau 4, et en ce moment même Ruth et Luke
nécessitaient un traitement d'urgence, le plus adapté possible.

Les flancs de l'unité mobile sont équipés d'épais gants en latex,
permettant au personnel médical d'insérer les mains à l'intérieur
du caisson et d'agir sur le patient sans risque de contamination.
Un guichet étanche permet d'administrer des médicaments, tandis
qu'une «connexion ombilicale» fournit les drains et l'oxygène
nécessaires au patient.

Luke était déjà allongé dans son unité, relié à sa «connexion
ombilicale», tandis que Ruth, extraite du Wildcat, s'apprêtait à
rejoindre son propre caisson.

C'était pour Jaeger le moment le plus douloureux de cette
journée, noire entre toutes. Il avait l'impression de perdre sa
femme et son fils une seconde fois, alors qu'il venait à peine de
les retrouver.

Il ne parvenait pas à chasser de son cerveau une terrible et funeste image : les unités mobiles de Ruth et de Luke seraient leurs cercueils. Comme s'ils étaient déjà officiellement décédés ; du moins au-delà de toute possibilité d'être sauvés.

En émergeant de l'hélicoptère, la main posée sur le brancard de Ruth, toujours inconsciente, il avait l'impression d'être aspiré dans une spirale noire infernale débouchant sur le vide absolu.

Ruth fut introduite dans le caisson les pieds en avant, comme une balle glissée dans une culasse. Tôt ou tard, il lui faudrait lâcher sa main. Sa main qui ne réagissait plus au monde extérieur.

Il la serra jusqu'au dernier moment, les doigts unis dans les siens. Puis, tandis qu'il relâchait sa pression, il ressentit quelque chose. Était-ce son imagination ? Ou bien était-ce un spasme de vie, de conscience, dans la main ouverte de sa femme ?

Les yeux de Ruth s'entrouvrirent. Jaeger y plongea le regard, le cœur serré par une impossible étincelle d'espoir. Le voile fixe de zombie s'était évanoui, et pendant une fraction de seconde, il retrouva sa chère compagne. Il pouvait de nouveau lire dans ces yeux bleu-vert, parsemés comme jadis de minuscules éclats d'or.

Jaeger constata qu'elle regardait de droite et de gauche, enregistrant la scène. Ses lèvres s'animèrent, et Jaeger s'approcha, anxieux de capter ce qu'elle cherchait à dire.

« Viens plus près, mon chéri », murmura-t-elle.

Il se pencha encore ; il n'y avait plus entre leurs deux visages qu'un souffle d'air.

« Il faut trouver Kammler. Il faut trouver ceux qu'il a élus », murmurait-elle, les yeux fiévreux. « Trouve ceux qu'il a vaccinés, comme lui… »

Immédiatement, ce bref moment de lucidité s'évanouit. Les doigts de Ruth se détendirent, ses yeux se fermèrent. Il jeta un regard vers le personnel médical et hocha la tête, les invitant à finir de l'installer à l'intérieur de l'unité mobile.

Il recula d'un pas pendant qu'ils refermaient le caisson. Au moins, durant un instant, un instant si précieux, si merveilleux, elle l'avait reconnu.

Le cerveau de Jaeger tournait à cent à l'heure. *Trouver Kammler et ceux qu'il a vaccinés.*

Ruth s'était montrée géniale ! Son cœur battait à tout rompre. Peut-être ! Peut-être restait-il une petite étincelle d'espoir ?

Avec un dernier regard pour ceux qu'il chérissait entre tous, Jaeger les laissa partir vers l'unité médicale de l'Airlander. Puis il appela son équipe et se rua vers l'avant de l'aéronef.

Ils se réunirent dans la cabine de pilotage ; Jaeger sauta les mondanités, ce n'était pas vraiment le moment. « Écoutez-moi bien. Ma femme a repris conscience, pendant quelques secondes seulement. Il faut se souvenir qu'elle a passé beaucoup de temps dans l'antre de Kammler. Elle a vu tout ce qui s'y est passé. »

Ses yeux parcoururent les visages autour de lui et s'arrêtèrent sur Miles, le plus ancien. « Voilà ce qu'elle m'a dit : "Il faut trouver Kammler. Il faut trouver ceux qu'il a vaccinés, comme lui." Ce qu'elle essayait de me dire, c'est qu'il serait possible d'isoler une souche du vaccin qui se trouve maintenant dans leur organisme. Mais est-ce faisable ? Sur le plan scientifique, quelles seraient nos chances ? »

« Est-ce qu'on serait capables d'extraire et de synthétiser un antidote ? En théorie, bien sûr, ce serait possible », répondit Miles. « Quelle que soit la nature du vaccin que Kammler s'est injecté, les spécialistes seraient capables de le copier et de l'injecter dans notre système. Quant à le produire sur une grande échelle à temps, c'est une autre affaire. Mais à mon avis, il suffirait de quelques semaines. J'imagine. Notre défi est donc de mettre la main sur lui, ou sur un de ses acolytes. Et pour cela, il faut se mettre en chasse immédiatement… »

« Alors allons-y », intervint Irina. « Kammler doit s'y attendre, il a prévu une riposte de notre part. Il va falloir passer la planète entière au peigne fin pour le trouver. »

« Je vais mettre Daniel Brooks sur le coup, immédiatement », annonça Miles. « On aura la CIA avec nous, et tous les autres services secrets se lanceront à ses trousses. Nous allons… »

«Attendez! Une seconde!» Jaeger avait levé la main pour réclamer la parole. «Attendez…» Il secoua la tête, tâchant de clarifier ses idées. Il venait d'avoir une inspiration, une vision fugace, et il désirait la capturer, la rendre plus concrète, plus compréhensible.

Il scruta tous les visages qui l'entouraient, n'osant pas encore céder à l'excitation. «Mais, nous l'avons déjà!… L'antidote! La souche du vaccin…»

Les sourcils se froncèrent. De quoi Jaeger pouvait-il bien parler?

«Le gosse! Le gamin des rues. Simon Chucks Bello! Lui a survécu. Il a survécu parce que les sbires de Kammler l'avaient vacciné. *Il est immunisé*. Il porte cet antidote dans son sang. Le gamin, il est avec nous, ou plutôt avec Dale. Nous isolerons la source de son immunité. On la développera en laboratoire. On la produira en masse. *La réponse, c'est le gamin!*»

Quand il vit les yeux s'allumer autour de lui, quand il décela l'éclair aveuglant de la compréhension qui s'opérait en eux, Jaeger sentit courir dans ses veines un sursaut d'énergie qui le submergea.

Il croisa le regard de Miles. «Il faut faire redécoller le Wildcat. Il faut contacter Dale. Lui dire d'amener le gamin vers un endroit où nous pourrons atterrir et les faire monter à bord. Trouvez un endroit éloigné des touristes, une bande de sable accessible facilement.»

«Compris! Vous les ramènerez ici directement, j'imagine?»

«Tout à fait. Mais avertissez-les de rester à couvert, au cas où Kammler les surveillerait. Il a toujours eu une longueur d'avance. Cette fois-ci, on doit être plus rapides que lui.»

«Je vais donner l'ordre de lancer les deux Taranis, afin qu'ils orbitent au-dessus de l'endroit où se trouve Dale. Ainsi, vous bénéficierez d'une protection.»

«Parfait. Envoyez-nous les coordonnées du point de rendez-vous par radio, une fois que vous les aurez définies. Donnez-nous simplement une distance au nord ou au sud le long de la plage en partant d'Amani, et on saura où se poser. Et dites bien à Dale de ne pas se montrer tant qu'il n'aura pas vu le blanc de nos yeux.»

«Compris. Je m'en occupe tout de suite!»

Jaeger et son équipe rejoignirent la soute de l'Airlander au pas de course. Il attrapa le pilote de l'hélico par la manche. « Il va falloir que vous fassiez faire demi-tour au Wildcat. On va aller vers une zone qui s'appelle Ras Kutani. Ça devrait se trouver plus ou moins plein ouest à partir d'ici. On doit se poser et prendre deux passagers dans une station balnéaire, Amani Beach Resort. »

« C'est comme si c'était fait », répliqua le pilote.

86

Les trois 4x4 Nissan Patrol fonçaient vers le sud, leurs pneus tapant et tressautant comme des mitraillettes sur la tôle ondulée de la piste défoncée.

Derrière eux, des panaches de poussière s'élevaient, repérables à des kilomètres à la ronde, si du moins quelqu'un les observait.

Sur le siège passager du véhicule de tête, la carrure impressionnante de Steve Jones ballotait dans tous les sens, son crâne rasé luisant dans la lumière de l'aube. Son téléphone portable se mit à vibrer. Ils avaient parcouru trente bons kilomètres depuis l'aéroport, mais le réseau téléphonique fonctionnait toujours.

«Ici Jones.»

«Vous êtes loin d'Amani?», demanda la voix. Kammler.

«Une vingtaine de minutes, tout au plus.»

«C'est trop», aboya Kammler. «Ça ne peut plus attendre.»

«Qu'est-ce qui ne peut plus attendre?»

«J'ai un drone Reaper en position au-dessus de vos têtes, et il vient de repérer un hélicoptère Wildcat en approche. Rapide. Peut-être à cinq minutes seulement. Ce n'est peut-être rien, mais je ne peux pas prendre ce risque.»

«Que suggérez-vous?»

«Je vais frapper le complexe hôtelier. Amani. Et je vais envoyer un premier Hellfire sur le Wildcat.»

Steve Jones marqua un temps d'arrêt. Même lui était choqué par ce qu'il venait d'entendre. «Mais on est presque arrivés. Quinze minutes en mettant la gomme. Contentez-vous de taper l'hélico.»

«Je ne peux pas prendre le risque.»

«Mais vous ne pouvez pas anéantir une station balnéaire. Il doit y avoir une flopée de touristes.»

«Votre avis ne m'intéresse pas», aboya Kammler. «Je vous avertis simplement de ce qui va se produire.»

«Vous allez lâcher sept tonnes de merde sur nos têtes.»

«Alors, allez-y et repliez-vous rapidement. Tuez le gamin et tous ceux qui se mettront en travers de cette mission. C'est l'Afrique, ici, souvenez-vous. Et en Afrique, la cavalerie met beaucoup de temps à arriver, si elle arrive jamais. Réussissez cette mission, et vous toucherez la plus grosse prime de votre vie. Si vous échouez, je résoudrai le problème avec le Reaper.»

Kammler coupa la communication. Jones jeta un coup d'œil soucieux sur le paysage. Il commençait à se rendre compte qu'il était au service d'un dingue, aveuglé par le pouvoir. Directeur adjoint de la CIA ou non, Kammler n'obéissait qu'à sa propre loi.

Mais le fric était plus que correct. On ne pouvait pas vraiment se plaindre.

Jamais il n'avait empoché autant de blé sans rien faire, ou si peu. Kammler lui avait même doublé sa prime s'il ramenait une preuve de la réussite de la mission ; une preuve que le gamin avait vraiment été exécuté.

Jones était bien déterminé à toucher ce fric.

De toute façon, Kammler devait avoir raison. Qui donc irait mener une enquête dans ce coin perdu de la brousse africaine ? Le temps que les autorités se réveillent, lui et son équipe se seront évaporés depuis longtemps.

Il se tourna vers le chauffeur du 4x4. «C'était le patron. Appuie sur le champignon. On devrait déjà y être depuis hier !»

Le chauffeur enfonça la pédale d'accélérateur. Le compteur afficha presque 90 kilomètres/heure. Le gros Nissan semblait devoir se désintégrer sur la piste poussiéreuse et défoncée.

Mais ce n'était pas le problème de Jones.

C'était des véhicules de location.

87

Une gerbe d'écume jaillit sur l'océan lorsque le Wildcat se posa sur le sable humide. C'était marée descendante, et la plage était plus ferme là où les vagues venaient de se retirer.

Le pilote n'arrêta pas les turbines tandis que Jaeger, Narov, Raff, James, Kamishi et Alonzo sautaient les uns après les autres. Ils avaient atterri dans un paysage des plus surprenants. Dale avait mené le jeune garçon vers le sud, jusqu'à ce qu'ils contournent une pointe rocheuse qui les cachait totalement du complexe hôtelier d'Amani. Dans cette crique, les collines se jetaient abruptement dans l'océan, et leur base était attaquée par les plus fortes vagues, jusqu'à former des sculptures gigantesques de rocher rouge.

L'équipe s'organisa en position de défense, prenant abri derrière les éperons rocheux. Jaeger se rua en avant. Une silhouette courut vers lui. C'était Dale, flanqué de la forme frêle du gamin.

Simon Chucks Bello : à cette minute précise la personne la plus recherchée dans le monde.

Après un séjour de plusieurs jours à Amani, la chevelure du garçon était encore plus extravagante, les pics raidis par le sel, le sable et le soleil. Il portait un short deux fois trop grand pour lui, aux couleurs passées, ainsi qu'une paire de lunettes de soleil certainement empruntée à Dale.

Simon Chucks Bello affichait un look plutôt décontracté. Un sacré petit bonhomme. Loin de se rendre compte à quel point il était devenu important pour toute l'humanité.

Jaeger s'apprêtait à charger le gamin sur son épaule et à courir les cinquante mètres qui le séparaient de l'hélicoptère qui tournait au ralenti lorsqu'il ressentit un frisson glacé le long de sa colonne vertébrale. Sans le moindre avertissement, quelque chose déchira la brume de vapeur qui tourbillonnait au-dessus de l'hélice principale du Wildcat, avec un hurlement qui déchira les entrailles de Jaeger.

Le missile transperça le toit de l'hélico, cisaillant le fin métal comme un ouvre-boîte. Il explosa dans un éclair aveuglant, projetant une pluie d'éclats brûlants dans l'habitacle et défonçant les réservoirs d'essence jumeaux. Ils s'embrasèrent immédiatement, arrosant de langues de feu le fuselage en train de se désintégrer.

Jaeger regardait fixement le désastre, les yeux écarquillés. L'épaisse fumée issue de la destruction de l'appareil jaillissait vers le ciel et dans tous les sens, le vacarme assourdissant de l'impact se réverbérait encore le long des falaises.

La catastrophe avait pris moins d'une seconde.

Il avait vu fondre sur lui assez de Hellfire pour reconnaître le hurlement de loup, aigu et torturé caractéristique de ce missile. Lui et son équipe, en particulier Simon Chucks Bello, étaient en ligne de mire à cet instant précis. Il devait donc y avoir un Reaper posté dans le ciel au-dessus d'eux.

«HELFIRE!», hurla-t-il. «Reculez! Mettez-vous à couvert sous les arbres!»

Il plongea dans un épais fourré, entraînant le gamin et Dale avec lui. Simon Chucks avait les yeux écarquillés, les pupilles dilatées et tremblait de peur, ce qui n'était pas surprenant.

«Tiens bien le gamin!» hurla Jaeger à l'attention de Dale. «Il faut le calmer. Quoi que tu fasses, *ne le lâche pas!*»

Il roula sur le dos et fouilla dans les poches de son treillis, extirpant son téléphone satellite, et composa le numéro abrégé de l'Airlander. Miles répondit presque instantanément.

«L'hélico a été touché! Il doit y avoir un Reaper dans le coin!»

«On l'a trouvé. Les Taranis ont engagé une vilaine bagarre avec le drone en ce moment même.»

«Il faut le détruire, sinon on va griller comme des homards.»

«Compris. J'ai une info. Nous avons détecté trois 4x4 qui se dirigent vers la station balnéaire. Ils se déplacent rapidement, et sont à cinq ou six minutes du complexe hôtelier. J'ai l'impression qu'ils n'ont pas que de bonnes intentions.»

Merde. Kammler devait avoir déployé une force au sol, en plus des drones. De son point de vue, c'était logique. Il était trop prudent pour laisser le gamin face à un Reaper tirant des missiles depuis une altitude de trois mille mètres.

«Dès que le Reaper sera neutralisé, on pourra diriger les Taranis vers le convoi sur la piste», poursuivit Miles. «Mais ils pourraient déjà être parmi vous d'ici là.»

«D'accord. J'aperçois une rangée de canots pneumatiques plus loin sur la plage, amarrés à la jetée», précisa Jaeger. «Je vais en récupérer un et évacuer le gamin par l'océan. Pouvez-vous faire descendre l'Airlander pour un sauvetage en mer?»

«Un instant. Je vous passe le pilote.»

Jaeger échangea quelques mots avec le pilote de l'Airlander. Une fois fixés les détails de la récupération en mer, il se prépara à l'opération.

«Rassemblement!», cria-t-il dans son émetteur radio. «Je veux voir tout le monde!»

Un par un, les membres de l'équipe s'assemblèrent autour de lui. Tous avaient survécu au Hellfire, après s'être mis à couvert.

«Bien, on va devoir foncer!»

Instantanément, Jaeger se mit à courir le long de la plage, l'équipe sur ses talons. Personne n'avait demandé d'explication. Il fallait agir.

«Faites un bouclier autour du gamin!», cria Jaeger par-dessus son épaule. «Protégez-le des tirs éventuels. La vie du gamin est capitale pour tout le monde!»

88

Une courte rafale de mitraillette éclata en provenance du complexe hôtelier, à quelques centaines de mètres de la plage. Il y avait des gardes armés dans la station balnéaire d'Amani; peut-être essayaient-ils de se défendre. Mais Jaeger envisageait une autre possibilité.

Les tirs provenaient plus probablement des hommes de main de Kammler, annonçant leur arrivée dans le complexe.

Jaeger poussa Dale et le gamin à bord du bateau pneumatique. C'était un bateau à moteur à coque rigide, fait pour la navigation en haute mer, et il pria pour que les réservoirs soient pleins.

«Lance le moteur!», cria-t-il à l'attention de Dale.

Il balaya du regard la superbe jetée en bois. Une dizaine de canots semblables y étaient amarrés, tous susceptibles de se lancer à leur poursuite. Trop pour les neutraliser tous, surtout que les sbires de Kammler se rapprochaient dangereusement.

Il s'apprêtait à donner l'ordre à son équipe de se disperser lorsque les premiers éléments de la force arrivèrent en courant sur la plage. Jaeger compta six hommes, mais d'autres émergeaient déjà sur leurs talons.

Ils scrutèrent la plage, l'arme pointée, mais Raff, Alonzo, James et Kamishi avaient été plus rapides. Leurs MP7 crachaient déjà, et deux silhouettes au loin s'effondrèrent. La riposte fut immédiate et sauvage. Les rafales faisaient ricocher le sable en longues balafres, les dernières venant mourir dans l'océan, à deux pas de Jaeger.

Narov se rua vers lui, courbée en deux pour esquiver les tirs.

«Filez!», cria-t-elle. «Tout de suite! Barrez-vous! On va les retenir. *GO!*»

Jaeger hésita une seconde. C'était contre tout ce que son instinct lui dictait, contre tout ce que son entraînement au combat lui avait enseigné. On ne laissait jamais personne derrière soi. C'était son équipe. Ses frères d'armes. Il ne pouvait pas les abandonner au mauvais moment.

«BARREZ-VOUS!», hurlait Narov. «SAUVE LE GAMIN!»

Sans un mot, Jaeger se força à tourner le dos à son équipe. Sur son signal, Dale mit plein gaz et le canot pneumatique s'éloigna brusquement de la jetée. Une longue rafale se perdit dans son sillage.

Jaeger chercha Irina des yeux. Elle courait le long de la jetée, arrosant les moteurs des autres canots amarrés de son MP7. Elle voulait s'assurer que les hommes de Kammler n'auraient aucun moyen d'organiser la chasse. Mais son geste avait aussi pour conséquence qu'elle s'exposait à des volées de balles meurtrières.

Le canot contourna l'extrémité de la jetée. Narov piqua un ultime sprint et se jeta en avant. Pendant un instant, elle sembla voler, les bras tendus vers l'esquif lancé à pleine vitesse, puis elle heurta la surface de l'océan.

Jaeger se pencha par-dessus bord et réussit à agripper un pan de sa chemise. À la puissance des bras, il la hissa à bord. Elle était trempée jusqu'aux os. Allongée au fond du canot pneumatique, elle tentait de reprendre son souffle, crachant des goulées d'eau de mer.

Le canot approchait du premier récif. Il était déjà trop éloigné pour risquer des balles mortelles. Jaeger aida Dale à soulever le lourd moteur et à le renverser vers l'intérieur. La proue heurta les bas-fonds, près de la première passe entre les coraux, puis ils purent se faufiler jusqu'à la pleine mer qui s'ouvrait devant eux.

Dale mit plein gaz de nouveau, et le canot s'éloigna rapidement de la plage sombre, envahie de fumée, abandonnant la carcasse du Wildcat, et son équipage sacrifié, derrière eux. Néanmoins, Jaeger ne pouvait se détacher de la pensée douloureuse qu'une bonne partie de son équipe était prisonnière de cette plage, luttant pour la vie.

Narov s'approcha de lui. «J'ai toujours détesté les vacances au bord de la mer», cria-t-elle pour dominer le vacarme du moteur. «Au moins, le gamin est vivant. Il faut se concentrer là-dessus. L'équipe s'en tirera toujours.»

Jaeger hocha la tête. Narov parvenait toujours à lire dans ses pensées. Il n'était pas certain d'apprécier le fait d'être aussi transparent pour elle.

Il chercha des yeux Simon Chucks Bello. Le jeune garçon était accroupi au fond du canot, les yeux écarquillés par la peur. Il avait l'air beaucoup moins cool désormais. Il ressemblait plus à l'orphelin des rues qu'il était vraiment, en plus pâle, l'angoisse en plus. Jaeger était certain que c'était la première fois qu'il se retrouvait à bord d'un bateau, qui plus est au cœur d'une fusillade sanglante.

Tout bien considéré, il se comportait de façon admirable. Jaeger se souvint des paroles de Falk Konig: *ils ont la peau dure dans ces bidonvilles.*

Pour le coup, ils en avaient la preuve.

Jaeger se demanda où pouvait bien être Konig à cet instant. Quel côté de la barrière avait-il choisi? On dit que la voix du sang est toujours la plus forte, mais il préférait imaginer que Falk avait choisi le bien. Quoiqu'il n'eût pas parié l'avenir de l'humanité là-dessus.

Il se tourna vers Narov, montrant le gamin. «Tiens-lui compagnie. Calme-le.»

Il sortit le téléphone-satellite de son sac à dos et composa un numéro. Il poussa un soupir de soulagement en entendant la voix posée de Peter Miles.

«Je suis à bord d'un canot pneumatique en compagnie du garçon», cria Jaeger. «On se dirige plein est à trente nœuds. Est-ce que vous nous voyez?»

«Je vous ai en visuel par le biais du Taranis. Et vous serez heureux d'apprendre que le drone Reaper a été neutralisé.»

«Bonne nouvelle! Donnez-moi une zone vers laquelle nous diriger, pour l'évacuation.»

Miles lui indiqua des coordonnées GPS, à une trentaine de kilomètres de la côte, dans les eaux internationales. L'Airlander devant effectuer sa descente de trois mille mètres jusqu'au niveau de la mer, c'était le point d'interception le plus proche.

«La moitié de mon équipe est restée sur la plage pour repousser une attaque. Pouvez-vous diriger les drones dans cette direction pour frapper les hommes de Kammler?»

«Nous ne disposons plus que d'un seul Taranis, et il n'a plus de missile. On s'en est servi durant l'attaque sur le Reaper. Mais il est encore capable de voler à très basse altitude à Mach 1, pour carboniser quelques crabes…»

«Allez-y! Ne perdez pas nos gars des yeux. Nous, nous sommes sains et saufs. Le gamin est sain et sauf. Donnez-leur tout le soutien dont vous disposez!»

«Compris.»

Miles ordonnerait au technicien en charge des drones de faire effectuer au Taranis des passages au ras de la plage, un exercice plutôt impressionnant. Les hommes de main de Kammler auraient intérêt à rentrer la tête dans les épaules. Pendant ces passages, Raff, Alonzo, James et Kamishi devraient saisir leur chance pour s'échapper.

Il s'accorda un moment de répit, s'appuyant contre le plat-bord, luttant contre les vagues de fatigue. Ses pensées le ramenaient sans cesse à Ruth et Luke. Il envoya une prière de remerciements: ils étaient toujours en vie, tout comme Simon Bello.

Un miracle d'avoir le jeune garçon sain et sauf à bord de ce canot.

Plus précisément, il représentait la seule chance de survie de la famille de Jaeger.

89

Tandis qu'ils filaient sur l'océan, Jaeger repensa à l'équipage du Wildcat. Une triste fin, mais au moins, elle avait été instantanée. Ils avaient fait le sacrifice de leur vie pour sauver l'humanité ; c'étaient désormais des héros, et Jaeger ne les oublierait jamais. Sa mission dorénavant serait de faire en sorte que leur sacrifice n'ait pas été vain. Et de s'assurer que Raff, Alonzo, Kamishi et James s'extirpent vivants de cette plage.

Il se souvint qu'ils étaient des commandos hors pair. L'élite des forces spéciales. Ils sauraient s'en sortir. Même si la plage n'offrait aucune couverture, même si les autres étaient trois fois plus nombreux. Il aurait voulu être à leurs côtés, combattant épaule contre épaule avec ses frères d'armes.

Ses pensées dérivèrent vers le maître d'œuvre de toutes ces morts, de toute cette souffrance, l'architecte du mal : Kammler. Ils possédaient maintenant assez de preuves pour le confondre et l'envoyer aux galères, ou pire. Son directeur, Daniel Brooks, allait certainement tout mettre en œuvre pour le retrouver. La traque avait d'ailleurs probablement commencé.

Mais comme Irina Narov l'avait fait remarquer, Kammler devait avoir anticipé la manœuvre ; il devait être caché au fond d'un trou où il s'imaginait que personne ne viendrait le chercher.

La sonnerie du téléphone replongea Jaeger dans l'abrupte réalité. Il répondit.

« Ici Miles. J'ai bien peur que vous n'ayez de la compagnie. Un yacht rapide se dirige vers vous. Les amis de Kammler ; ils ont réussi à partir d'Amani. »

Jaeger étouffa un juron. «Est-ce qu'on peut les distancer?»

«Il s'agit d'un Sunseeker Predator 57... Vitesse maxi: quarante nœuds. Ils ne vont pas tarder à vous rattraper.»

«Le Taranis ne peut pas intervenir?»

«Il n'a plus de missiles», lui rappela Miles.

Une pensée traversa l'esprit de Jaeger. «Écoutez: vous vous souvenez des kamikazes? Ces pilotes japonais qui écrasaient délibérément leurs avions sur les navires alliés, durant la Seconde Guerre mondiale? Est-ce que votre technicien serait capable d'un tel exploit? Couler le Sunseeker d'une seule frappe, sans missile? Transpercer un super-yacht avec le dernier Taranis lancé à Mach 1?»

Miles demanda une seconde de réflexion. Il devait vérifier la possibilité de l'opération. «Mon technicien estime que c'est jouable. Ce n'est pas très orthodoxe; ça ne fait pas vraiment partie de leur formation. Mais il m'assure que c'est faisable...»

Les yeux de Jaeger se mirent à briller. «Alors, c'est parfait! Mais ça signifie aussi que nous laissons nos camarades sur la plage sans aucune couverture.»

«C'est vrai. Mais nous n'avons plus d'autre option. La priorité absolue, c'est le jeune garçon. Ça ne se discute même pas.»

«J'en suis conscient», répliqua Jaeger à contrecœur.

«Bien. Nous allons reprogrammer le Taranis. Mais le Sunseeker est en train de fondre sur vous, préparez-vous à essuyer la tempête. On amène le drone sur zone aussi rapidement que possible.»

«Bien reçu», confirma Jaeger.

«Et afin de nous assurer que le gamin sera en sûreté, dès que vous serez à bord, nous bénéficierons d'une escorte de deux F-16, dépêchés par Brooks depuis la base américaine la plus proche. Il m'a confirmé qu'il était prêt à lancer les opérations à découvert contre Kammler.»

«Il est sacrément temps!»

Jaeger coupa la communication et se saisit de son MP7, signalant à Narov de faire de même. «On a de la visite. Un yacht super-rapide. On devrait le voir arriver incessamment.»

Le canot pneumatique fonçait aussi vite que le lui permettait la puissance de son moteur, mais comme le redoutait Jaeger, ils décelèrent bientôt la proue blanche caractéristique d'un Sunseeker, et son sillage de vagues et d'écume. Il se dirigeait rapidement sur eux. Narov et lui-même adoptèrent leurs positions, agenouillés contre le plat-bord du canot, le MP7 pointé, posé sur le rebord. Jaeger regretta amèrement de ne pas disposer d'une arme plus longue, dotée d'une puissance de frappe décuplée.

La proue agressive et finement profilée du Sunseeker fendait les vagues comme un poignard, tandis que ses moteurs projetaient des gerbes d'eau dans son sillage. Ses passagers étaient armés d'AK-47, dont le rayon d'action atteignait trois cent cinquante mètres – le double du MP7.

Mais tirer avec précision depuis un yacht lancé à pleine vitesse sur une mer formée relève de l'exploit, même pour les tireurs d'élite. Jaeger espérait aussi que les hommes de Kammler s'étaient fournis en armes sur le marché local : il y aurait dans ce cas de fortes chances qu'elles soient mal réglées.

Le Sunseeker se rapprochait rapidement. Jaeger distinguait plusieurs silhouettes perchées sur la plage avant, devant le poste de pilotage, les armes reposant sur le bastingage. Trois autres tireurs étaient assis sur les sièges de la plage arrière surélevée.

Ceux de la plage avant ouvrirent le feu les premiers, tirant de longues rafales en direction du canot pneumatique, le moteur toujours à fond. Dale entreprit de lancer l'esquif dans une série de virages serrés, imprévisibles, pour compliquer la tâche des tireurs ; mais à chaque seconde, la situation devenait plus critique.

Jaeger et Narov, l'œil dans le viseur, n'avaient toujours pas ouvert le feu. Le Sunseeker se rapprochait encore, moteurs rugissant. Les rafales continuaient, soulevant des gerbes d'eau à la surface des vagues de part et d'autre du canot.

Jaeger jeta un coup d'œil par-dessus son épaule. Simon Bello s'était recroquevillé dans l'espace prévu pour les jambes des passagers, tremblant de tous ses membres, les yeux fous.

Une courte rafale partit du canot : Jaeger venait d'atteindre la coque du Sunseeker. Mais sans conséquence notable pour le yacht. Il s'efforça de calmer ses nerfs, de se concentrer sur sa respiration, de bloquer toutes les autres pensées. Après un regard vers Irina Narov, ils lâchèrent ensemble une nouvelle rafale.

Jaeger vit un des hommes sur la plage avant s'effondrer sur son arme, touché par une balle. Sous les yeux de Jaeger, l'autre tireur le souleva sans le moindre effort avant de le balancer par-dessus bord.

C'était un geste absolument impitoyable, qui glaçait le sang.

L'homme avait jeté le corps dans l'océan à la seule force des bras et des épaules. Pendant un court instant, Jaeger repensa à un épisode de son passé : la silhouette du tireur, sa carrure, ses mouvements lui semblaient étrangement et désagréablement familiers.

Il eut un éclair de lucidité. La nuit de l'attaque. La nuit où sa femme et son fils avaient été enlevés. Cette carrure impressionnante, ce ton haineux derrière le masque anti-gaz… *Cet homme et celui qu'il avait devant les yeux ne faisaient qu'un !*

L'homme qui se dressait à la proue du Sunseeker s'appelait Steve Jones ; c'était celui qui avait presque réussi à tuer Jaeger durant leur sélection pour rejoindre les SAS.

Cet homme, venait soudain de réaliser Jaeger comme dans un flash, était le responsable de l'enlèvement de Ruth et de Luke.

90

Jaeger se pencha vers le jeune garçon, ce gamin si précieux ; il était allongé tout au fond du canot pneumatique, d'où il ne pouvait voir la bataille implacable qui se déroulait au-dessus. Simon Chucks Bello ne voyait pas les balles qui sifflaient, mais Jaeger comprenait qu'il souffrait, à la fois physiquement et mentalement. Il l'avait entendu vomir au moins une fois déjà.

« Tiens bon, et montre-moi que tu es un héros ! », lui cria-t-il en lui décochant un sourire rassurant. « Je ne vais pas te laisser mourir, c'est promis ! »

Pourtant, le Sunseeker n'était plus qu'à cent cinquante mètres de la poupe du canot, et seules la houle et ses vagues puissantes protégeaient encore l'esquif.

Cela ne durerait pas.

Si le yacht s'approchait encore, les rafales de Jones et de ses hommes finiraient par les atteindre. Et pour noircir encore le tableau, Jaeger commençait à manquer de munitions.

Narov et lui avaient vidé six chargeurs, deux cent quarante balles en tout. Un nombre conséquent, certes, mais presque dérisoire quand on tentait de repousser l'assaut d'une bande solidement armée à bord d'un canot lancé sur l'océan, à l'aide de deux pauvres fusils mitrailleurs à courte portée.

Ce n'était plus qu'une question de temps avant que le canot pneumatique n'essuie une rafale probablement fatale.

Jaeger se retint de rappeler Miles pour réclamer d'urgence l'aide du Taranis. Mais la situation était trop critique pour baisser la garde et relâcher la pression. Dès que le Sunseeker reviendrait dans leur ligne de mire, il fallait le frapper durement et avec une précision absolue.

Quelques instants plus tard, le superbe yacht réapparut, son étrave fondant vers le sillage de leur embarcation. Jaeger et Narov répliquaient à chaque balle. Ils virent la silhouette reconnaissable entre toutes de Jones se dresser pour lâcher une rafale automatique. Les balles s'enfoncèrent dans l'océan, faisant gicler l'écume, en ligne droite vers la proue du canot. De toute évidence, Jones était un tireur émérite, et cette rafale leur arrivait en plein dessus.

Et au dernier moment, Dale accéléra au sommet d'une crête de vague et le canot chuta de quelques mètres. Les balles sifflèrent au-dessus de leur tête.

Ils entendaient clairement le rugissement des moteurs puissants du Sunseeker. Jaeger resserra sa prise autour de son MP7, balayant l'horizon, tâchant de deviner le lieu exact où le yacht réapparaîtrait.

C'est à ce moment précis qu'il l'entendit. Un bruit stupéfiant, comme un tremblement de terre, comme un roulement de tonnerre, comme si un séisme sous-marin ébranlait le fond de l'océan. Il se réverbérait dans l'atmosphère, noyant tous les autres sons.

Un instant plus tard, une gigantesque flèche traversa les cieux, propulsée à mille deux cents kilomètres/heure par le turboréacteur de son moteur Rolls-Royce Adour. Il passa au-dessus de leurs têtes au ras des flots, oscillant légèrement tandis que le technicien corrigeait la trajectoire du Taranis afin de rester focalisé sur sa cible.

Une fusillade assourdissante éclata, en provenance du Sunseeker ; les hommes postés sur les plages avant et arrière du yacht tentaient de faire exploser le drone en vol. Jaeger cala Jones dans le viseur de son MP7, lâchant de courtes rafales, tandis que son ennemi acharné ripostait en vidant son chargeur.

Près de lui, Narov épuisait ses dernières cartouches.

C'est alors que Jaeger sentit qu'il s'était passé quelque chose.

Son oreille venait de percevoir le craquement délicat, creux, écœurant, d'une balle à grande vitesse pénétrant la chair humaine.

Narov étouffa un gémissement. L'impact du projectile la fit basculer brusquement à la renverse, et elle passa par-dessus bord.

Son corps taché de sang fut aspiré dans le sillage, au moment même où la flèche effilée du Taranis lancé à pleine vitesse heurtait l'horizon. Un gigantesque éclair lumineux, aveuglant, embrasa le ciel, suivi une fraction de seconde plus tard par une explosion assourdissante, répercutée par la surface de l'océan. Une pluie de débris s'abattit de tous côtés.

D'immenses flammes s'engouffraient dans les structures ravagées du Sunseeker, tandis que le canot pneumatique poursuivait sa course vers le large. Le yacht avait été touché au niveau de la proue, et l'épave vomissait des flammes gigantesques et des volutes de fumée noire.

Jaeger scrutait désespérément le sillage du canot, à la recherche d'Irina, mais sans succès. Le canot fonçait à pleine vitesse, il serait bientôt impossible de retrouver la jeune femme.

«Fais demi-tour!», hurla-t-il à l'attention de Dale. «Narov est passée par-dessus bord! Elle est blessée!»

Dale avait gardé les yeux rivés sur le large durant les péripéties, cherchant à éviter les plus grosses vagues et à maintenir le canot à flot. Il n'avait pas vu ce qui s'était passé. Il réduisit immédiatement les gaz, s'apprêtant à faire demi-tour. La sonnerie du téléphone satellite de Jaeger retentit.

C'était Miles. «Le Sunseeker est hors de combat, mais pas coulé. Plusieurs hommes ont survécu, ils sont toujours armés.» Un silence, comme s'il vérifiait les instruments du poste de commande. «Et quelle que soit la raison pour laquelle vous avez ralenti, il ne faut pas perdre une seconde, remettez les gaz et rejoignez le plus vite possible le point de rendez-vous. *Il faut sauver le gamin!*»

Jaeger abattit le poing sur le bastingage du canot. S'ils rebroussaient chemin vers l'épave fumante du Sunseeker pour repêcher Narov, ils risquaient d'exposer le jeune garçon à un grand danger, celui d'être atteint par une balle. Jaeger bouillait de rage.

Il était conscient qu'il leur fallait s'éloigner le plus rapidement possible, pour sauver sa famille, pour sauver l'humanité.

Mais il ne supportait pas l'idée de devoir prendre une décision d'une telle importance.

«Reprends le cap!», rugit-il à l'attention de Dale. «Plein gaz! Cap sur le lieu de rendez-vous.»

Comme en écho à cette décision, une pluie de balles s'abattit autour du canot. De toute évidence, les hommes de Kammler rescapés du drone, dont peut-être Jones lui-même, avaient l'intention de périr les armes à la main.

Jaeger remonta vers l'avant du canot pour aller réconforter Simon Bello, tout en scrutant le ciel à la recherche de la forme allongée et ramassée caractéristique de l'Airlander. Il ne savait pas ce qu'il pouvait faire de plus.

«Écoute-moi, mon vieux. Détends-toi. On n'en a plus pour longtemps. On va te tirer de toute cette merde.»

Mais Jaeger n'entendit même pas la réponse de Simon: il n'était plus qu'une boule de rage et de frustration.

Quelques minutes plus tard, le dirigeable se matérialisa dans le ciel comme un immense spectre blanc qui grandissait rapidement au fur et à mesure qu'il perdait de l'altitude. Le pilote effectua une approche parfaite avant de s'immobiliser au-dessus de la surface de l'océan. Les hélices géantes à cinq pales, aux quatre coins de la coque du dirigeable, soulevèrent des nuages d'écume, puis les patins de l'Airlander entrèrent en contact avec l'eau.

Le pilote descendit encore quelques centimètres pour permettre à la rampe d'accès à la soute de s'abaisser jusqu'à affleurer les vagues. Les turbines hurlaient, le pilote manœuvrant pour maintenir la stabilité de l'aéronef. Les deux hommes à bord du canot essuyaient une tempête d'embruns provoquée par le souffle des hélices.

Jaeger avait pris la barre du canot. Il s'apprêtait à accomplir une manœuvre qu'il n'avait vu réussir que par le barreur le plus expérimenté au sein des commandos, lorsqu'il était jeune recrue dans les Marines. Ce type avait mis des années à parfaire ses gestes, mais Jaeger n'aurait qu'une seule tentative pour réussir.

Il orienta le canot pneumatique de manière à ce que la proue se trouve exactement dans l'alignement de la soute. Le responsable des charges qui se trouvait sur la rampe d'accès leva le pouce, et pour toute réponse Jaeger lança le moteur au maximum. Il fut rejeté vers le fond du siège de pilotage, tandis que le moteur rugissant projetait le canot vers l'avant.

Dans un instant, ils allaient se jeter sur la rampe d'accès de l'Airlander à toute allure, et Jaeger croisait les doigts. La moindre erreur de calcul serait fatale.

91

Deux secondes avant l'impact, Jaeger releva le moteur du canot pour dégager l'hélice de l'eau, puis coupa les gaz. Le dirigeable géant se dressait devant eux comme une masse imprenable ; il y eut un choc sourd lorsque la coque du canot claqua sur la rampe d'accès, puis celui-ci glissa en avant avec un bruit mat, dérapant jusqu'à l'entrée de la soute.

L'esquif finit sa course en travers quelques mètres plus loin.

Ils avaient réussi.

Jaeger leva le pouce en direction du contrôleur des charges. Les propulseurs accélérèrent en hurlant pour soulever le gigantesque aéronef et l'arracher de la surface de l'océan, avec son nouveau chargement.

Il s'éleva de quelques centimètres, les vagues retenant encore les patins.

Jaeger alla voir Simon Bello et lui passa la main dans les cheveux.

Certes, ils l'avaient sauvé, mais avaient-ils sauvé l'humanité ? Avaient-ils sauvé Ruth et Luke ?

Kammler avait dû flairer qu'ils retrouveraient le gamin, sinon comment expliquer qu'il ait lancé ses hommes de main, ses chiens de guerre, à leur poursuite ? Il devait se douter maintenant que Simon Bello constituait la riposte, qu'il détenait le vaccin dans ses veines.

Tout au fond de lui-même, Jaeger était convaincu que le jeune garçon les sauverait tous. Mais à cet instant précis, il ne ressentait aucune joie, aucune raison de se réjouir de ce succès. Il ressassait sans cesse dans son cerveau l'image terrible, finale, d'Irina Narov blessée, éjectée du canot pneumatique.

L'idée de l'abandonner à son destin le torturait sans fin.

Il se pencha au-dessus de la rampe d'accès. La surface de l'océan s'agitait dans une frénésie d'écume bouillonnante. Les propulseurs, lancés au maximum de leur puissance, tentaient de soulever la masse du dirigeable qui résistait à sa base. Il laissa errer son regard le long de la carlingue et repéra soudain la forme reconnaissable entre toutes d'un des radeaux de sauvetage de l'Airlander.

En un éclair, il concocta son plan.

Criant à Dale de veiller sur le gamin, il sauta du canot pneumatique, arracha le radeau de la paroi et piqua un sprint le long de la rampe d'accès, jusqu'à atteindre le bord du vide. Il se saisit du casque radio du contrôleur de charge et appela Miles. « Faites décoller l'Airlander, mais restez à moins de quinze mètres. Mettez le cap plein ouest, à bas régime ! »

Miles confirma la réception, et Jaeger sentit que les propulseurs accéléraient encore. Pendant de longues secondes, l'aéronef sembla incapable de s'arracher à l'attraction de l'eau. Les vagues continuaient de mourir contre la coque.

Puis, toute la structure se mit à vibrer, et dans un dernier effort, elle se libéra de l'étreinte de l'océan. Brusquement, l'Airlander redevenait une machine volante.

Le dirigeable géant effectua un demi-tour et commença à faire route plein ouest au-dessus des vagues. Jaeger scrutait la surface, utilisant son GPS et la carcasse en feu du Sunseeker comme points de référence.

Finalement, il aperçut une minuscule silhouette entre deux crêtes de vagues.

L'aéronef était à une centaine de mètres d'elle.

Jaeger n'hésita qu'une fraction de seconde. Il estimait la chute libre à une quinzaine de mètres. C'était conséquent, mais jouable, s'il pénétrait l'eau proprement. L'élément crucial, c'était de lâcher le radeau de sauvetage, sinon sa flottaison le stopperait net, comme s'il s'écrasait contre un mur de briques.

Jaeger lâcha le radeau et quelques secondes plus tard se jeta dans le vide, plongeant vers l'océan. Juste avant l'impact, il adopta la position idéale, les jambes droites et serrées, les orteils pointant vers le bas, les bras croisés sur la poitrine, le menton bien rentré.

La collision lui coupa le souffle. Mais en s'enfonçant dans l'océan, il remercia le ciel : rien de cassé. Il refit surface quelques secondes plus tard, pour entendre le sifflement caractéristique du radeau qui s'emplissait d'air grâce à un système intégré se déclenchant automatiquement au contact de l'eau.

Le «radeau de sauvetage» de Jaeger s'apparentait en fait à une version miniature du canot pneumatique qu'il venait de quitter. Gonflé à bloc, il déployait un auvent étanche fermé par un gros zip, et disposait de deux rames.

Jaeger leva les yeux. L'Airlander reprenait de l'altitude : il s'éloignait du danger, emportant avec lui son précieux chargement.

Une fois à bord du radeau, Jaeger n'eut aucun mal à s'orienter. Ancien commando des Royal Marines, il avait le pied marin, aussi à l'aise sur l'océan que sur la terre ferme. Il trouva la position où il avait localisé Narov quelques minutes auparavant et se mit à ramer.

Il lui fallut quelques minutes d'efforts lorsqu'il repéra quelque chose. Une forme humaine, certes, mais Narov n'était pas seule. L'œil de Jaeger reconnut instantanément à la surface le triangle noir d'un aileron rôdant autour de la jeune femme blessée. Ils se trouvaient maintenant bien au-delà des barrières de corail, qui protégeaient les plages de tels prédateurs.

Sans aucun doute possible, c'était un requin ; et Irina courait un danger mortel.

Jaeger scruta la surface aux alentours et repéra d'autres ailerons, au moins deux à proximité. Les épaules rendues douloureuses par l'intensité de son effort, il tentait pourtant d'accélérer, pour la rejoindre le plus vite possible.

Il s'approcha enfin de Narov, rangea les rames et se pencha par-dessus bord. Il réussit à agripper son corps et tira la jeune femme dans le radeau, à l'abri des squales. Ils s'effondrèrent l'un sur l'autre, hors d'haleine, au fond du dinghy. Incapable de nager depuis un bon moment, Narov saignait abondamment, et Jaeger se demandait comment elle pouvait être encore consciente.

Allongée de tout son long, haletant et suffoquant, les yeux fermés, elle laissa Jaeger s'occuper de ses blessures. Comme tous les radeaux de sauvetage, celui-ci possédait une trousse de secours, ainsi qu'un nécessaire de survie. Elle avait reçu une balle dans l'épaule, mais autant qu'il puisse en juger, la balle était ressortie sans toucher un os.

Une chance diabolique, songea-t-il. Il stoppa l'hémorragie avant d'appliquer une bande autour de l'épaule. Il était impératif maintenant de lui faire avaler de l'eau. Il fallait qu'elle se réhydrate afin de régénérer le sang qu'elle avait perdu. Il lui tendit une bouteille d'eau minérale.

«Bois! Même si tu te sens mal, il faut boire!»

Elle s'empara de la bouteille et avala quelques gorgées. Son regard croisa celui de Jaeger et elle remua les lèvres. Il approcha son oreille de sa bouche. Elle articula de nouveau la phrase qu'il n'avait pas saisie, dans un murmure rauque.

«Tu en as mis du temps… Qu'est-ce qui t'a retardé à ce point?»

Jaeger secoua la tête, avant de sourire. Irina Narov! Elle était vraiment incroyable.

Elle tenta de réprimer un rire, qui s'acheva en une quinte de toux pathétique. Elle souffrait. De toute évidence, Jaeger devait lui trouver une assistance médicale, et rapidement.

Il s'apprêtait à reprendre les rames lorsqu'il entendit quelque chose. Des voix, venant de l'ouest. Mais l'épais nuage de fumée qui dérivait depuis l'épave en feu du Sunseeker l'empêchait de distinguer leur provenance exacte.

Pourtant, Jaeger n'avait aucun doute à propos de ces voix, et de ce qu'il devait faire maintenant.

92

Jaeger chercha désespérément une arme. Il n'y en avait pas à bord du dinghy, et le MP7 de Narov devait reposer quelque part au fond de l'océan.

C'est alors qu'il le vit. Sanglé sur la poitrine d'Irina, dans son étui, comme toujours : son poignard de commando ; celui que lui avait offert son propre grand-père. Avec sa lame de dix-huit centimètres, c'était parfait pour ce que Jaeger avait en tête.

Il se pencha sur la jeune femme et libéra l'étui avant de l'attacher à sa ceinture. En réponse à son regard interrogateur, il s'approcha de son oreille.

« Ne bouge pas. Reste tranquille. J'ai un petit truc à faire. »

Il s'assit au bord du radeau et se laissa tomber à la renverse avant de disparaître dans les vagues de l'océan.

Une fois dans l'eau, il prit un moment pour se repérer ; les voix continuaient de lui parvenir, mais déformées par la houle.

Il se mit à nager, dans un style coulé, silencieux et puissant. Seule sa tête affleurait de temps en temps. Il se dirigeait au son des voix. D'une voix en particulier, qui le stimulait plus que les autres et qu'il ne reconnaissait que trop bien.

La voix aux accents rugueux et stridents de Steve Jones.

Le radeau de sauvetage du Sunseeker était une structure gonflable imposante, de forme hexagonale, avec un auvent pour protéger les passagers de la pluie. Jones et les trois autres survivants du yacht étaient à l'intérieur de l'auvent, profitant des rations et des vivres qu'ils avaient trouvés sur place.

Jones avait dû s'apercevoir qu'il avait touché Narov ; il l'avait vue basculer dans l'océan. Comme il n'était pas homme à abandonner un job, ou à baisser les bras, il savait qu'il devait finir le travail.

Jaeger se devait de mettre un terme à cette histoire.

Il devait couper la tête du serpent.

Le radeau de sauvetage se repérait beaucoup plus facilement qu'un nageur solitaire, surtout si celui-ci se fondait avec l'élément. Lorsque Jaeger atteignit l'arrière du radeau, il s'arrêta, prit une formidable inspiration et se laissa couler sous la surface. Il nagea en profondeur sous l'esquif et refit surface au niveau de l'ouverture de l'auvent. Il repéra la carrure massive de Jones qui lui tournait le dos et faisait pencher le radeau de son côté. D'une seule poussée, il surgit de la mer et atterrit juste derrière sa cible. En un éclair, il avait passé le bras autour de son cou dans un étranglement puissant, lui relevant la tête puis la penchant vers la droite.

Dans le même geste, son bras gauche s'abattit violemment, et la lame du poignard évita la clavicule pour s'enfoncer irrémédiablement jusqu'à transpercer le cœur de Jones. Une seconde plus tard, entraînés par leur poids, ils basculaient tous les deux dans l'océan.

Il n'est jamais simple de tuer un homme avec un poignard. Et c'est encore plus compliqué lorsqu'on a affaire à un adversaire aussi puissant et expérimenté que Jones.

Ils coulaient vers les profondeurs de l'océan, emmêlés, luttant férocement ; Jones tentait de se libérer de l'étreinte mortelle de Jaeger. Pendant de longues secondes, il lutta à coups de coude, de griffes, pour se débarrasser de son ennemi mortel. Malgré ses blessures, il restait immensément, incroyablement puissant.

Jaeger n'en revenait pas : c'était comme s'il avait enlacé un rhinocéros. Au moment où il réalisait qu'il ne le maîtriserait plus très longtemps, une forme allongée, profilée comme une flèche, surgit dans son angle de vision.

L'aileron noir fendait la surface de l'eau.

Un requin. Attiré par l'odeur du sang. Le sang de Steve Jones. Jaeger tourna le regard dans la direction du squale, et réalisa avec un choc qu'ils étaient nombreux, une dizaine au moins tournoyant autour d'eux.

Il rassembla toutes ses forces, relâcha la pression sur Jones et d'un violent coup de pied l'éloigna le plus loin possible. Le colosse tournoya sur lui-même, agitant ses bras musculeux pour se saisir de Jaeger dans la pénombre sous-marine.

C'est alors que Jones s'aperçut de leur présence. *Les requins.*

Jaeger vit ses yeux s'écarquiller sous l'effet de la panique.

La blessure de Jones laissait s'échapper un nuage de sang dans le courant. Comme Jaeger s'éloignait rapidement à la nage, il vit les premiers squales, les plus agressifs, bousculer Jones de leur museau. Jones tenta de les repousser, visant leurs yeux de ses poings, mais les requins avaient senti que la proie était blessée, et qu'elle perdait son sang.

Alors que Jaeger atteignait enfin la surface, il ne distinguait plus qu'une masse énervée et grouillante autour du corps de son ennemi.

Il était épuisé, hors d'haleine, mais il savait ce qui l'attendait maintenant : des hommes armés, scrutant la surface. Dans un effort désespéré, il replongea et gagna le radeau du Sunseeker. À l'aide du poignard d'Irina, il transperça le plancher de toile caoutchoutée en plein milieu et remonta sur toute la longueur de l'esquif. Sous leur propre poids, les trois chiens de guerre s'effondrèrent dans l'eau. En s'enfonçant, l'un d'eux décocha une ruade qui atteignit Jaeger à la tête. Il crut qu'il allait perdre connaissance sous la violence du coup, mais saisit in extremis un pan de l'enveloppe du radeau qu'il avait éventrée. L'air s'échappait toujours. Jaeger réussit à se hisser.

Il passa la tête et les épaules par la déchirure et se remplit plusieurs fois les poumons d'air avant de replonger. Il s'aperçut en s'éloignant à la nage qu'il ne tenait plus le poignard d'Irina Narov. Il serait toujours temps de s'en inquiéter plus tard… s'il s'en tirait vivant.

Il mit le cap en direction de leur radeau de sauvetage. Les hommes de Kammler l'avaient certainement repéré, mais ils avaient d'autres soucis en tête : leur propre survie. Des gilets de sauvetage se trouvaient probablement à bord de leur esquif en perdition, mais à ce moment précis ils se débattaient avec leur propre panique. Jaeger les abandonna à la mer et aux requins. Il en avait terminé avec ceux-là. Il fallait s'en éloigner le plus vite possible, et mettre Narov en sécurité.

Quelques minutes plus tard, Jaeger se hissa à bord du radeau de l'Airlander. En s'allongeant sur le plancher pour reprendre son souffle, il vit que Narov tentait de se relever pour prendre les rames, et il dut intervenir physiquement pour l'en empêcher.

Il reprit place et commença à ramer, pour s'éloigner du carnage et se rapprocher de la côte. Il observait Narov tout en tirant sur les rames. Elle était épuisée, et subissait gravement le contrecoup des événements récents. Il fallait à tout prix qu'elle ne perde pas connaissance, qu'elle continue de se réhydrater et reste au chaud ; d'autre part, ils avaient besoin tous les deux de refaire le plein d'énergie, l'adrénaline commençant à se dissiper dans chacun de leurs muscles.

«Regarde ce qu'il y a dans les réserves. Les rations de secours. Le voyage risque d'être long, et tu vas devoir boire et te sustenter. Je veux bien faire le boulot, mais à condition que tu me promettes de vivre !»

«Je te le promets», murmura-t-elle, d'une voix altérée. Elle se mit à fouiller la réserve de son bras valide. «Après tout, c'est pour moi que tu es revenu.»

Jaeger haussa les épaules. «Tu fais partie de mon équipe.»

«Mais ta femme était à bord de l'Airlander. À l'agonie. Moi, j'étais en train de dériver en pleine mer. Presque morte. Et c'est pour moi que tu es revenu.»

«Il y avait une équipe de toubibs autour de Ruth. Quant à toi… on est un couple de jeunes mariés, tu te souviens ?»

Elle afficha un vague sourire. «*Schwachkopf.*»

Il fallait continuer à la faire parler, il fallait qu'elle se concentre sur quelque chose. «Et ta blessure, ça va ? Tu as mal ?»

Narov tenta de hausser les épaules ; elle grimaça. «Je n'en mourrai pas.»

Tant mieux, pensa Jaeger. Irina. Inflexible, brusque et honnête jusqu'au bout.

«Tu n'as plus rien d'autre à faire que de te détendre et regarder le paysage pendant que je te ramène à la maison. À la rame.»

93

Cinq semaines s'étaient écoulées depuis que Jaeger avait ramené à la rame le radeau de l'Airlander jusqu'à la côte, avant d'accompagner Narov vers l'hôpital le plus proche. Le voyage l'avait conduit jusqu'à l'extrême limite de l'endurance, et l'avait vieilli. C'était du moins la remarque que lui avait faite Irina.

Il se saisit d'un masque chirurgical, le fit glisser sur son nez et sa bouche, et fit de même pour le petit bonhomme qui se serrait contre lui. Au cours des dernières semaines, il avait rarement passé une journée loin de Simon Chucks Bello. Tous deux se sentaient très proches désormais.

Comme si le gamin qui avait sauvé la planète était un peu devenu un second fils.

Jaeger leva les yeux et repéra quelqu'un qu'il connaissait bien. Il lui sourit. « Super ! Vous êtes là. »

L'homme en blouse blanche, le docteur Arman Hanedi, haussa les épaules. « Je me demande si je me suis éloigné plus de cinq minutes de cet endroit depuis quelques semaines… On a été plutôt… occupés, n'est-ce pas ? Il me semble même avoir oublié à quoi ressemblent ma femme et mes enfants ! »

Jaeger sourit. Il s'était immédiatement bien entendu avec le chirurgien de Ruth et de Luke, et au fil des jours, il avait recueilli des bribes de son histoire. Le docteur Hanedi était originaire de Syrie. Il était encore enfant lorsqu'il était arrivé au Royaume-Uni, avec la première vague de réfugiés, dans les années 1980.

Il avait reçu une bonne éducation et s'était élevé avec brio dans la hiérarchie du corps médical. Il adorait sa spécialité, et heureusement, car au cours des dernières semaines, il avait dû consacrer ses jours et ses nuits à combattre la pire épidémie qu'ait connue notre planète.

«Alors, vous croyez qu'elle est tirée d'affaire? Elle a repris connaissance?», s'enquit Jaeger.

«J'en suis convaincu. Elle a ouvert les yeux il y a une demi-heure. Votre épouse est d'une résistance exceptionnelle. Après une exposition au virus aussi longue, on pouvait s'attendre au pire. Mais elle a survécu… une sorte de miracle.»

«Et Luke? A-t-il mieux dormi cette nuit?»

«Eh bien, je crois qu'il est le digne fils de son père. Un survivant-né.» Hanedi ébouriffa les cheveux de Simon Bello. «Alors, mon gars, es-tu prêt à rencontrer une femme extraordinaire parmi les milliers de personnes que tu as sauvées?»

Le gamin rougissait. Il avait eu du mal à faire face à la ruée médiatique, c'est le moins qu'on puisse dire. Ça semblait tellement disproportionné. Après tout, il n'avait fait que donner quelques gouttes de son sang…

«Bien sûr! Mais c'est Jaeger qui en a bavé, pas moi. Moi je n'ai rien foutu.» Simon jeta un regard penaud. Jaeger avait bien essayé d'étoffer son vocabulaire, mais pas toujours avec succès.

Ils éclatèrent de rire. «Disons que c'était un travail d'équipe», suggéra Hanedi modestement.

Ils poussèrent les portes à doubles battants. Ruth était allongée, soutenue par des oreillers. Une épaisse masse de cheveux noirs; des traits fins et délicats; de grands yeux verts profonds comme la mer, constellés de poussière d'or. Étaient-ils plutôt verts, ou plutôt bleus, ces yeux?

Jaeger n'avait jamais pu décider; ils changeaient sans cesse, avec la lumière, mais aussi avec ses états d'âme.

De nouveau, il fut frappé par l'extraordinaire beauté de sa femme. Il avait passé un nombre d'heures insensé auprès d'elle et de Luke, perdu dans leur contemplation, ou leur tenant la main. Chaque fois, une même pensée l'obsédait: *comment un amour peut-il être aussi fort? Le mien pourrait me briser.*

Ruth affichait un pâle sourire. Son premier moment de conscience depuis que le virus s'était vraiment emparé de son corps et de son esprit, suçant jusqu'à la moelle de ses os. Depuis que Jaeger avait suivi son unité portable d'isolation dans les entrailles de l'Airlander.

Il lui sourit. «Bienvenue, chérie. Comment te sens-tu?»

«Depuis combien de temps… est-ce que je lutte?», répliqua-t-elle, encore confuse. «Toute une vie s'est passée, il me semble.»

«Quelques semaines seulement… Et te voilà!» Jaeger regarda en direction du gamin qui l'accompagnait. «Et je te présente Simon Chucks Bello. J'ai pensé, ou plutôt nous avons pensé que tu aimerais le connaître.»

Le regard de Ruth se posa sur le jeune garçon. Ses yeux souriaient, et chaque fois qu'ils souriaient, le monde s'illuminait. Elle avait toujours possédé ce don d'embraser une assemblée de son seul rire, de sa magie. C'est ce qui avait attiré si fort Jaeger la première fois.

Elle tendit la main vers Simon. «Je suis si heureuse, si honorée de te rencontrer, Simon Chucks Bello. On m'a dit que sans toi, il n'y aurait plus personne de vivant dans ce monde… Tu es un sacré bonhomme.»

«Merci madame. Mais vous savez, je n'ai pas fait grand-chose. J'ai simplement reçu une piqûre.»

Ruth secoua la tête, dissimulant son envie de rire. «Ce n'est pas ce qu'on m'a dit. J'ai entendu dire que tu avais été poursuivi par de sales types, que tu avais sauté dans un bateau pour t'échapper, survécu à un voyage en enfer, sans parler de ton sauvetage en dirigeable. Bienvenue auprès de mon mari, le très séduisant, mais très dangereux Will Jaeger.»

Ils éclatèrent tous de rire. Ruth était bien revenue à la vie, nota Jaeger. Le même calme, la même gentillesse, et toujours exacte dans ses jugements.

Il montra la porte qui menait à la chambre adjacente. «Va voir comment est Luke aujourd'hui. Et mets-lui une pâtée aux échecs. Je sais que tu en meurs d'envie.»

Simon Bello tapota le sac à dos qui pendait à son épaule. « J'ai tout ce qu'il faut là-dedans. Et en plus, j'ai apporté des trucs à bouff... à manger. J'y vais. »

Il disparut derrière la porte. Luke avait repris connaissance il y avait plus d'une semaine maintenant ; Simon et lui avaient développé une connivence certaine.

On ne croisait pas beaucoup de consoles de jeu dans les bidonvilles. Dans les taudis, les ordinateurs et même les postes de télévision étaient rares, encore plus pour les orphelins. En conséquence, les gosses jouaient beaucoup à des jeux de société, la plupart fabriqués de bric et de broc, assemblés avec des bouts de carton et des débris divers.

Simon Chucks Bello était un petit dieu aux échecs. Luke avait beau faire appel à ses tactiques, inventer des séquences et des stratagèmes, Simon était toujours capable de le battre en quinze coups. Luke en devenait fou. Il avait hérité de l'esprit de compétition de son père. Chez eux, on venait d'une longue lignée de mauvais perdants.

Ruth tapota le drap, Jaeger s'assit près d'elle et ils s'étreignirent comme s'ils n'allaient jamais plus pouvoir se séparer. Jaeger n'arrivait toujours pas à croire qu'elle était ressuscitée. Souvent, au cours des semaines passées, il avait cru la perdre pour toujours.

« Alors, c'est un sacré gamin », murmura Ruth. Elle le regarda au fond des yeux. « Et tu sais quoi ? Tu es un sacré papa ! »

Il soutint son regard. « À quoi penses-tu ? »

Elle sourit. « Eh bien, il a sauvé le monde. Et nous avec... Et Luke avait tellement envie d'avoir un frère... »

Lorsque Jaeger et Simon quittèrent l'hôpital ce soir-là, le téléphone de Jaeger sonna dès qu'il le rebrancha, annonçant un nouveau message.

Il cliqua pour le lire.

Mon père s'est réfugié dans son antre sous la montagne. Le pic des Anges de feu... Je suis innocent. Lui, c'est un fou.

Pas besoin de signature.

Finalement, Falk Konig avait refait surface.

Pour offrir à Jaeger le genre d'indice qu'il cherchait.

ÉPILOGUE

Quelques jours à peine après son périlleux périple en canot pneumatique, Simon Chucks Bello avait été acheminé au Centre pour le contrôle des maladies et la prévention d'Atlanta, en Géorgie.

Les chercheurs réussirent à isoler dans son sang la source de son immunité. Ils la synthétisèrent ensuite en un vaccin qui fut produit à grande échelle, permettant ainsi à ceux qui n'avaient pas été contaminés de ne plus courir le risque d'être touchés à leur tour.

Il fallut plus longtemps pour développer un traitement, mais il fut prêt à temps pour sauver la plupart de ceux qui avaient été infectés par le *Gottvirus*. Le bilan final de l'épidémie s'établissait autour de mille trois cents morts, une tragédie déjà majeure, mais rien qui puisse se comparer à ce que Hank Kammler avait prévu.

Durant le pic de l'épidémie, le monde avait été au bord de l'effondrement. Un tel nombre de victimes ne pouvait que provoquer la panique dans les rues. Mais le pire avait été évité : les troubles n'avaient pas entraîné le chaos général. Pour une fois, tous les gouvernements de la planète avaient décidé de ne rien cacher de la nature et de la provenance du virus.

Malgré cela, il faudrait encore plusieurs mois avant que l'Organisation mondiale de la santé ne proclame officiellement la fin de l'épidémie. Simon Chucks Bello s'était vu accorder la nationalité britannique, et faisait désormais partie de la famille Jaeger.

Le gamin avait également reçu la médaille présidentielle de la Liberté, la plus haute récompense civile américaine, réservée aux individus ayant fait une contribution exceptionnelle à la sécurité des États-Unis et à la paix dans le monde.

Cette médaille, toutefois, ne lui avait pas été remise personnellement par le président américain Joseph Byrne : à la suite d'un scandale touchant les services de renseignements, il avait été déchu de ses fonctions. Une décision très sage, somme toute.

Les frères d'armes de Jaeger restés bloqués sur la plage d'Amani, Raff, Alonzo, Kamishi et James, avaient écopé de blessures plus ou moins graves au cours de la fusillade intense, mais ils avaient réussi à s'échapper grâce à la couverture fournie par le dernier Taranis. Tous considèrent toujours que Jaeger s'était comporté en héros, et aucun ne lui en veut le moins du monde de les avoir laissés seuls pour affronter les chiens de guerre de Kammler sur cette plage. Sa mission l'exigeait.

Irina s'était bien remise, à la fois de la contamination par le virus et de sa méchante blessure à l'épaule. Naturellement, elle avait eu du mal à pardonner à Jaeger la perte de son précieux poignard de commando au cours de sa lutte à mort avec Jones.

Au moment où ces lignes sont écrites, le colonel Hank Kammler, ancien directeur adjoint de la CIA, court toujours. Il n'a pas été possible de le localiser. Il figure évidemment en tête de la liste des personnes les plus recherchées sur la planète.

Jaeger, Ruth, Luke et Bello le Héros, comme ils le surnomment souvent, vivent quant à eux des jours plus calmes. Jaeger a quand même commandé un nouveau poignard destiné à Irina Narov.

En spécifiant qu'il désirait que la lame soit affûtée comme un rasoir.

REMERCIEMENTS

J'adresse toute ma reconnaissance à Laura Williams, Annabel Merullo et Caroline Michel, agents littéraires chez PFD ; c'est grâce à leur travail et à leur talent que ce livre a pu voir le jour. Merci à Jon Wood et Jemima Forrester, ainsi qu'à toute l'équipe de la maison d'édition Orion : Malcolm Edwards, Mark Rusher et Leanne Oliver, qui ont constitué le « Team Grylls ». Mes remerciements vont également à toute l'équipe de BGV, qui a si bien traduit en images la série des aventures de Will Jaeger.

Je remercie aussi Hamish de Bretton-Gordon, Ollie Morton et Iain Thompson d'Avon Protection pour leur perspicacité, leurs conseils, leur compétence dans le domaine de l'armement nucléaire, radiologique, biologique et chimique, dans tous les chapitres où sont abordés ces thèmes, ainsi que dans le domaine des mesures de protection. Merci à Chris Daniels et à toute l'équipe de Hybrid Air Vehicles pour leur compétence et leurs conseils au sujet de l'Airlander, et d'avoir poussé la prospective à sa limite à propos de cet engin ; à Paul et Anne Sherrat, pour leur expertise en matière de relations durant la Guerre froide, après la Seconde Guerre mondiale ; ainsi qu'à Peter Message pour sa réaction enthousiaste lors des premiers stades de l'élaboration de ce livre.

Enfin, mes remerciements les plus chaleureux vont bien sûr à Damien Lewis, pour avoir su exploiter les trésors trouvés dans la malle de mon grand-père, marquée « Top Secret ». Pour donner vie à ces documents, il fallait être un génie.